Anatole d'Hardancourt

Word 97 pour Windows Mode d'emploi

Microsoft Word 97 pour Windows est une marque déposée de Microsoft Corporation.

Sybex n'est lié à aucun constructeur.

Tous les efforts ont été faits pour fournir dans ce livre une information complète est exacte. Néanmoins, Sybex n'assume de responsabilités ni pour son utilisation ni pour les contrefaçons de brevets ou atteintes aux droits de tierces personnes qui pourraient résulter de cette utilisation.

ISBN 2-7361-2362-X

SOMMAIRE

Chapitre 1

Chapitre 2

Chapitre 3

Chapitre 4

Chapitre 8

Chapitre 9

Chapitre 10

Chapitre 11

Chapitre 12

INTRODUCTION

La nouvelle version de Word, incluse dans Office 97, hérite de toutes les qualités de la version précédente, tout en voyant ses défauts corrigés. Elle possède de nombreuses fonctions qui sont normalement réservées aux programmes de mise en page les plus puissants. Word est capable de lire la plupart des formats de texte et de graphiques courants. Il permet, de plus, d'intégrer des programmes PostScript dans un document. Il est ainsi possible, pour peu que l'on sache programmer dans ce langage, d'obtenir des effets spectaculaires. Nous verrons d'ailleurs comment utiliser cette particularité pour créer un fond de page constitué d'un texte oblique tramé. Il est, bien sûr, parfaitement compatible avec les liaisons DDE et OLE. Il est ainsi possible de créer un tableau Excel à l'intérieur d'un document Word ou de créer un lien dynamique avec un tableau existant. Par ailleurs, Word est résolument tourné vers le monde Internet et offre de nombreuses fonctions permettant aussi bien de reconnaître une adresse dans un document et de lancer automatiquement une connexion que de créer des liens hypertexte avec d'autres documents présents sur des serveurs Internet, ou d'enregistrer des documents au format HTML en vue de leur diffusion sur le WEB.

Caractéristiques de Word

Word fonctionne sur tous les modèles de PC équipés d'un processeur 486 ou plus, de 8 Mo de mémoire et de Windows 95. Ses principales caractéristiques sont les suivantes :

- La taille maximale d'un document n'est limitée que par la capacité du disque dur.
- Word utilise des feuilles de styles et des modèles pour accélérer la création de documents ayant une présentation cohérente.
- Les index et les tables des matières peuvent être générés automatiquement.
- Vous pouvez créer des insertions automatiques attachées à des modèles ou disponibles dans tous les documents.
- Word crée automatiquement des titres, des tableaux, des bordures et des listes à symboles ou à numéros.
- Word est capable d'ouvrir jusqu'à neuf documents simultanément.
- Grâce aux correcteurs orthographique et grammatical, ainsi qu'au dictionnaire des synonymes, Word vous apporte une aide vraiment efficace pour améliorer vos documents. De plus, Word est capable de corriger vos textes pendant la saisie.
- Il est possible de créer des dictionnaires utilisateur pouvant contenir jusqu'à 10 000 mots.
- Le mode Plan vous permet de créer très facilement des documents parfaitement structurés.
- Grâce au mode Aperçu avant impression, vous pouvez aisément visualiser l'aspect des pages avant de les imprimer.
- Word gère parfaitement les notes de bas de page et les titres courants, ainsi que les marques de révision. Il per-

met de comparer automatiquement deux versions d'un même document.

- La repagination d'un document peut être effectuée en tâche de fond (pendant que vous continuez à travailler).
- Vous pouvez obtenir instantanément des statistiques sur vos documents : nombre de mots, de phrases, de lignes, de caractères, et même évaluation de la facilité de lecture.
- Word peut sauvegarder votre travail à intervalles réguliers afin de réduire les risques en cas de panne de courant ou d'incident technique.
- Bien entendu, Word exploite toutes les possibilités de Windows : utilisation des polices, compatibilité avec les imprimantes installées, gestion des échanges avec les autres applications, utilisation de la mémoire virtuelle, etc.
- Word est compatible avec l'utilisation en réseau et gère les accès simultanés à un document.
- De nombreux *Assistants* vous aident à réaliser sans difficultés les tâches les plus complexes.
- L'impression d'enveloppes ou d'étiquettes est entièrement automatisée.
- Word est capable d'effectuer des calculs dans les tableaux au moyen de nombreuses formules mathématiques.
- Word peut faire automatiquement une synthèse de votre document en en retenant les points essentiels.
- Word contient un navigateur Web et peut exécuter automatiquement une connexion lorsqu'un document contient une adresse.

- Word vous permet, grâce à la présence d'un assistant spécialisé, de réaliser très facilement des pages Web comportant des graphiques, des sons et des séquences vidéo pouvant être jouées automatiquement. Vous pouvez également réaliser des formulaires interactifs.
- Word peut être employé pour éditer très facilement votre courrier électronique.
- Word est capable de gérer intégralement l'historique d'un document afin de conserver la trace de ses modifications successives et de leurs auteurs, facilitant ainsi le travail en équipe.
- Word est capable d'ouvrir des documents créés dans toutes les langues (à condition que les polices nécessaires soient installées sur votre PC). Vous pouvez ainsi, avec la version française, afficher un document en japonais ou trier une liste de noms en tchèque.

Toutes ces caractéristiques font de Word un programme encore plus efficace et facile à utiliser, tout en restant un des plus puissants du marché. Le Chapitre 2 vous montrera comment il est possible de créer et d'imprimer un document en quelques minutes.

Conventions

Dans ce livre, nous avons essayé de respecter un certain nombre de conventions.

Conventions typographiques

Les noms des menus et des commandes, des options, des boutons radio, des cases à cocher et des boîtes de dialogue sont indiqués en italique. Exemples :

- Le menu *Fichier*.
- La commande *Enregistrer*.
- L'option *Demander toujours*.
- La boîte de dialogue *Configuration*.

Les caractères que vous devez taper textuellement sont indiqués en gras :

- Tapez **15456**.

Les noms des touches sont indiqués de la façon suivante :

- La touche ENTRÉE.

Un signe plus (+) entre deux touches indique que la première doit être maintenue enfoncée pendant la frappe de la seconde. Par exemple :

- Tapez CTRL+E

signifie "Maintenez la touche CTRL enfoncée et tapez la touche E".

- Tapez MAJ+CTRL+ESPACE

signifie " Maintenez les touches MAJUSCULE et CTRL enfoncées, et pressez la barre d'espacement ".

Deux touches séparées par une virgule doivent être tapées successivement. Exemple :

- Tapez ALT+ I,T

signifie "Maintenez la touche ALT enfoncée et pressez la touche I, puis relâchez ces deux touches et tapez la touche T".

Les noms des fichiers sont indiqués en italique. Exemples :

- Les fichiers *Config.sys* et *Autoexec.bat*.

Conventions de vocabulaire

Dans ce livre, nous avons essayé au maximum de respecter le vocabulaire de Windows. Les expressions et les mots courants tels que *sélectionner*, *pointer*, *cliquer*, *faire glisser* sont employés dans leur sens habituel.

L'expression *cliquer deux fois* signifie cliquer *rapidement* deux fois de suite. Si vous n'obtenez pas le résultat escompté, essayez de diminuer l'intervalle entre les deux clics.

Les boutons de la souris

Votre souris comporte normalement deux ou trois boutons. Le bouton gauche est utilisé dans 80 % des cas. Lorsque nous parlerons du bouton de la souris sans plus de précision, il s'agira toujours du bouton gauche. Dans le cas contraire, nous préciserons "le bouton droit".

La disquette d'exemples

Une disquette contenant les exemples de ce livre est disponible séparément. Pour vous la procurer, reportez-vous aux indications figurant sur l'encart.

La disquette ne contient aucun programme prêt à l'emploi. Les données qui y figurent sont fournies uniquement dans le but de faciliter l'apprentissage et ne sont pas susceptibles d'être exploitées d'une quelconque façon. Elle n'est en aucun cas indispensable à la réalisation des exercices.

CHAPITRE 1

Votre premier document Word

Si vous utilisez pour la première fois un traitement de texte, vous vous demandez peut-être combien de temps il vous faudra pour avoir une maîtrise suffisante de Word et produire des documents réellement utilisables. La réponse est simple. Il vous suffit de quelques dizaines de minutes d'apprentissage pour être capable de faire de façon beaucoup plus productive tout ce que permet la machine à écrire la plus perfectionnée. C'est ce que vous trouverez dans les deux premiers chapitres.

Notre premier exemple consistera en une lettre de confirmation de commande. Elle comportera une adresse, la date, l'objet, le corps du texte et la signature.

La première chose à faire est de charger Word. (Si Word n'est pas installé sur votre ordinateur, c'est le moment de le faire en suivant la procédure décrite dans votre manuel.) Procédez de la façon suivante :

1. Cliquez sur le bouton *Démarrer* de la barre des tâches.

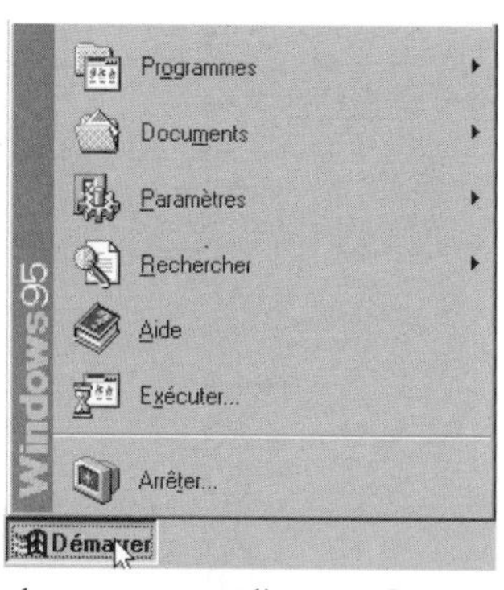

2. Placez le pointeur sur l'option *Programmes*. Le sous-menu des programmes disponibles s'affiche, comme indiqué sur la Figure 1.1.

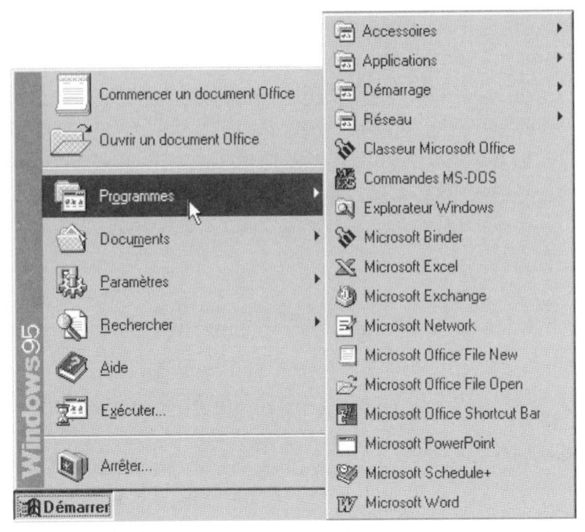

Figure 1.1 : Affichage du sous-menu des programmes disponibles.

3. Dans le sous-menu, sélectionnez *Microsoft Word*.

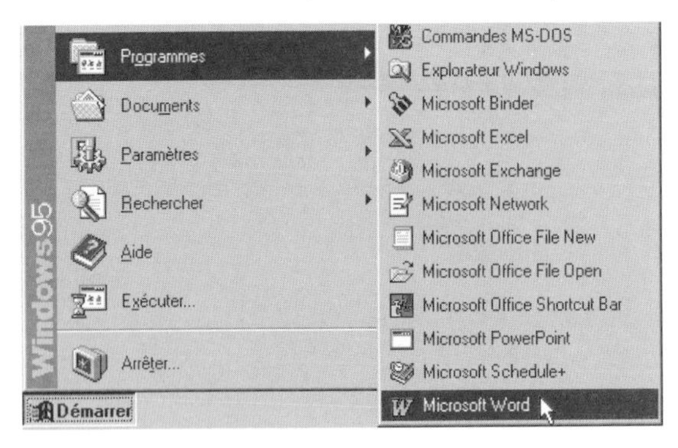

Une fois l'application lancée, l'écran principal est affiché. Le petit personnage en forme de trombone qui ne cesse de cligner des yeux, dans l'angle inférieur droit de l'écran, est votre *Compagnon Office*. Il vous regarde travailler, vous donne des conseils et corrige vos erreurs. Il sait tout faire (du moins le croit-il), et il a des idées sur tout, ce qui le rend un peu énervant par moment. Son discours est affiché dans une bulle jaune. Faites-le disparaître en cliquant sur *Utiliser Microsoft Word* :

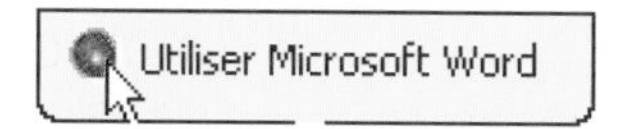

L'écran de Word est affiché. Si vous examinez la barre de titre (tout en haut de l'écran), vous verrez qu'elle contient le nom de l'application (Microsoft Word) et l'indication *Document1*. Il s'agit du nom donné par Word au document vierge qui vient d'être créé. Chaque fois que vous démarrez Word, le programme affiche un nouveau document vierge.

La plus grande partie de la fenêtre est blanche. C'est à cet endroit que vous taperez votre texte. Dans l'angle supérieur gauche de la surface blanche de la fenêtre, vous pouvez remarquer un trait horizontal fixe et un trait vertical clignotant.

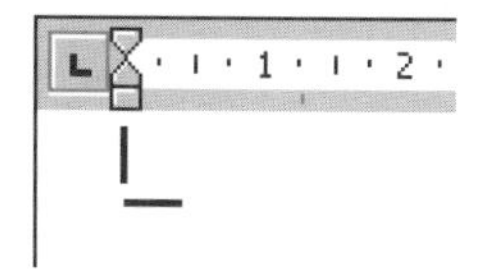

Le trait horizontal fixe est la *marque de fin de document*. Aucun texte ne peut être saisi après cette marque. Le trait vertical clignotant est le *point d'insertion*. Il indique l'endroit où les caractères que vous taperez seront affichés.

Configuration de Word

Avant de commencer à taper du texte, nous allons modifier légèrement la configuration de Word de façon à l'adapter à l'utilisation que nous voulons en faire.

Changement de la police de caractères par défaut

L'expression "police de caractères" désigne un ensemble de caractères d'un même dessin. Les polices de caractères sont au traitement de texte ce qu'étaient les boules ou les marguerites pour les machines à écrire. Pour nos premiers documents, nous utiliserons le caractère *Courier New* de taille 12, qui ressemble beaucoup au caractère d'une machine à écrire. Procédez de la façon suivante :

1. Déroulez le menu *Format.*
2. Faites glisser le pointeur jusqu'à l'article Police.

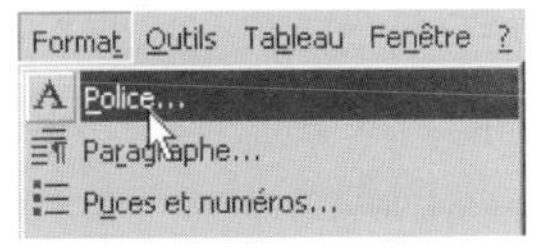

3. Relâchez le bouton de la souris. La boîte de dialogue *Police* est affichée.
4. Placez le pointeur sur la flèche dirigée vers le haut, au-dessous de l'inscription *Times New Roman*, pressez le bouton de la souris et maintenez-le enfoncé pour faire défiler la liste jusqu'à ce que le nom *Courier New* soit visible (Figure 1.2).

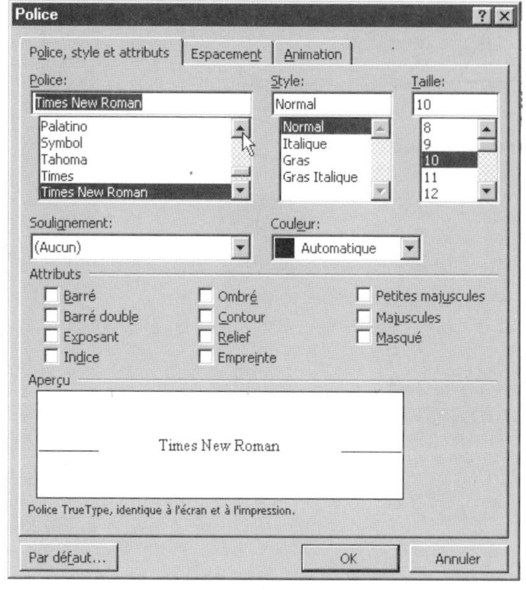

Figure 1.2 : Sélection d'une police de caractères.

5. Cliquez sur *Courier New* pour sélectionner cette police de caractères.

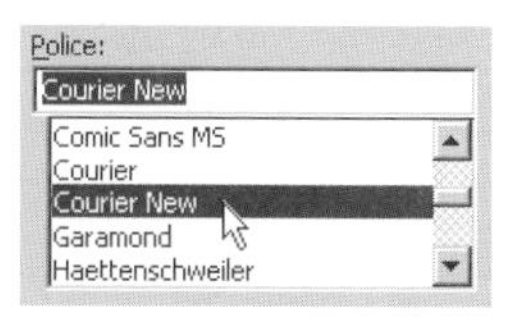

6. Dans la liste figurant au-dessous de la zone *Taille*, cliquez sur 12.

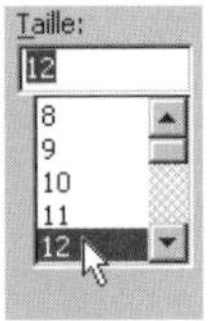

7. Cliquez sur le bouton *Par défaut*. Une nouvelle boîte de dialogue est affichée. Cliquez sur *Oui*. La police *Courier New* et la taille 12 sont à présent indiquées dans la barre d'outils, comme vous pouvez le voir sur la Figure 1.3.

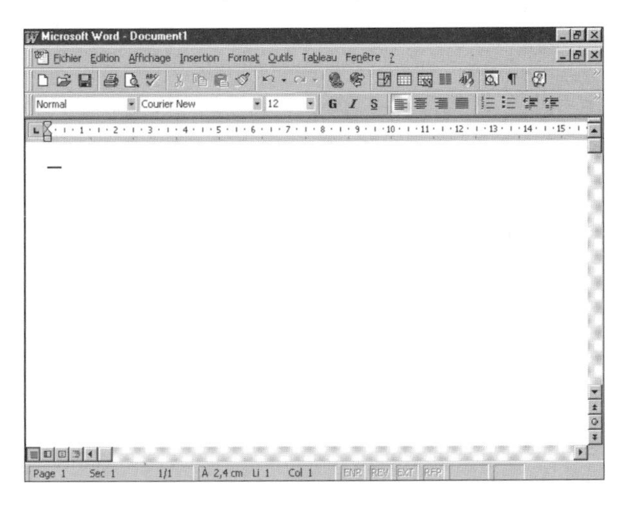

Figure 1.3 : La police et la taille sélectionnées sont indiquées dans la barre d'outils.

A partir de maintenant, lorsque vous taperez du texte, le caractère *Courier New* sera employé. (La signification de la manipulation que nous venons d'effectuer sera expliquée au Chapitre 7.)

La taille des caractères est indiquée en points. Un point vaut 1/72 pouce, soit environ 0,35 millimètre. (Il s'agit du point "informatique". Le point des typographes est légèrement différent et varie, d'ailleurs, selon les pays.)

Affichage en mode normal

Word peut afficher les documents en plusieurs modes. En mode *Page*, il représente la page entière telle qu'elle sera imprimée, avec ses marges. Si vous disposez d'un écran de petite taille, cela n'est pas très pratique car l'affichage est alors réduit pour faire tenir la largeur de la page dans l'écran. Avec des marges normales, la taille de l'affichage est réduite d'environ 70 %. En mode normal, le texte est affiché sans les marges et sans certains éléments de mise en page, comme nous le verrons plus loin. Pour commencer notre apprentissage, il est préférable de rester en mode normal. Pour cela, procédez de la façon suivante :

1. Déroulez le menu *Affichage*.
2. Sélectionnez l'option *Normal* (la première de la liste).

(Si vous étiez déjà en mode normal, cette manipulation n'a aucun effet.)

Affichage des caractères spéciaux

Le traitement de texte utilise de nombreux caractères qui ne sont pas imprimés. Le plus courant est l'espace, mais il en existe beaucoup d'autres. Ainsi, une fin de paragraphe est un caractère, une tabulation en est un autre, tout comme une fin de ligne ou un saut de page. Une erreur fréquemment commise par les personnes habituées aux machines à écrire et débutant avec un traitement de texte consiste à utiliser de façon incorrecte ces caractères en tapant, par exemple, une fin de paragraphe au lieu d'une fin de ligne, ou plusieurs espaces à la place d'une tabulation. Afin de mettre en évidence de telles erreurs, nous demanderons à Word de représenter ces caractères par des symboles. Procédez de la façon suivante :

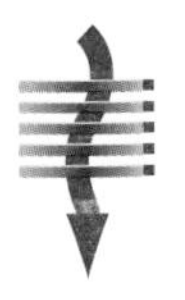

1. Placez le pointeur sur le deuxième bouton de la première barre d'outils, à partir de la droite. Si vous laissez le pointeur sur ce bouton pendant une seconde, vous voyez s'afficher un message vous indiquant sa fonction.

2. Cliquez. Le bouton est maintenant affiché en position enfoncée, pour indiquer que l'option d'affichage des caractères spéciaux est active.

Vous pouvez constater qu'un nouveau symbole est affiché, à droite du point d'insertion et au-dessus de la marque de fin de document. Ce symbole désigne la fin d'un paragraphe.

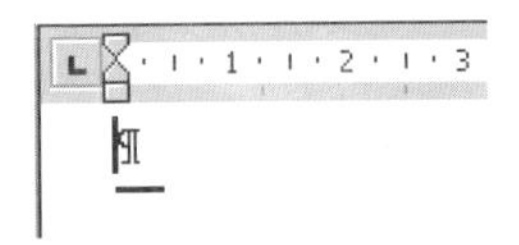

Modification du dossier par défaut

Vous devrez enregistrer les documents que vous allez créer dans un *dossier*, sur votre disque dur. Les *dossiers* servent à ranger les fichiers, de façon à séparer les applications (comme Word) des éléments du système (Windows) et les documents. La façon dont vous organiserez votre disque dépend de vos habitudes de travail, du type de projet sur lequel vous travaillerez, de la taille de votre disque dur, etc. Dans les exemples de ce livre, nous utiliserons un *dossier* appelé *Exemples* et se trouvant dans le dossier *Mes documents* du disque C:. Il nous faut donc le créer et indiquer à Word qu'il doit être utilisé par défaut pour l'enregistrement des documents.

1. Dans la barre de menus, cliquez sur *Outils*.
2. Dans le menu déroulé, cliquez sur *Options*. La boîte de dialogue de la Figure 1.4 est affichée.

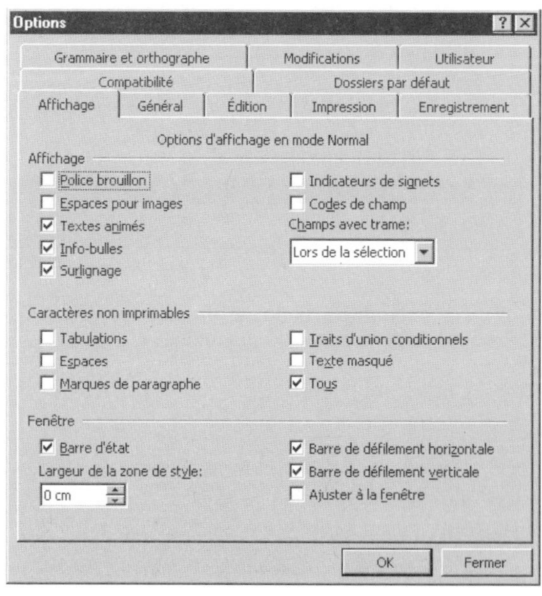

Figure 1.4 : La boîte de dialogue Options.

3. Cliquez sur l'onglet portant la mention *Dossiers. par défaut*. Normalement, celui-ci devrait se trouver au deuxième rang à droite. Cependant, si votre version de Word a déjà été utilisée, il peut se trouver à un rang différent.

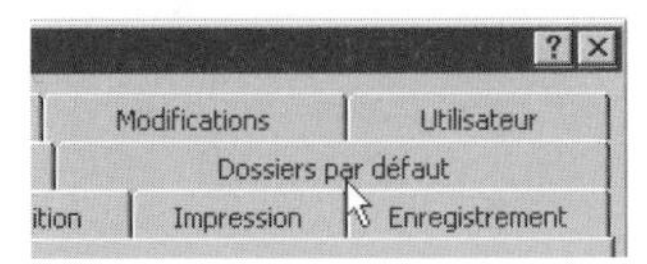

4. Cliquez sur la première ligne pour sélectionner l'option *Documents*.

5. Cliquez sur *Changer*.
6. Dans la boîte de dialogue affichée, cliquez sur l'icône de création d'un dossier :

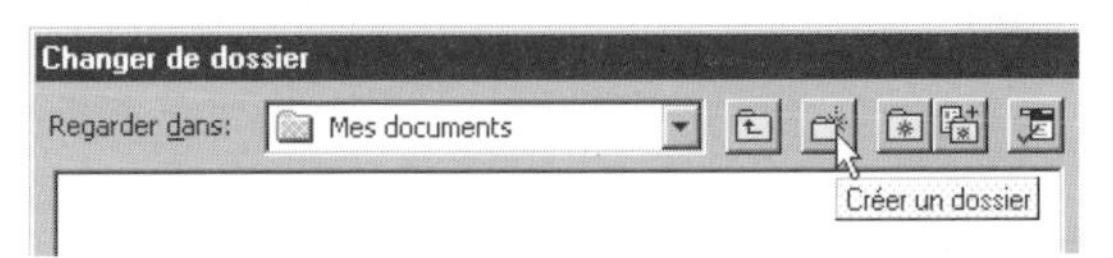

7. Dans la boîte de dialogue affichée, tapez le nom du dossier à créer (*Exemples*) puis cliquez sur *OK*.
8. Cliquez sur le dossier que vous venez de créer afin de le sélectionner.
9. Cliquez sur *OK*. Le nom du nouveau dossier est inscrit dans la boîte de dialogue *Options*.

10. Cliquez de nouveau sur *OK* pour fermer la boîte de dialogue.

Saisie de la lettre

Vous êtes maintenant prêt à saisir votre premier document. Nous saisirons tout d'abord le texte sans nous préoccuper de sa disposition. Dans un premier temps, nous nous appliquerons à donner au texte une structure logique.

Nous commencerons par taper l'adresse du destinataire de notre lettre. Elle sera composée de quatre lignes. Avec une machine à écrire, les lignes sont toutes terminées de la même façon, en tapant la touche Retour chariot. Avec Word, les choses sont différentes. En effet, l'adresse constitue un seul paragraphe avec des retours à la ligne. Cette façon de faire nous permettra de gagner beaucoup de temps lors de la mise en page de notre lettre. La touche ENTRÉE sert à terminer les paragraphes. Pour terminer les lignes à l'intérieur d'un paragraphe, il faut utiliser une autre commande, comme nous allons le voir maintenant :

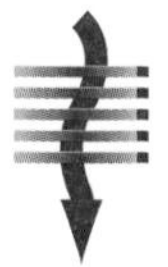

1. Tapez la première ligne de l'adresse. Il s'agit du nom de la société à laquelle nous écrivons :

   `Garage moderne`

Au fur et à mesure que vous tapez, le point d'insertion se déplace vers la droite.

Garage·moder¶

Si vous faites une faute de frappe, revenez en arrière en tapant la touche ARRIÈRE. Cette touche, de forme allongée, se trouve dans l'angle supérieur droit du clavier et porte une flèche dirigée vers la gauche. A chaque pression sur cette touche, le point d'insertion se déplace vers la gauche en effaçant un caractère.

2. Pour passer à la ligne suivante, maintenez la touche MAJUSCULE enfoncée et tapez la touche ENTRÉE. Cette combinaison de touches est notée MAJ+ENTRÉE. Le point d'insertion passe à la ligne suivante, avec la marque de fin de paragraphe. Un symbole en forme de flèche coudée est affiché à la fin de la première ligne.

   ```
   Garage·moderne↵
   ¶
   ```

   Ce symbole indique une rupture de ligne volontaire à l'intérieur du paragraphe.

3. Tapez la deuxième ligne de l'adresse :

   ```
   Mme Renée Blutte
   ```

4. Tapez les touches MAJ+ENTRÉE.
5. Tapez la troisième ligne :

   ```
   87, rue Cartier-Bresson
   ```

6. Tapez les touches MAJ+ENTRÉE.
7. Tapez la dernière ligne :

   ```
   27000 EVREUX
   ```

8. Tapez la touche ENTRÉE.

L'adresse est maintenant complète et doit se présenter de la façon suivante :

```
Garage·moderne↵
Mme·Renée·Blutte↵
87,·rue·Cartier-Bresson↵
27000·EVREUX¶
¶
```

Chaque ligne est terminée par un caractère de fin de ligne, sauf la dernière, qui comporte une marque de fin de paragraphe. Le point d'insertion se trouve à la ligne suivante, prêt pour la saisie d'un nouveau paragraphe. Vous pouvez constater que certains mots sont soulignés d'un trait ondulé. Nous verrons dans un instant que Word signale ainsi les mots qu'il ne reconnaît pas.

Tapez la date sous la forme suivante :

```
Paris, le 14 février 1997
```

et terminez par la touche ENTRÉE. La date constitue, en effet, un paragraphe indépendant.

L'objet de la lettre sera également tapé comme un paragraphe indépendant, en terminant par la touche ENTRÉE :

```
Objet : Confirmation de commande
```

Vous devez maintenant taper le corps de la lettre. Commencez par taper la formule d'introduction :

```
Madame,
```

Vous pouvez constater que Word affiche une info-bulle contenant les mots "Madame, Monsieur". Il fait ainsi preuve d'"intelligence" en voulant remplacer "Madame" par "Madame, Monsieur". Peu lui importe que votre interlocuteur soit une dame ! Afin d'empêcher la modification, tapez un espace, puis la touche ARRIÈRE (pour l'effacer) et enfin la touche ENTRÉE.

Continuez en tapant le début du premier paragraphe, *sans taper la touche* ENTRÉE *en fin de ligne* :

```
Nous accusons réception de votre
commande de trois fauteuils visiteurs,
```

Vous constatez que le mot *visiteurs* est passé automatiquement à la ligne suivante. Il s'agit là d'une fonction très importante du traitement de texte. Contrairement à ce qui se passe avec une machine à écrire traditionnelle, vous n'avez pas besoin d'indiquer les ruptures de ligne. Word s'en charge pour vous, en coupant les lignes lorsque cela est nécessaire. Nous verrons même, au Chapitre 10, que le programme est capable de couper les mots avec des traits d'union pour éviter les blancs trop importants. Pour l'instant, tapez la fin du paragraphe et terminez par la touche ENTRÉE :

```
Nous accusons réception de votre
commande de trois fauteuils visiteurs,
référence 35-650, au prix de 1 550,00
francs HT. Le délai de livraison est
de quatre semaines. Ces articles vous
seront expédiés dès qu'ils seront
disponibles, par transporteur
spécialisé.
```

Votre paragraphe fait maintenant quatre lignes et demie et il est terminé par une marque de fin de paragraphe. Continuez à taper la fin de la lettre en faisant bien attention à faire la faute d'orthographe à *rappellons*. Nous avons sauté une ligne pour vous indiquer les fins de paragraphes, mais vous ne devez pas sauter de lignes en tapant la lettre :

```
Nous vous rappellons que nos conditions
de paiement sont les suivantes :
90 jours fin de mois par traite sur
relevé.

Nous insistons sur le fait que vous
devez faire toutes réserves auprès du
transporteur en cas de marchandises
défectueuses.

Nous ne pouvons prendre en compte
aucune réclamation concernant des
dégâts non signalés à la livraison.
```

Tapez ensuite la formule de politesse :

```
Meilleures salutations
```

en terminant par la touche ENTRÉE. Il ne vous reste plus qu'à taper la signature. Il s'agit d'un paragraphe comportant deux lignes :

```
Paul Berger (MAJ+RETOUR)
Attaché commercial
```

Le début de la lettre n'est maintenant plus visible. Pour le faire réapparaître, tapez la touche PG.PREC. Vous devez obtenir le résultat de la Figure 1.5.

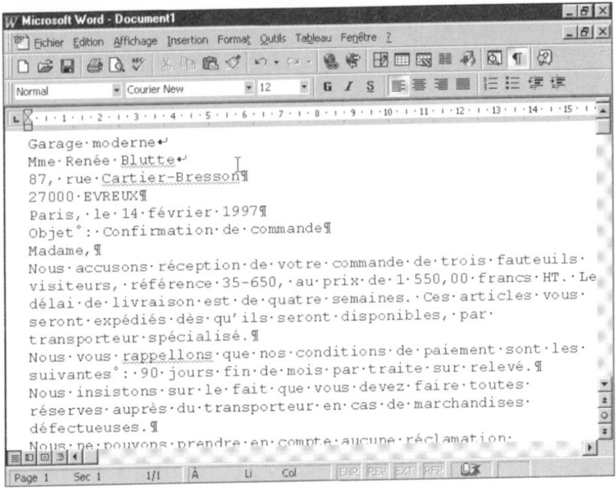

Figure 1.5 : La lettre saisie, avant mise en page.

Pour l'instant, l'aspect de notre lettre n'est pas très satisfaisant. Si vous avez une longue expérience de la machine à écrire, vous pensez sûrement que vous auriez pu obtenir un résultat bien meilleur en un temps beaucoup plus court. Vous avez en partie raison. En respectant la philosophie de Word, et en créant un document parfaitement structuré, vous perdez apparemment un peu de temps. Mais ce temps sera largement récupéré si vous devez réutiliser ce document pour le corriger ou pour adresser une lettre semblable à un autre client. Nous allons maintenant donner à notre lettre son aspect normal, mais nous corrigerons tout d'abord la faute d'orthographe.

Correction de l'orthographe

Word a souligné en rouge les mots qu'il ne reconnaît pas. Parmi ceux-ci, certains sont corrects et d'autres comportent des fautes. Pour corriger les fautes, procédez de la façon suivante :

1. Cliquez avec le bouton *droit* de la souris dans le premier mot souligné en rouge :

```
Garage·moderne↵
Mme·Renée·Blutte↵
87,·rue·Cartier-Bresson¶
27000·EVREUX¶
Paris,·le·14·février·1997¶
Objet°:·Confirmation·de·commande¶
Madame,¶
```

Un petit menu, appelé *menu contextuel*, est affiché :

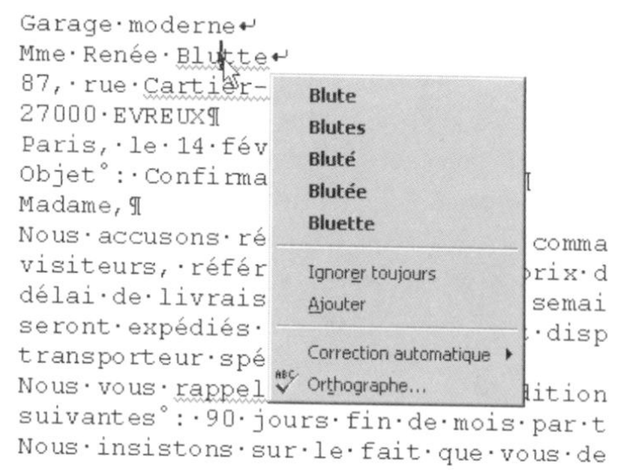

2. Word vous propose de remplacer le mot par un des mots de la liste, ou bien de l'ignorer, ou encore de l'ajouter au dictionnaire. Ce mot ne devant pas être réutilisé, cliquez sur *Ignorer toujours*.

3. Procédez de même pour le deuxième mot.

4. Pour le troisième mot, sélectionnez simplement l'orthographe correcte dans la liste des mots proposés (*rappelons*).

Mise en forme de la lettre

Pour mettre en forme notre lettre, nous allons attribuer un format à chaque paragraphe. Word permet de formater les paragraphes de diverses façons. Nous ne modifierons pour l'instant que les espaces avant et après les paragraphes, ainsi que le retrait à gauche. En effet, pour que notre lettre ait un aspect satisfaisant, il nous suffit d'espacer les différents éléments et de décaler l'adresse, la date et la signature vers la droite.

Avec une machine à écrire, l'espacement des éléments se fait simplement en sautant des lignes à l'aide de la touche Retour chariot. Nous pourrions procéder de la sorte avec Word. Cependant, il existe une façon beaucoup plus logique et efficace d'espacer les éléments. Elle consiste à affecter à chacun un espace avant et un espace après. Si nous affectons à chaque paragraphe du corps de la lettre un espace avant et un espace après d'une demi-ligne, deux paragraphes consécutifs seront séparés par un espace d'une ligne.

Il n'est pas toujours évident de déterminer quelle partie de l'espace séparant deux paragraphes appartient au paragraphe précédent et quelle partie appartient au paragraphe suivant. Par exemple, si nous voulons un espace de trois lignes entre l'adresse et la date, devons-nous attribuer une ligne après à l'adresse et deux lignes avant à la date, ou l'inverse, ou toute autre combinaison ? Il s'agit là d'un choix qui peut avoir des conséquences importantes et sur lequel nous reviendrons au Chapitre 5. Pour l'instant, nous procéderons de la façon la plus simple possible.

Nous voulons que l'adresse et la date soient séparées par cinq lignes. Nous attribuerons donc un espace après de 2,5 lignes à l'adresse et un espace avant de 2,5 lignes à la date. Pour modifier les caractéristiques d'un paragraphe, il faut qu'il soit sélectionné.

Pour mettre en forme l'adresse, procédez de la façon suivante :

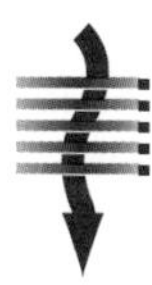

1. Positionnez le pointeur sur l'adresse et cliquez afin d'y placer le point d'insertion. L'emplacement exact n'a aucune importance.
2. Déroulez le menu *Format* et sélectionnez l'article *Paragraphe*. La boîte de dialogue de la Figure 1.6 est affichée. Cette boîte de dialogue comporte deux onglets intitulés *Retraits et espacement* et *Enchaînement*. Le premier est celui qui nous intéresse pour le moment. La rubrique *Espacement* comporte trois contrôles : *Avant*, *Après* et *Interligne*. La signification des deux premiers est évidente. Le troisième sert à modifier l'espacement des lignes à l'intérieur du paragraphe. Pour l'instant, la zone de texte *A gauche*, dans la rubrique *Retrait*, est sélectionnée. Nous voulons modifier la zone *Après* de la rubrique *Espacement*. Pour la sélectionner, il suffit de taper sept fois la touche TAB (tabulation). Une zone est sélectionnée lorsque le texte qu'elle contient est affiché sur un fond de couleur. (La couleur exacte dépend de la configuration de Windows.) La touche TAB permet de passer d'un contrôle (zone de texte, liste, bouton, etc.) à l'autre. Après la dernière zone, la sélection revient sur la première.

Lorsqu'une boîte de dialogue comporte de nombreuses zones de texte, il peut être pénible de passer de l'une à l'autre à l'aide de la touche TAB. Vous pouvez alors employer la combinaison de touches MAJ+TAB pour passer à la zone précédente, ou accéder directement à une zone en y cliquant et en modifiant ou en remplaçant le texte qu'elle contient. Vous pouvez également sélectionner un contrôle en tapant la touche ALT accompagnée de la lettre soulignée dans le nom du contrôle. Par exemple, pour sélectionner le contrôle *Avant* de la rubrique *Espacement*, vous pouvez taper les touches ALT+V.

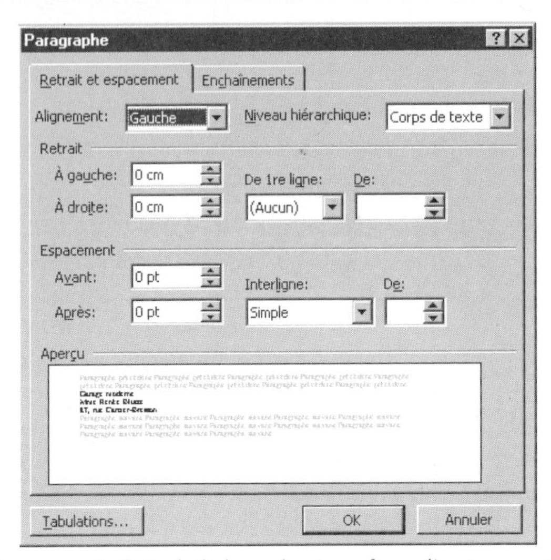

Figure 1.6 : La boîte de dialogue de mise en forme d'un paragraphe.

3. Tapez la combinaison ALT+P, ou sept fois la touche TAB, pour sélectionner la zone *Après*.

La valeur des espaces avant et après les paragraphes est indiquée par défaut en points. Vous pouvez également employer des centimètres (cm), des picas (pi), des lignes (li) ou des pouces (pc ou "). Un pouce vaut 2,54 cm. Un point vaut 1/72 pouce. Un pica vaut 12 points. Une ligne vaut 12 points également. Si vous n'indiquez pas d'unité, Word utilise le point. Si vous utilisez une unité, Word la convertit en points.

4. Cliquez sur la flèche vers le haut, ou tapez la touche HAUT. La valeur de l'espace avant est maintenant de 6 points, soit une demi-ligne.

5. Répétez l'opération quatre fois pour obtenir un espace de 30 points, l'équivalent de 2,5 lignes.

6. Cliquez sur *OK* ou tapez la touche ENTRÉE. L'adresse est maintenant séparée de la date par un espace d'une ligne et demie (Figure 1.7).

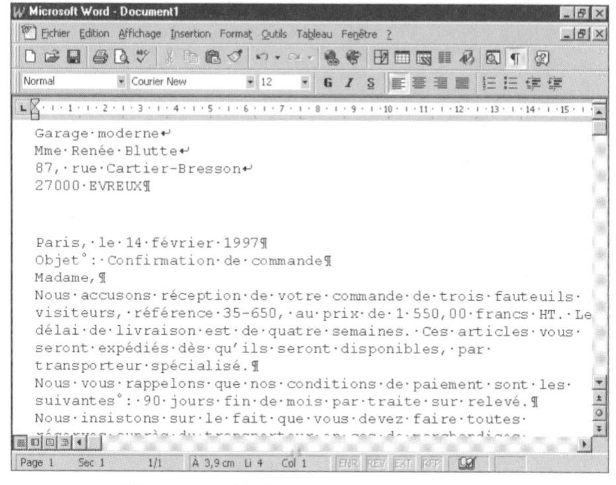

Figure 1.7 : L'adresse avec un espace après.

Pour obtenir l'espacement souhaité, nous devons attribuer un espace avant de deux lignes et demie à la date. Comme nous souhaitons également obtenir le même espace entre la date et l'objet, nous définirons l'espace après par la même occasion.

Lorsque nous travaillons sur un document, la meilleure façon de gagner du temps est d'éviter les aller et retour entre le clavier et la souris. Il est donc utile de savoir ouvrir la boîte de dialogue de mise en forme des paragraphes à l'aide du clavier. Pour cela, il suffit d'employer l'équivalent

clavier de l'article Paragraphe du menu Format. Les équivalents clavier des articles de menu sont indiqués dans les menus au moyen de lettres soulignées :

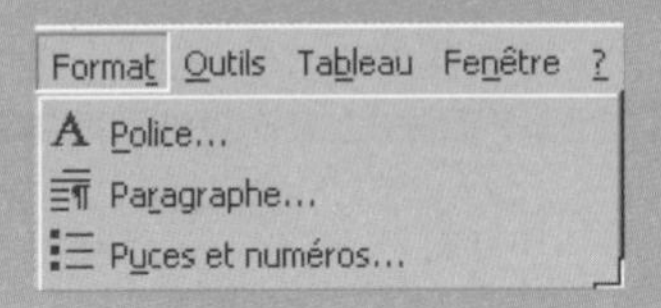

Sur l'illustration précédente, nous pouvons voir que l'équivalent clavier de la commande *Paragraphe* est R. L'équivalent clavier du menu *Format* est T, comme indiqué dans la barre des menus. Vous pouvez donc ouvrir la boîte de dialogue *Paragraphe* en utilisant les touches ALT+T, R. Procédez de la façon suivante :

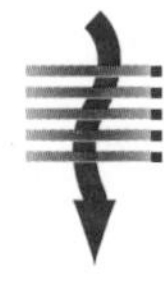

1. Placez le point d'insertion dans le paragraphe contenant la date, en y cliquant. La position exacte n'a aucune importance.
2. Pressez la touche ALT et maintenez-la enfoncée.
3. Tapez la touche T.
4. Relâchez les deux touches.
5. Tapez la touche R. La boîte de dialogue de mise en forme des paragraphes est affichée.
6. Tapez six fois la touche TAB. La zone *Avant* est sélectionnée.
7. Tapez **30**.
8. Tapez la touche TAB pour sélectionner la zone *Après*.
9. Tapez la touche HAUT (la flèche dirigée vers le haut). La valeur est augmentée de 6 points (une demi-ligne).

Continuez à taper la touche HAUT pour obtenir la valeur 30 (2,5 lignes). Si vous dépassez cette valeur, vous pouvez la diminuer en tapant la touche BAS.

10. Tapez la touche ENTRÉE. Vous pouvez également cliquer sur le bouton *OK*, mais rappelez-vous que pour gagner du temps il est préférable d'éviter de passer du clavier à la souris et inversement. Cette fois, nous avons obtenu l'espacement souhaité entre l'adresse et la date.

Pour mettre en forme l'objet, il nous faut réfléchir un peu. Nous voulons un espace de cinq lignes entre la date et ce paragraphe. Nous avons déjà deux lignes et demie après la date. Il nous faut donc un espace égal avant l'objet. Entre celui-ci et le corps de la lettre, nous souhaitons un espace de trois lignes. Nous souhaitons également un espace d'une ligne entre les paragraphes du corps de la lettre. En choisissant un espace après de deux lignes et demie pour l'objet, nous pouvons minimiser le nombre d'éléments différents en évitant d'avoir à indiquer un espace avant particulier pour le premier paragraphe du texte. L'importance de cette approche apparaîtra lorsque nous étudierons les feuilles de styles, au Chapitre 7. Procédez de la façon suivante :

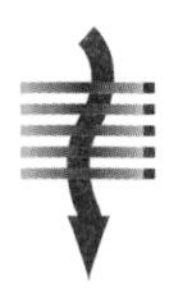

1. Pour ne pas quitter le clavier, sélectionnez le paragraphe contenant l'objet en tapant la touche BAS (comportant une flèche dirigée vers le bas). Notez au passage que le point d'insertion passe directement au paragraphe suivant, sans s'arrêter sur l'espace séparant les paragraphes. En effet, il n'y a aucune ligne blanche entre les paragraphes.
2. Tapez les touches CTRL+Y. Vous avez maintenant un espace de trois lignes entre la date et l'objet, et un espace d'une ligne et demie entre l'objet et le corps de la lettre.

La combinaison de touches CTRL+Y est l'équivalent de l'article *Répéter...* du menu *Edition*. Cet article change de nom chaque fois que la commande qui vient d'être exécutée peut être répétée. Si vous déroulez le menu *Edition*, vous constaterez qu'il contient l'article *Répéter Mise en forme de paragraphe*.

Nous allons maintenant mettre en forme les paragraphes du corps de la lettre. Tous les paragraphes ayant le même espacement, nous les modifierons en une seule opération. Il suffit pour cela de les sélectionner tous. Il n'est pas nécessaire de les sélectionner entièrement. Une sélection partielle suffit.

1. Cliquez à un endroit quelconque du premier paragraphe (celui contenant le mot *Madame*) et maintenez le bouton de la souris enfoncé.
2. Faites glisser le pointeur vers le bas. Une zone affichée en blanc sur fond noir s'étend de la position initiale du point d'insertion à la position du pointeur.

```
Madame,¶
Nous accusons réception de votre commande de cinq fauteuils
visiteurs, référence 35-650, au prix de 1 550,00 francs HT. Le
délai de livraison est de quatre à cinq semaines. Ces articles
seront expédiés dès qu'ils seront disponibles, par transporteur
```

3. Faites glisser le pointeur jusqu'au paragraphe contenant la formule de politesse.

```
Madame,¶
Nous accusons réception de votre commande de cinq fauteuils
visiteurs, référence 35-650, au prix de 1 550,00 francs HT. Le
délai de livraison est de quatre à cinq semaines. Ces articles
seront expédiés dès qu'ils seront disponibles, par transporteur
spécialisé.¶
Nous vous rappelons que nos conditions de paiement sont les
suivantes : 90 jours fin de mois par traite sur relevé.¶
Nous insistons sur le fait que vous devez faire toutes réserves
auprès du transporteur en cas de marchandises défectueuses.¶
Nous ne pouvons prendre en compte aucune réclamation concernant
des dégâts non signalés à la livraison.¶
Meilleures salutations¶
```

4. Relâchez le bouton de la souris.
5. Déroulez le menu *Format* et sélectionnez l'article *Paragraphe*.
6. Dans la boîte de dialogue affichée, indiquez un espace avant et un espace après de 6 points (0,5 ligne).
7. Cliquez sur *OK*. Vous obtenez le résultat de la Figure 1.8.

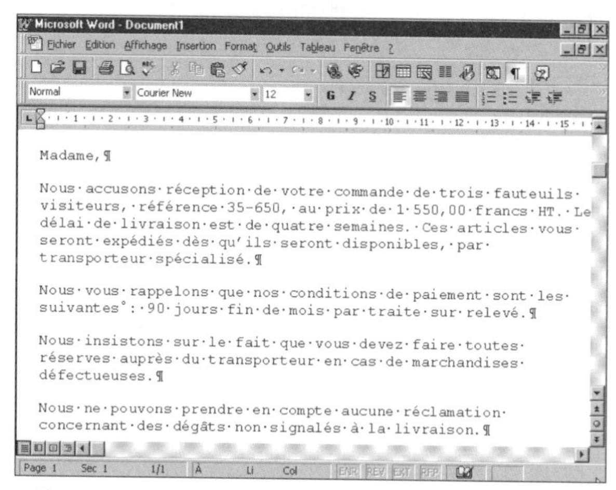

Figure 1.8 : L'espacement des paragraphes du corps de la lettre.

Il nous reste à mettre en forme la signature. Celle-ci n'étant plus visible, nous devons faire défiler l'affichage.

1. Cliquez dans la barre de défilement vertical.

Vous pouvez noter que le curseur de la barre de défilement se déplace alors vers le bas. En cliquant au-dessous du curseur, vous affichez la suite du texte. En cliquant au-dessus du curseur, vous affichez le début du texte. Vous devez obtenir un affichage semblable à celui de la Figure 1.9.

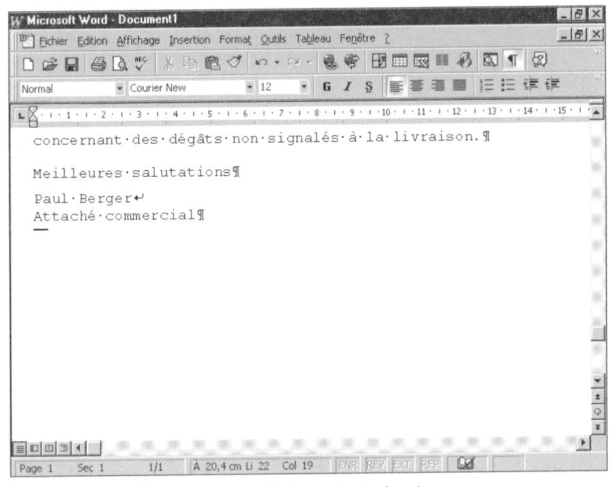

Figure 1.9 : Affichage de la fin du texte.

Nous souhaitons laisser un espace d'une dizaine de lignes avant la signature. En indiquant 9,5 lignes nous obtiendrons dix lignes (avec la demi-ligne du paragraphe précédent), ce qui convient parfaitement. Nous allons maintenant apprendre une nouvelle méthode pour afficher la boîte de dialogue *Paragraphe* :

1. Placez le point d'insertion dans la signature.
2. Placez le pointeur sur une marque de retrait, dans la règle. (La règle est l'élément gradué figurant juste

au-dessous des barres d'outils. Nous y reviendrons dans le prochain chapitre.) Les marques de retrait sont des petits curseurs triangulaires pointant vers le haut ou vers le bas, comme indiqué dans l'illustration suivante :

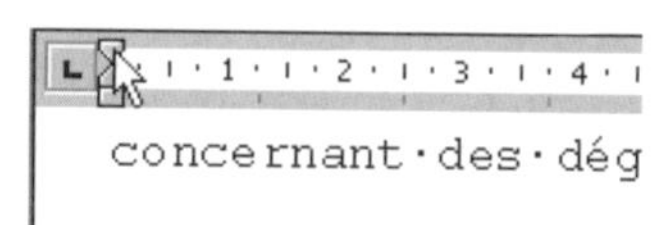

3. Faites un double clic. La boîte de dialogue *Paragraphe* est affichée. Si ce n'est pas le cas, vous avez probablement attendu trop longtemps entre les deux clics. Recommencez plus rapidement.

4. Dans la zone *Espacement Avant*, indiquez **114**. Notez que la zone *Exemple* vous montre un aperçu du résultat que vous allez obtenir.

5. Tapez la touche ENTRÉE ou cliquez sur *OK*.

Nous en avons terminé avec l'espacement des paragraphes. Il nous faut maintenant modifier la position horizontale de l'adresse, de la date et de la signature. Procédez de la façon suivante :

1. Affichez le début de la lettre et placez le point d'insertion dans l'adresse.

2. Placez le pointeur sur le petit carré se trouvant à l'extrémité gauche de la règle. Ce carré permet de déplacer simultanément les deux triangles indiquant la position de la marge gauche du paragraphe et du retrait de première ligne.

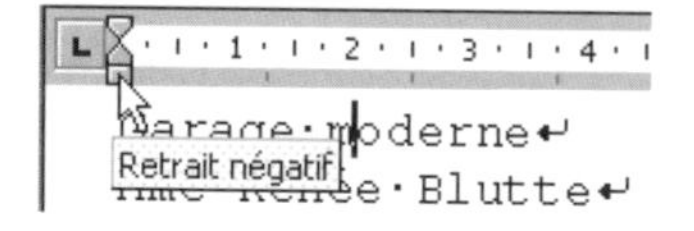

3. Pressez le bouton de la souris et maintenez-le enfoncé.
4. Déplacez la souris vers la droite. Notez qu'une ligne verticale pointillée se déplace simultanément pour vous aider à visualiser la position par rapport au texte.
5. Faites glisser les triangles jusqu'à la position 8 de la règle, correspondant à un déplacement de 8 cm.

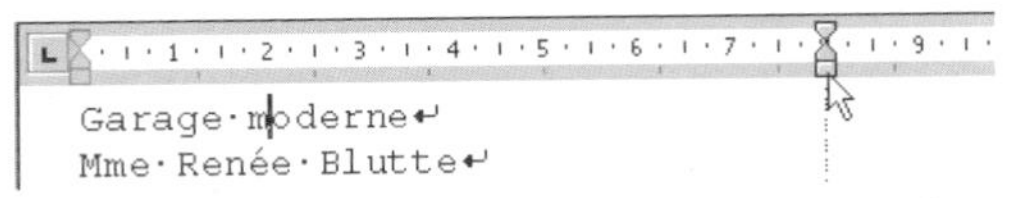

6. Relâchez le bouton de la souris. Le paragraphe est maintenant décalé de 8 cm vers la droite. La Figure 1.10 montre le résultat obtenu.

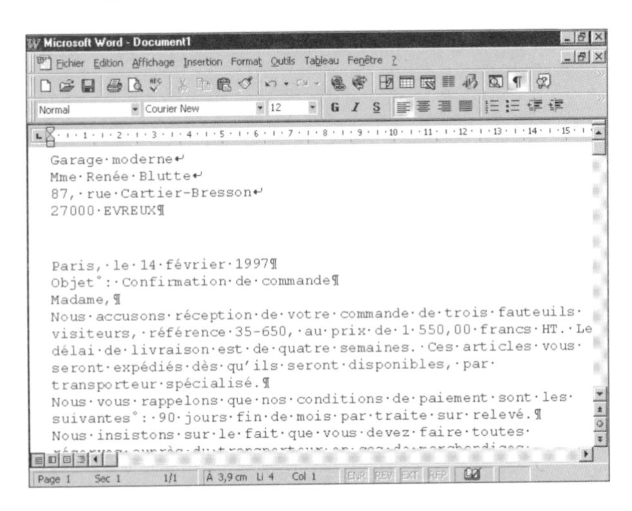

Figure 1.10 : Modification du retrait à gauche.

Nous allons maintenant donner à la date le même retrait. L'opération est très simple :

1. Placez le point d'insertion dans le paragraphe contenant la date.
2. Déroulez le menu *Edition* et sélectionnez l'article *Répéter Mise en forme*.

Nous allons maintenant aligner la signature avec la date et l'adresse. Nous utiliserons pour cela la boîte de dialogue *Paragraphe*, que nous afficherons à l'aide d'une nouvelle technique.

1. Faites défiler l'affichage afin qu'apparaisse la fin de la lettre.
2. Placez le point d'insertion dans la signature (la position exacte n'a pas d'importance).
3. Pressez le bouton *droit* de la souris. Un petit menu est affiché à la position du pointeur. Il s'agit d'un menu *contextuel*, ainsi appelé car son contenu dépend du contexte. Ici, il contient les articles *Couper*, *Copier*, *Coller*, *Police*, *Paragraphe*, *Puces et numéros*, *Dessiner un tableau* et *Définir*.
4. Sélectionnez *Paragraphe*. La boîte de dialogue correspondante est affichée.
5. Dans la zone *Retrait à gauche*, tapez **8**. (Vous pouvez également taper la touche HAUT ou cliquer sur la flèche dirigée vers le haut pour augmenter la valeur millimètre par millimètre.)
6. Tapez la touche ENTRÉE ou cliquez sur *OK*.

Si vous tapez CTRL+Y ou si vous sélectionnez Répéter dans le menu Edition après cette opération, vous ne répétez pas seulement la modification effectuée, mais vous copiez toute la mise en forme du paragraphe précédemment modifié. La différence est indiquée dans le menu Edition. Dans le premier cas, la commande est appelée Répéter Mise en forme. Dans le second, l'intitulé est Répéter Mise en forme de paragraphe.

Notre lettre semble maintenant terminée. Avant de l'imprimer, nous allons l'afficher en entier afin de vérifier que tous les éléments sont à leur place.

Prévisualisation de la lettre

Il est souvent préférable, pour éviter de gâcher du papier et pour gagner du temps, de prévisualiser les documents avant de les imprimer. En effet, notre lettre n'a pas exactement l'aspect qu'elle aura sur le papier. Les marges du document, en particulier, ne sont pas affichées. Pour prévisualiser la lettre, procédez de la façon suivante :

1. Déroulez le menu *Fichier*.
2. Sélectionnez l'article *Aperçu avant impression*. Vous devez obtenir l'affichage de la Figure 1.11.

Nous voyons tout de suite que quelque chose n'est pas correct. En effet, l'ensemble du texte est trop haut sur la page. Si nous utilisons une enveloppe à fenêtre, l'adresse ne sera pas visible. Nous devons corriger ce point.

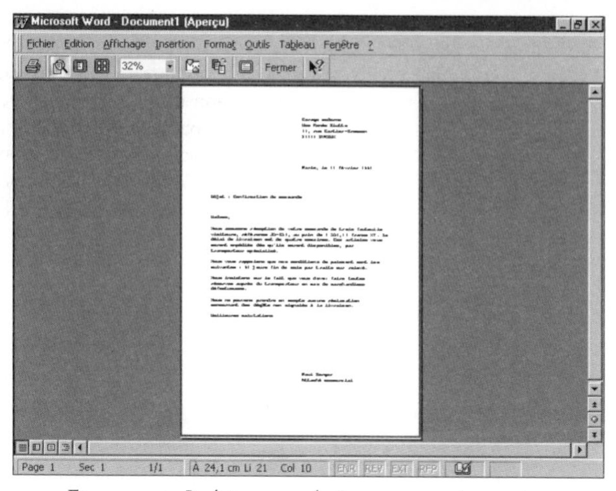

Figure 1.11 : La lettre en mode Aperçu avant impression.

Il peut sembler que la solution la plus simple soit d'ajouter au premier paragraphe (l'adresse) un espace avant. Ce n'est pas cependant la bonne méthode. Cela aurait pour effet d'afficher l'espace supplémentaire au début du texte, réduisant ainsi la zone utilisable de l'écran. Par ailleurs, nous n'ajouterons jamais de texte avant l'adresse. (Notre lettre étant destinée à être imprimée sur du papier à en-tête, il est inutile d'ajouter l'adresse de l'expéditeur.) L'espace supplémentaire doit donc logiquement faire partie de la marge haute du document. Nous allons donc modifier celle-ci. Procédez de la façon suivante :

1. Cliquez sur le bouton d'affichage des règles.

2. Placez le pointeur sur le trait gris situé à l'extrémité supérieure de la règle verticale. Il prend la forme d'une double flèche.

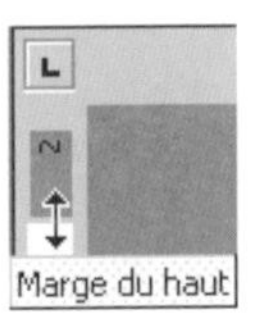

3. Pressez le bouton de la souris et maintenez-le enfoncé.

4. Déplacez le pointeur vers le bas jusqu'à ce que le chiffre 4 soit affiché à la limite supérieure de la règle.

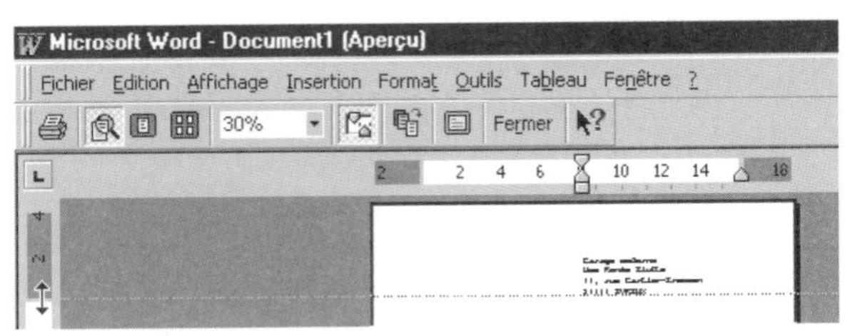

5. Relâchez le bouton.

Une façon plus précise de modifier les marges consiste à employer la fonction *Loupe* du mode *Aperçu avant impression*. Pour cela, il vous suffit de cliquer sur le document lorsque le pointeur a l'aspect d'une loupe. Pour obtenir ce pointeur, cliquez sur le deuxième bouton de la barre d'outils.

Lorsque le pointeur prend l'aspect d'une loupe contenant un signe plus, il indique que le document peut être agrandi. Cliquez sur le document pour l'afficher à sa taille réelle.

6. Modifiez comme précédemment les marges gauche et droite pour leur donner une valeur de 2,75 cm. Pour obtenir une marge droite de 2,75 cm, conformez-vous à l'illustration suivante :

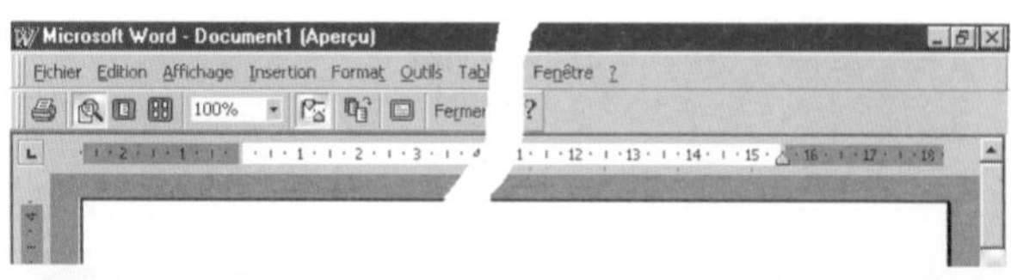

Le pointeur doit avoir la forme d'une double flèche. Ne déplacez pas les marques de retrait de paragraphe !

Notez que le pointeur a maintenant la forme d'une loupe contenant un signe moins, pour indiquer qu'il permet de réduire la taille de l'affichage.

La Figure 1.12 montre le résultat obtenu. Celui-ci étant correct, nous pouvons maintenant imprimer la lettre.

Impression de la lettre

Pour imprimer la lettre à partir du mode *Aperçu avant impression*, il suffit de cliquer sur le premier bouton à partir de la gauche, dans la barre d'outils :

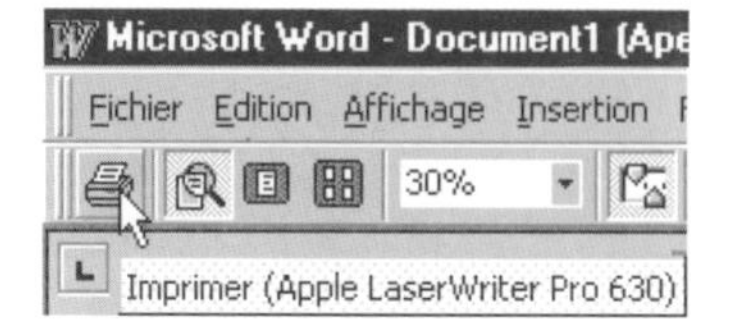

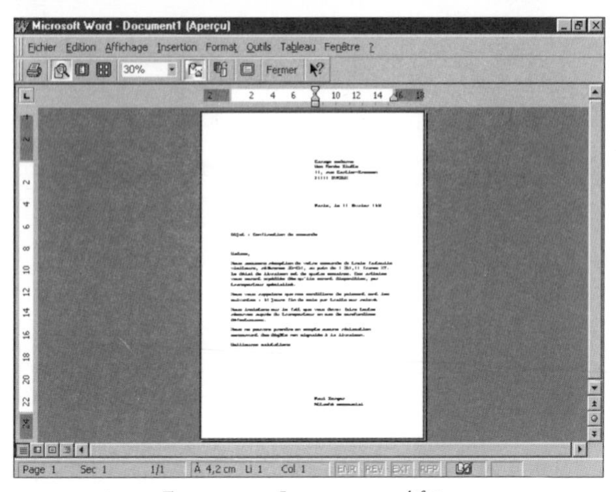

Figure 1.12 : Les marges modifiées.

Si votre imprimante est correctement configurée et sélectionnée, la lettre est imprimée en quelques secondes. (Nous verrons, au Chapitre 11, comment il est possible de configurer les options d'impression de façon à imprimer plusieurs copies ou à sélectionner certaines pages, par exemple. Si l'impression ne fonctionne pas correctement, reportez-vous à ce chapitre.) La Figure 1.13 montre la lettre imprimée sur du papier à en-tête.

Une fois la lettre imprimée, cliquez sur le bouton *Fermer* ou tapez les touches ALT+F pour revenir à l'affichage normal.

36, rue de la Victoire, 75006 PARIS — Tel : (1) 42 03 05 06 — Fax : (1) 42 03 05 07
S.A.R.L. au capital de 150 000 francs — R.C. Paris 345 567 874

Garage moderne
Mme Renée Blutte
87, rue Cartier-Bresson
27000 EVREUX

Paris, le 14 février 1997

Objet : Confirmation de commande

Madame,

Nous accusons réception de votre commande de trois fauteuils visiteurs, référence 35-650, au prix de 1 550,00 francs HT. Le délai de livraison est de quatre semaines. Ces articles vous seront expédiés dès qu'ils seront disponibles, par transporteur spécialisé.

Nous vous rappelons que nos conditions de paiement sont les suivantes : 90 jours fin de mois par traite sur relevé.

Nous insistons sur le fait que vous devez faire toutes réserves auprès du transporteur en cas de marchandises défectueuses.

Nous ne pouvons prendre en compte aucune réclamation concernant des dégâts non signalés à la livraison.

Meilleures salutations

Paul Berger
Attaché commercial

Figure 1.13 : La lettre imprimée sur du papier à en-tête.

Enregistrement de la lettre

Notre lettre étant maintenant terminée et imprimée, nous devons l'enregistrer. En effet, il serait dommage d'avoir effectué tout ce travail sans pouvoir le réutiliser plus tard. Pour enregistrer la lettre, procédez de la façon suivante :

1. Cliquez sur le bouton d'enregistrement (le troisième à partir de la gauche, dans la barre d'outils).

La boîte de dialogue de la Figure 1.14 est affichée. Word vous propose d'enregistrer le document sous le nom *Garage moderne*, dans le *dossier c:\Exemples*.

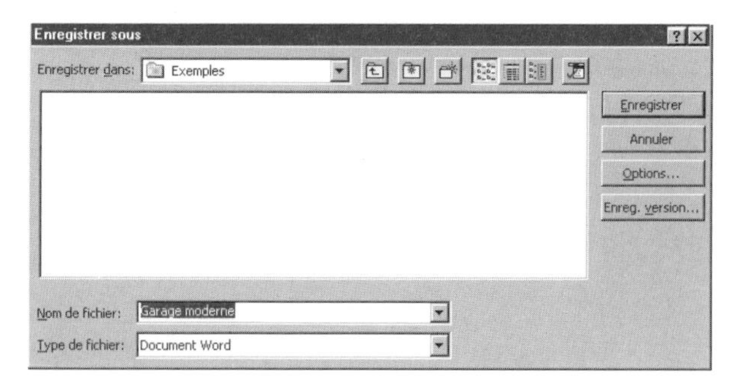

Figure 1.14 : La boîte de dialogue d'enregistrement.

2. Vérifiez que la zone *Enregistrer dans* indique bien le dossier *Exemples*. Dans la zone *Nom du fichier*, tapez le nom que vous voulez donner au document, par exemple **Lettre1**. Notez que le nom tapé remplace le nom sélectionné.
3. Cliquez sur *OK*.

Le document est maintenant enregistré sous le nom *Lettre1*, comme l'indique sa barre de titre.

Fermeture du document

Vous pouvez maintenant fermer le document. Pour cela, vous pouvez procéder de différentes façons :

- En cliquant sur le bouton de fermeture de la fenêtre de document.

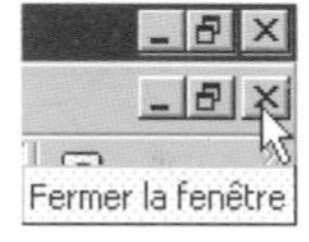

- En déroulant le menu *Fichier* et en sélectionnant l'article *Fermer*.
- En tapant les touches ALT+F, F.
- En déroulant le menu Système de la fenêtre du document et en sélectionnant *Fermer*.
- En tapant les touches CTRL+W.
- En tapant les touches CTRL+F4.
- En quittant Word, comme indiqué à la section suivante.

Quitter Word

Une fois votre travail terminé, vous pouvez quitter Word en sélectionnant *Quitter* dans le menu *Fichier*, ou en tapant les touches ALT+F, Q ou ALT+F4, ou encore en cliquant sur le bouton de fermeture de la fenêtre de l'application, ou en affichant le menu Système et en sélectionnant *Fermeture*. Si un document non enregistré est ouvert, Word vous propose toujours de l'enregistrer avant de quitter.

CHAPITRE 2

Modifier un document

Au chapitre précédent, vous avez appris à créer un document, à le mettre en forme, à l'afficher en mode *Aperçu avant impression*, à l'imprimer et à l'enregistrer. Dans ce chapitre, vous apprendrez à modifier un document, puis à créer un nouveau document à partir d'un document existant de façon à obtenir rapidement plusieurs documents de présentation homogène.

Ouvrir un document

Pour ouvrir un document, vous pouvez procéder de différentes façons.

Ouverture à l'aide de la boîte de dialogue

La façon la plus classique de procéder à l'ouverture d'un document est la suivante :

1. Déroulez le menu *Fichier*.
2. Sélectionnez *Ouvrir*. La boîte de dialogue suivante est affichée.

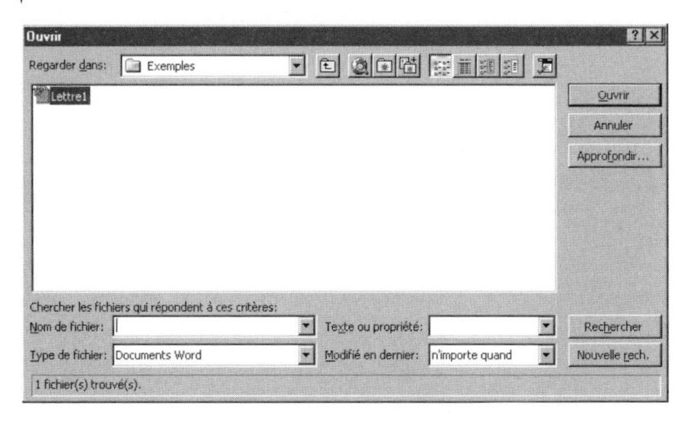

Vous pouvez également afficher la boîte de dialogue d'ouverture d'un document en cliquant sur le bouton correspondant de la barre d'outils (le deuxième à partir de la gauche).

Une fois la boîte de dialogue affichée, vous pouvez utiliser les commandes habituelles de Windows pour sélectionner un dossier ou un document :

- Si le document se trouve dans la liste, cliquez sur son nom pour le sélectionner, puis sur le bouton *Ouvrir*. Vous pouvez également faire un double clic sur son nom.
- Pour sélectionner un dossier parent du dossier ouvert, cliquez sur le bouton indiqué ci-après. Vous pouvez ainsi remonter jusqu'au dossier principal.

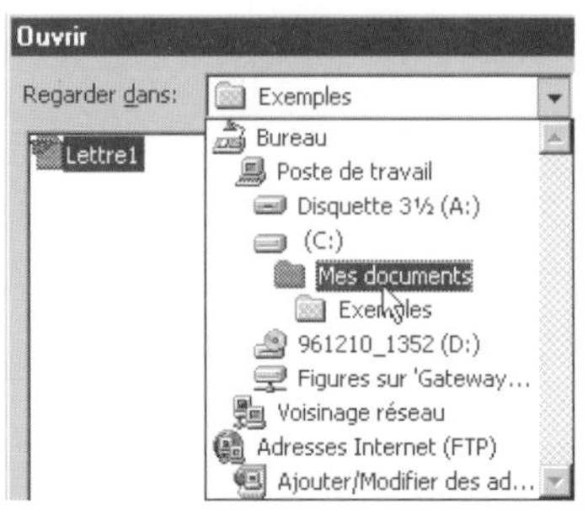

- Pour ouvrir un dossier ou un lecteur, sélectionnez-le dans la liste et cliquez sur *Ouvrir*, ou cliquez deux fois sur son nom.

Vous pouvez également employer toutes les commandes habituelles de Windows pour vous déplacer dans l'arborescence des dossiers et des fichiers à l'aide du clavier.

Utilisez les commandes décrites précédemment pour ouvrir le document *Lettre1* se trouvant dans le dossier *Exemples*. Le document doit être affiché.

Ouverture d'un des derniers documents utilisés

Il est fréquent d'avoir à ouvrir plusieurs fois un même document à intervalles rapprochés. Word permet d'ouvrir très facilement un des derniers documents utilisés. Si vous avez ouvert le document *Lettre1* par la méthode décrite précédemment, fermez-le (comme vous avez appris à le faire au Chapitre 1). Déroulez ensuite le menu *Fichier*. Ainsi que vous pouvez le constater, ce menu comporte maintenant le nom du document. Il suffit de le sélectionner comme un article ordinaire pour l'ouvrir.

Déplacement dans un document

La plupart des commandes de Word s'appliquent à des éléments préalablement sélectionnés. Cela est particulièrement valable pour le texte. Il est donc nécessaire de savoir sélectionner du texte avant de continuer notre apprentissage. La sélection de texte met en œuvre, dans la plupart des cas, des commandes de déplacement. Nous allons donc maintenant apprendre à nous déplacer dans un document. Il existe deux types de déplacements :

- Le déplacement du point d'insertion dans le texte. C'est cette opération que nous appellerons simplement *déplacement*.

- Le déplacement du texte dans la fenêtre. Cette opération est appelée *défilement*.

Déplacement à l'aide de la souris

Pour déplacer le point d'insertion à l'aide de la souris, il suffit de cliquer à l'endroit choisi. Si cet endroit n'est pas visible, vous devez faire défiler le texte, à l'aide des commandes indiquées plus loin.

Déplacement à l'aide du clavier

Les déplacements s'effectuent très souvent à partir du clavier. C'est en particulier le cas lorsque de nombreuses modifications sont à exécuter. Il est alors plus simple d'utiliser les touches de déplacement que de quitter le clavier pour prendre la souris, et revenir ensuite au clavier pour effectuer une correction.

Le tableau suivant donne la liste des touches de déplacement du point d'insertion. Les chiffres doivent être tapés sur le pavé numérique. Le verrouillage numérique ne doit pas être activé. S'il l'est, le voyant *Num* de votre clavier est allumé. Dans ce cas, tapez la touche VERR.NUM.

Commande	Déplacement
HAUT ou 8	Une ligne vers le haut
BAS ou 2	Une ligne vers le bas
GAUCHE ou 4	Un caractère vers la gauche
DROITE ou 6	Un caractère vers la droite
CTRL+GAUCHE ou CTRL+4	Un mot vers la gauche
CTRL+DROITE ou CTRL+6	Un mot vers la droite
ORIGINE ou 7	Au début de la ligne

Commande	Déplacement
FIN ou 1	A la fin de la ligne
PG.SUIV ou 3	Une hauteur de fenêtre vers le bas
PG.PREC ou 9	Une hauteur de fenêtre vers le haut
CTRL+PG.SUIV	Au premier caractère de la fenêtre
CTRL+PG.PREC	Au dernier caractère de la fenêtre
CTRL+ALT+ PG.SUIV	Une page vers le bas
CTRL+ALT+ PG.PREC	Une page vers le haut
CTRL+HAUT ou CTRL+8	Un paragraphe vers le haut
CTRL+BAS ou CTRL+2	Un paragraphe vers le bas
CTRL+ORIGINE ou CTRL+7	Au début du document
CTRL+FIN ou CTRL+1	A la fin du document
MAJ+F5	A une position précédente

Notez que, si la commande fait passer le point d'insertion à un endroit du texte non affiché, celui-ci défile automatiquement.

Retour à une position précédente

Word mémorise les trois dernières positions du point d'insertion. La séquence de touches MAJ+F5 permet de revenir successivement à ces trois dernières positions.

Défilement de l'affichage

Word étant capable (heureusement) de traiter des documents plus longs que la hauteur de l'écran, il est souvent nécessaire de faire défiler le texte. La fenêtre peut être considérée comme une ouverture permettant de visualiser une zone restreinte du document. Pour voir une partie du document non affichée, il faut déplacer celui-ci derrière la fenêtre.

Défilement à l'aide de la souris

Pour faire défiler l'affichage à l'aide de la souris, vous devez utiliser les barres de défilement. Il existe une barre de défilement vertical, à droite de la fenêtre, et une barre de défilement horizontal, au bas de celle-ci. Pour utiliser la barre de défilement vertical, procédez de la façon suivante :

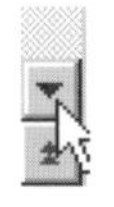
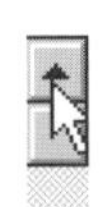

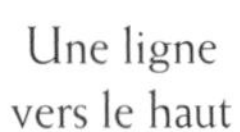

Une ligne vers le haut	Une ligne vers le bas	Un écran vers le haut	Un écran vers le bas

Pour atteindre un point (plus ou moins) précis du document, faites glisser le curseur vers le bas ou vers le haut. La position du curseur dans la barre indique la proportion de texte avant et après la partie affichée.

Curseur

La barre de défilement horizontal s'utilise de la même façon, lorsque le document est plus large que la fenêtre. Il existe cependant une commande particulière. Pour faire défiler le texte vers la droite et afficher la marge gauche au-delà du point zéro de la règle, vous devez utiliser la barre de défilement horizontal tout en maintenant la touche MAJ enfoncée.

Sélection de texte

De très nombreuses commandes de Word s'appliquent à un texte sélectionné. Vous devez donc apprendre à sélectionner du texte. Il existe plusieurs méthodes.

Sélection d'un texte quelconque

Pour sélectionner un texte quelconque, la méthode générale est la suivante :

- Désigner une extrémité du texte à sélectionner.
- Indiquer à Word que vous souhaitez sélectionner du texte.
- Désigner l'autre extrémité du texte.

Cette procédure peut s'appliquer de différentes façons. Nous avons déjà appris deux méthodes au cours du précédent chapitre. Nous les rappellerons brièvement :

Première méthode

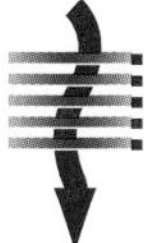

1. Placez le pointeur au milieu du mot *réception*.
2. Cliquez et maintenez le bouton de la souris enfoncé.
3. Faites glisser la souris vers la droite sans dépasser la fin du mot. Tous les caractères sur lesquels passe le pointeur sont sélectionnés.

```
Nous·accusons·réception·de·votre·commande·de·trois·fauteuils·
visiteurs,·référence·35-650,·au·prix·de·1·550,00·francs·HT.·
Le·délai·de·livraison·est·de·quatre·semaines.·Ces·articles·
vous·seront·expédiés·dès·qu'ils·seront·disponibles,·par·
transporteur·spécialisé.¶
```

4. Continuez à déplacer le pointeur vers la droite. Dès que vous atteignez le mot suivant, le premier mot est entièrement sélectionné.

```
Nous·accusons·réception·de·votre·commande·de·trois·fauteuils·
visiteurs,·référence·35-650,·au·prix·de·1·550,00·francs·HT.·
Le·délai·de·livraison·est·de·quatre·semaines.·Ces·articles·
vous·seront·expédiés·dès·qu'ils·seront·disponibles,·par·
transporteur·spécialisé.¶
```

Par défaut, Word se trouve en mode *Sélection automatique des mots*. Dans ce mode, si la sélection englobe l'extrémité d'un mot, le mot entier est automatiquement sélectionné. Vous ne pouvez donc pas sélectionner un groupe de mots commençant ou se terminant par un mot incomplet.

Annulation de la sélection

Pour annuler une sélection, il vous suffit de cliquer n'importe où dans le texte ou de taper une touche de déplacement. En revanche, faire défiler le texte au moyen des bandes de défilement ne modifie pas la sélection.

Sélection, deuxième méthode

La deuxième méthode utilise à la fois le clavier et la souris. Pour sélectionner le même mot, procédez de la façon suivante :

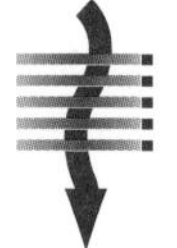

1. Cliquez au milieu du mot *vous* (premier mot de la quatrième ligne du premier paragraphe de texte) et relâchez le bouton de la souris.
2. Pressez la touche MAJ et maintenez-la enfoncée.

3. Cliquez dans le dernier mot à sélectionner, par exemple le mot *expédiés*.

Ici encore, le premier et le dernier mot sont automatiquement inclus en entier dans la sélection. Cette méthode est moins pratique que la précédente lorsque la totalité du texte à sélectionner est affichée. En revanche, c'est celle qui convient le mieux si vous devez sélectionner un texte de plusieurs pages.

Troisième méthode

Vous pouvez également sélectionner un texte en utilisant les commandes de déplacement à partir du clavier. Pour sélectionner le mot *vous*, procédez de la façon suivante :

1. Placez le point d'insertion au début du mot en utilisant les touches de déplacement.
2. Pressez la touche MAJ et maintenez-la enfoncée.
3. Tapez cinq fois la touche DROITE.

Cette méthode peut être combinée avec d'autres touches de déplacement du point d'insertion. Les touches CTRL+DROITE et CTRL+GAUCHE déplacent le point d'insertion d'un mot vers la droite ou vers la gauche. Vous pouvez donc remplacer la troisième étape par :

4. Tapez les touches MAJ+CTRL+DROITE.

Notez qu'avec cette méthode la sélection automatique de mots est désactivée.

Sélection, quatrième méthode

Pour sélectionner du texte, vous pouvez également employer des commandes de sélection.

- Pour sélectionner un mot, faites un double clic dans celui-ci.
- Pour sélectionner une phrase, cliquez dans la phrase en maintenant la touche CTRL enfoncée. La ponctuation de fin de phrase et l'espace suivant sont inclus dans la sélection.

Word possède aussi une *barre de sélection*. On désigne ainsi la zone blanche figurant à gauche du texte. Lorsque le pointeur est placé sur cette zone, sa direction est inversée.

- Pour sélectionner une ligne, cliquez dans la barre de sélection, à gauche de la ligne.

```
Nous·accusons·réception·de·votre·commande·de·trois·fauteuils·
visiteurs,·référence·35-650,·au·prix·de·1·550,00·francs·HT.·
Le·délai·de·livraison·est·de·quatre·semaines.·Ces·articles·
vous·seront·expédiés·dès·qu'ils·seront·disponibles,·par·
transporteur·spécialisé.¶
```

- Pour sélectionner un paragraphe, faites un double clic dans la barre de sélection.
- Pour sélectionner tout le document, cliquez dans la barre de sélection en maintenant la touche CTRL enfoncée.

Vous pouvez également sélectionner la totalité du document en utilisant la commande *Sélectionner tout* du menu *Edition*, ou en tapant son équivalent clavier, CTRL+A. (La combinaison de touches CTRL+5, sur le pavé numérique, fonctionne également.)

La barre de sélection peut être employée avec la touche MAJ pour étendre la sélection existante.

Annuler, répéter et rétablir une commande

Il est fréquent, lorsque l'on fait des corrections, de vouloir annuler les modifications effectuées. Pour annuler une opération, vous pouvez utiliser la commande *Annuler* du menu *Edition*, ou son équivalent clavier, CTRL+Z. Vous pouvez également cliquer sur le bouton d'annulation, dans la barre d'outils.

Vous pouvez annuler l'annulation en cliquant sur le bouton *Rétablir*, à droite du bouton d'annulation, dans la barre d'outils :

ou en tapant les touches CTRL+Y. Le caractère effacé est de nouveau affiché.

Annulations multiples

Word permet d'annuler un grand nombre d'opérations. Chaque fois que vous cliquez sur le bouton d'annulation, une opération est annulée. Vous pouvez annuler plusieurs opérations d'un seul coup en procédant de la façon suivante :

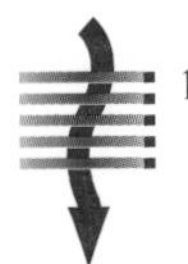

1. Supprimez trois mots dans votre texte, en trois opérations successives.

2. Cliquez sur la flèche dirigée vers le bas, immédiatement à droite du bouton d'annulation :

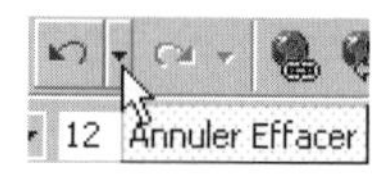

Word affiche la liste des opérations qui peuvent être annulées :

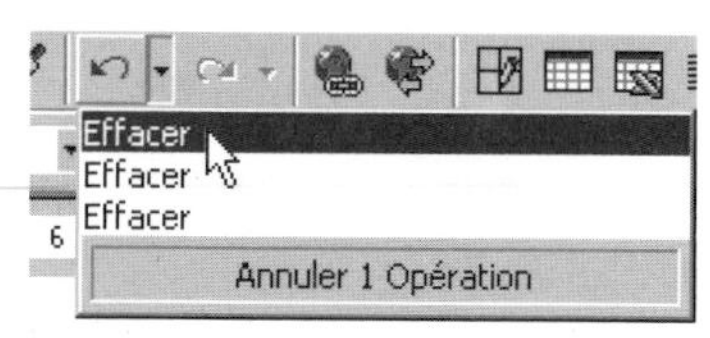

3. Sélectionnez les opérations à annuler (en faisant glisser le pointeur tout en maintenant le bouton de la souris enfoncé). Lorsque vous relâchez le bouton de la souris, les opérations sélectionnées sont annulées.

Chaque opération annulée est ajoutée à la liste du bouton *Rétablir*. Vous pouvez annuler l'annulation en procédant exactement de la même façon avec ce bouton.

Modification du document

Nous allons maintenant modifier notre document. Il existe trois types de modifications du texte. Vous pouvez en effet :

- ajouter du texte,
- supprimer du texte,
- remplacer du texte.

Le remplacement de texte peut évidemment être ramené à une suppression suivie d'un ajout, mais nous verrons qu'il existe aussi des techniques particulières.

Ajouter du texte

Nous allons ajouter du texte sur la troisième ligne du premier paragraphe. Procédez de la façon suivante :

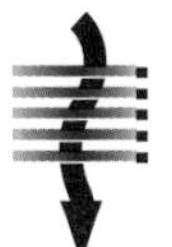

1. Placez le point d'insertion après le mot *quatre*, en cliquant à cet endroit ou en utilisant les touches de direction.

```
Nous·accusons·réception·de·votre·commande·de·trois·fauteuils·
visiteurs,·référence·35-650,·au·prix·de·1·550,00·francs·HT.·
Le·délai·de·livraison·est·de·quatre|·semaines.·Ces·articles·
vous·seront·expédiés·dès·qu'ils·seront·disponibles,·par·
transporteur·spécialisé.¶
```

2. Tapez un espace, puis **à cinq**. Vous constatez que le texte est inséré à l'emplacement du point d'insertion (d'où son nom). Le texte suivant est repoussé vers la droite. Le mot *articles* passe automatiquement à la ligne suivante. Le reste du texte est ajusté en conséquence.

```
Nous·accusons·réception·de·votre·commande·de·trois·fauteuils·
visiteurs,·référence·35-650,·au·prix·de·1·550,00·francs·HT.·
Le·délai·de·livraison·est·de·quatre·à·cinq·semaines.·Ces·
articles·vous·seront·expédiés·dès·qu'ils·seront·disponibles,·
par·transporteur·spécialisé.¶
```

Supprimer du texte

Pour supprimer du texte, vous pouvez employer plusieurs méthodes, selon la taille du texte.

Suppression de caractères

La première méthode, la plus simple, consiste à utiliser la touche ARRIERE. Nous allons ainsi effacer le mot *vous*, dans la quatrième ligne du paragraphe.

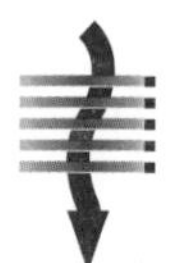

1. Placez le point d'insertion à la fin du mot.

```
Nous·accusons·réception·de·votre·commande·de·trois·fauteuils·
visiteurs,·référence·35-650,·au·prix·de·1·550,00·francs·HT.·
Le·délai·de·livraison·est·de·quatre·à·cinq·semaines.·Ces·
articles·vous|·seront·expédiés·dès·qu'ils·seront·disponibles,·
par·transporteur·spécialisé.¶
```

2. Tapez cinq fois la touche ARRIERE. Chaque pression sur la touche efface un caractère. Notez que l'espace est un caractère à part entière. Vous devez effacer cinq caractères alors que le mot n'en comporte que quatre. Dans le cas contraire, il resterait deux espaces consécutifs, ce qui serait inesthétique.

```
Nous·accusons·réception·de·votre·commande·de·trois·fauteuils·
visiteurs,·référence·35-650,·au·prix·de·1·550,00·francs·HT.·
Le·délai·de·livraison·est·de·quatre·à·cinq·semaines.·Ces·
articles|·seront·expédiés·dès·qu'ils·seront·disponibles,·par·
transporteur·spécialisé.¶
```

Le texte qui suit est automatiquement décalé vers la gauche pour remplacer le texte effacé. Le premier mot de la ligne suivante est ramené à la fin de la ligne.

Suppression de mots

Vous pouvez également supprimer le texte mot par mot. Lors de l'effacement d'un mot par cette méthode, Word considère que le mot comprend l'espace qui le suit. Veillez donc à bien placer le point d'insertion au début d'un mot. Pour effacer le mot suivant, tapez les touches CTRL+SUPPR. Pour effacer le mot précédent, tapez CTRL+ARRIERE.

Suppression d'un texte sélectionné

Une autre façon de supprimer un texte consiste à le sélectionner, puis à lui appliquer une commande de suppression. Annulez l'opération précédente. Nous allons de nouveau supprimer le mot *vous*.

Suppression simple

1. Sélectionnez le mot par la méthode de votre choix. Dans le cas d'un mot, la méthode la plus rapide consiste à y faire un double clic.
2. Supprimez le mot *vous* en utilisant une des méthodes suivantes :

- Tapez la touche ARRIERE.
- Tapez la touche SUPPR.
- Tapez les touches CTRL+SUPPR.

Les touches CTRL+ARRIERE ne suppriment pas le mot sélectionné, mais le mot précédent.

Annulez la commande en tapant CTRL+Z ou en cliquant sur le bouton d'annulation.

Suppression à l'aide du presse-papiers

Le presse-papiers est un élément de Windows disponible dans toutes les applications. Il s'agit d'une zone de stockage où vous pouvez placer un élément en le copiant ou en le coupant dans votre document. Pour supprimer un texte en le plaçant dans le presse-papiers, procédez de la façon suivante :

1. Sélectionnez le mot.
2. Sélectionnez *Couper* dans le menu *Edition* ou dans le menu contextuel (obtenu en cliquant sur le bouton droit de la souris), ou cliquez sur le septième bouton de la barre d'outils (représentant une paire de ciseaux), ou tapez les touches CTRL+X. Vous pouvez essayer les quatre méthodes en annulant chaque fois la commande.

Le texte sélectionné est supprimé du document, mais il n'est pas perdu. Il se trouve dans le presse-papiers. Si vous exécutez plusieurs commandes, vous pourrez toujours récupérer votre texte, à une condition : vous ne devez pas placer un autre texte dans le presse-papiers. En effet, celui-ci peut contenir une grande quantité de texte, mais un seul élément. Si vous coupez un nouveau texte, le précédent est perdu. En revanche, si vous annulez immédiatement l'opération, le contenu précédent du presse-papiers est rétabli.

Copier du texte dans le presse-papiers

Si vous voulez copier du texte dans le presse-papiers sans le supprimer de votre document, utilisez la commande *Copier* au lieu de *Couper* (CTRL+C). Vous pouvez également employer le huitième bouton de la barre d'outils.

Remplacer du texte

Pour remplacer du texte, il est bien sûr possible de supprimer l'ancien et de taper le texte de remplacement. Word permet quelques raccourcis. Nous allons les expérimenter en apportant de nouvelles modifications à notre lettre. Tout d'abord, remplaçons le mot *trois*, dans la première ligne du premier paragraphe, par *cinq*. Procédez de la façon suivante :

1. Sélectionnez le mot à remplacer, en faisant glisser le point d'insertion ou en faisant un double clic.
2. Sans effacer le mot sélectionné, tapez **cinq**. Le mot tapé remplace le mot sélectionné. Remarquez que vous n'avez pas besoin de taper l'espace suivant le mot, bien que celui-ci ait été sélectionné. Word rétablit en effet automatiquemnet les espaces lors des remplacements.

Déplacer du texte

Une modification fréquente consiste à déplacer un bloc de texte dans un document. Il peut s'agir d'un mot, ou de plusieurs pages. Word offre deux méthodes pour réaliser cette opération.

Déplacement à l'aide du presse-papiers

Pour illustrer cette méthode, nous allons déplacer le deuxième paragraphe du corps de la lettre (celui commençant par *Nous vous rappelons*) pour l'insérer entre les deux suivants. Voici comment :

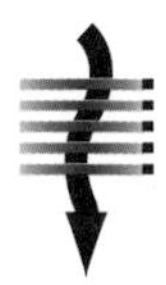

1. Sélectionnez le paragraphe par la méthode de votre choix, par exemple en faisant un double clic dans la barre de sélection.
2. Déroulez le menu *Edition* et sélectionnez *Couper*. Vous pouvez également taper CTRL+X ou cliquer sur le septième bouton de la barre d'outils (représentant une paire de ciseaux), ou encore utiliser l'article *Couper* du menu contextuel (obtenu en pressant le bouton droit de la souris). Le paragraphe disparaît.

3. Placez le point d'insertion avant le premier caractère du dernier paragraphe du corps de la lettre (commençant par *Nous ne pouvons*). La position du point d'insertion est très importante. Si vous placez le point d'insertion à l'intérieur d'un paragraphe alors que le presse-papiers contient un paragraphe entier, vous obtiendrez trois paragraphes.
4. Insérez le contenu du presse-papiers en sélectionnant *Coller* dans le menu *Edition* ou dans le menu contextuel, en tapant CTRL+V ou en cliquant sur le neuvième bouton de la barre d'outils. La Figure 2.1 montre le résultat obtenu.

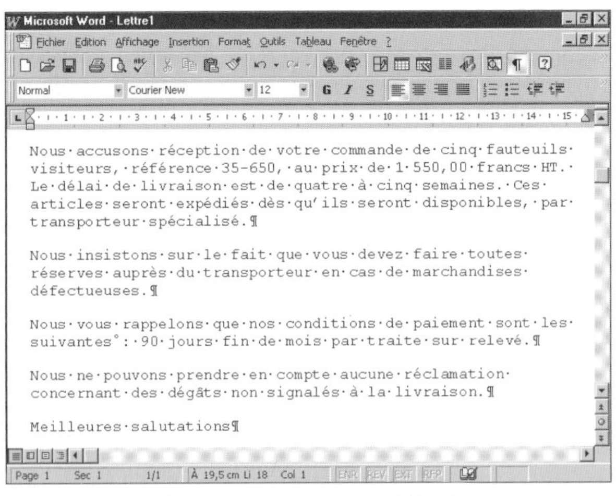

Figure 2.1 : Le paragraphe déplacé.

Si vous exécutez la commande *Coller* alors que du texte est sélectionné, ce texte est remplacé par le contenu du presse-papiers. Le texte remplacé est perdu (sauf si vous annulez la commande).

Déplacement par "glisser-déplacer"

Bien entendu, vous avez remarqué que la position du paragraphe n'est pas correcte. Nous ne l'avons placé là que pour expérimenter une méthode de déplacement de texte. Nous allons maintenant le placer à sa position définitive en utilisant la méthode du "glisser-déplacer", propre aux applications Microsoft. Procédez de la façon suivante :

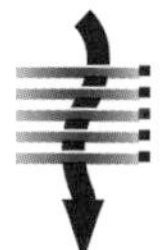

1. Sélectionnez le paragraphe.
2. Placez le pointeur sur la zone sélectionnée.
3. Pressez le bouton de la souris et maintenez-le enfoncé. Un rectangle gris est ajouté au pointeur, ainsi qu'un trait pointillé vertical.

Nous·vous·rappelons·que·nos·conditions·de·paiement·sont·les·
suivantes°:·90·jours·fin·de·mois·par·traite·sur·relevé.¶

4. Déplacez le pointeur et placez le trait pointillé vertical devant le premier caractère de la ligne de salutations.

Nous·vous·rappelons·que·nos·conditions·de·paiement·sont·les·
suivantes°:·90·jours·fin·de·mois·par·traite·sur·relevé.¶

Nous·ne·pouvons·prendre·en·compte·aucune·réclamation·
concernant·des·dégâts·non·signalés·à·la·livraison.¶

Meilleures·salutations¶

5. Relâchez le bouton de la souris.

Le déplacement avec gestion d'espace

La méthode de déplacement que nous venons d'employer est extrêmement pratique et rapide, et vous serez certainement amené à l'utiliser très souvent. De plus, cette fonction respecte également les espaces et la ponctuation lors du déplacement ou de la copie. Ainsi, si vous copiez un mot suivi d'un espace et que vous l'insérez avant un point, l'espace est automatiquement supprimé.

Copie par "glisser-déplacer"

La méthode précédente permet également d'effectuer une copie. Il suffit pour cela de maintenir la touche CTRL enfoncée pendant l'opération. Une copie du texte sélectionné est insérée à l'emplacement où se trouve le trait pointillé vertical au moment où le bouton de la souris est relâché.

Couper ou fusionner des paragraphes

Une autre modification fréquente consiste à couper un paragraphe en deux, ou à rassembler deux paragraphes pour n'en faire qu'un seul. Pour rassembler deux paragraphes, il suffit d'effacer la marque de fin du premier, comme un caractère ordinaire. Pour couper un paragraphe, il suffit d'insérer une marque de fin à l'emplacement voulu. Nous allons en faire l'expérience immédiatement :

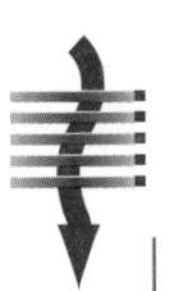

1. Sélectionnez la marque de fin du paragraphe commençant par *Nous insistons*.

```
Nous·insistons·sur·le·fait·que·vous·devez·faire·toutes·
réserves·auprès·du·transporteur·en·cas·de·marchandises·
défectueuses.¶

Nous·ne·pouvons·prendre·en·compte·aucune·réclamation·
concernant·des·dégâts·non·signalés·à·la·livraison.¶
```

2. Tapez la touche SUPPR ou la touche ARRIÈRE. Les deux paragraphes n'en font plus qu'un seul. Notez que Word a ajouté l'espace nécessaire (Figure 2.2). Il est également possible de supprimer une marque de fin de paragraphe en plaçant le point d'insertion au début du paragraphe suivant et en tapant la touche ARRIÈRE, mais dans ce cas Word ne gère pas l'espace.

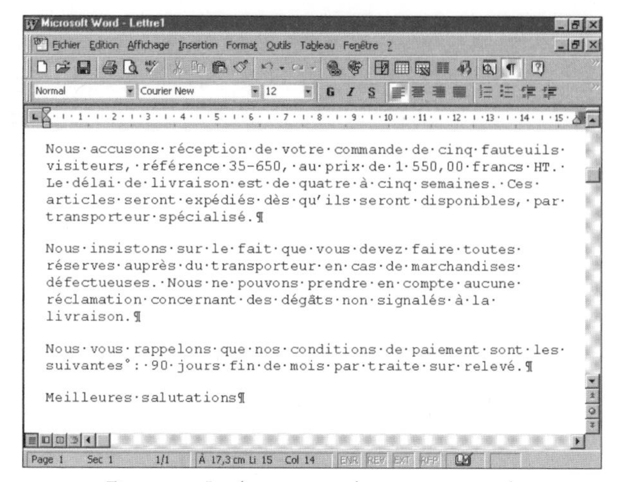

Figure 2.2 : Les deux paragraphes réunis en un seul.

Dans l'exemple précédent, nous avons réuni deux paragraphes ayant le même format. Nous verrons, au Chapitre 5, ce qui se passe lorsque l'on réunit deux paragraphes de formats différents.

Nous allons maintenant effectuer l'opération inverse et couper le premier paragraphe en deux. Procédez de la façon suivante :

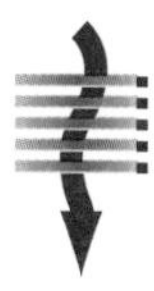

1. Sélectionnez l'espace avant le mot *Ces*, dans la dernière phrase du premier paragraphe.
2. Tapez la touche ENTRÉE. La Figure 2.3 montre le résultat obtenu.

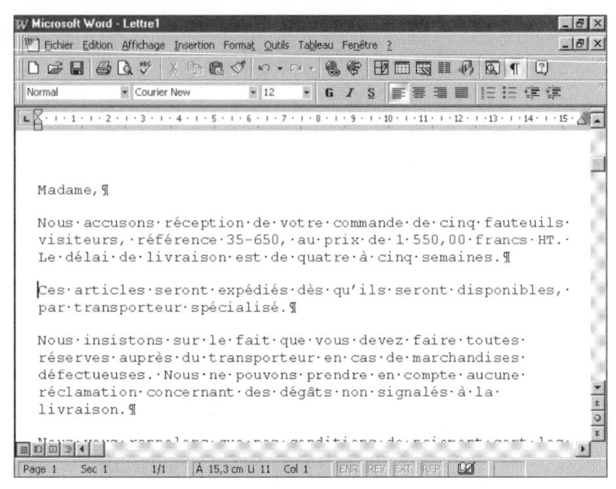

Figure 2.3 : Le premier paragraphe coupé en deux.

Enregistrement d'un document

La lettre est maintenant terminée. Vous pouvez l'afficher en mode *Aperçu avant impression* et l'imprimer, comme nous l'avons vu au chapitre précédent.

Le document ayant été modifié, il vous faut l'enregistrer. Cette procédure est beaucoup plus simple que celle employée pour le premier enregistrement. En effet, le document sera cette fois enregistré avec le même nom. Utilisez une des méthodes suivantes :

- Déroulez le menu *Fichier* et sélectionnez *Enregistrer*.
- Tapez les touches CTRL+S (ou MAJ+F12).
- Cliquez sur le bouton d'enregistrement d'un document (le troisième à partir de la gauche, dans la barre d'outils).

Enregistrement sous un autre nom

Nous allons maintenant utiliser notre document et les techniques étudiées jusqu'ici pour créer une seconde lettre. Il y a deux façons de procéder. La première consiste à apporter les modifications nécessaires à la lettre, puis à l'enregistrer sous un autre nom. C'est la méthode la plus logique, mais pas la plus sûre. En effet, si vous enregistrez, par inadvertance, le document sans modifier son nom, l'original sera perdu.

Pour éviter ce risque, il est donc préférable d'enregistrer d'abord le document sous un nouveau nom, puis d'effectuer les modifications. C'est ce que nous allons faire maintenant.

1. Si vous ne vous souvenez plus d'avoir enregistré votre document, faites-le. En effet, lorsque vous fermez un document, Word vous avertit si des modifications ont été faites depuis le dernier enregistrement. En revanche, ce n'est pas le cas lorsque vous enregistrez sous un nouveau nom.
2. Déroulez le menu *Fichier* et sélectionnez *Enregistrer sous*. Vous pouvez également taper les touches ALT+F, R, ou la touche F12.
3. Remplacez le nom du document par *Lettre2*. Vous pouvez taper le nouveau nom ou utiliser les commandes décrites précédemment pour modifier le nom proposé.
4. Cliquez sur *Enregistrer* ou tapez la touche ENTRÉE.

Modification du document

Nous allons maintenant employer les techniques étudiées jusqu'ici pour transformer le document. Pour modifier l'adresse, procédez de la façon suivante :

1. Sélectionnez l'adresse, en faisant un double clic dans la barre de sélection.
2. Tapez l'adresse suivante, en utilisant les touches MAJ+ENTRÉE pour passer à la ligne :

```
Agrotechnique
Monsieur Claude Hinard
25, rue Tronchet
74202 THONON
```

Pour modifier la date, faites un double clic sur le numéro du jour et tapez **18**. Procédez de la même façon pour remplacer le mot *Madame* par *Monsieur*. Sélectionnez ensuite les mots *cinq fauteuils visiteurs* et remplacez-les par :

```
quatre répondeurs enregistreurs
```

Remplacez la référence 35-650 par 48-212 et le prix par 2 350,00. (Il vous suffit de remplacer les deux premiers chiffres. Cependant, vous pouvez constater un problème. Si nous laissons un espace entre le premier chiffre et les trois suivants, la coupure est tout à fait incorrecte.)

```
Nous·accusons·réception·de·votre·commande·de·quatre·
répondeurs·enregistreurs,·référence·48-212,·au·prix·de·2·
350,00·francs·HT.·Le·délai·de·livraison·est·de·quatre·à·cinq·
semaines.¶
```

Ce problème revient fréquemment. Avec une machine à écrire, vous décidez de l'emplacement des ruptures de ligne. La question ne se pose donc pas. Nous pourrions employer la même technique ici, et taper une fin de ligne avant le chiffre 2. Ce n'est pas la bonne méthode. En effet, si plus tard vous modifiez le document, vous risquez d'obtenir un résultat désastreux, comme dans l'exemple ci-après :

```
Nous·accusons·réception·de·votre·commande·de·quatre·
répondeurs·enregistreurs,·référence·48-212,·au·prix·
de↵
2·350,00·francs·HT.·Le·délai·de·livraison·est·de·
quatre·à·cinq·semaines.¶
```

La solution consiste à remplacer l'espace par un *espace insécable*. Word ne coupe pas les lignes sur les espaces insécables. Pour taper un espace insécable, utilisez les touches CTRL+MAJ+ESPACE. Lorsque les caractères spéciaux sont affichés, l'espace insécable est représenté par un petit cercle :

```
Nous·accusons·réception·de·votre·commande·de·quatre·
répondeurs·enregistreurs,·référence·48-212,·au·prix·de·
2°350,00·francs·HT.·Le·délai·de·livraison·est·de·quatre·à·
cinq·semaines.¶
```

Profitez-en pour placer des espaces insécables entre le prix, le mot *francs* et *HT*. Les espaces insécables doivent être employés chaque fois que vous voulez empêcher Word de couper une ligne sur un espace.

Une fois les modifications terminées, enregistrez le document. Vous pouvez ensuite l'afficher en mode *Aperçu avant impression* et l'imprimer, si vous le souhaitez.

CHAPITRE 3

Organiser l'affichage des documents

Dans les deux premiers chapitres, vous avez créé deux documents et les avez manipulés de diverses façons. Au cours de ces manipulations, vous avez utilisé les éléments de l'interface de Word. Vous avez pu constater que leur fonctionnement est assez intuitif. Cependant, il n'est pas inutile de revenir en détail sur chacun d'eux, afin que les choses soient bien claires avant de continuer l'apprentissage de fonctions plus complexes.

L'écran de Word

L'écran de Word comporte cinq éléments principaux : la barre de titre, la barre de menus, les barres d'outils, la barre d'état et les fenêtres de documents (Figure 3.1). Il ne peut y avoir qu'une seule barre de menus et une seule barre d'état. En revanche, Word permet d'ouvrir plusieurs fenêtres de documents simultanément et d'afficher plusieurs barres d'outils.

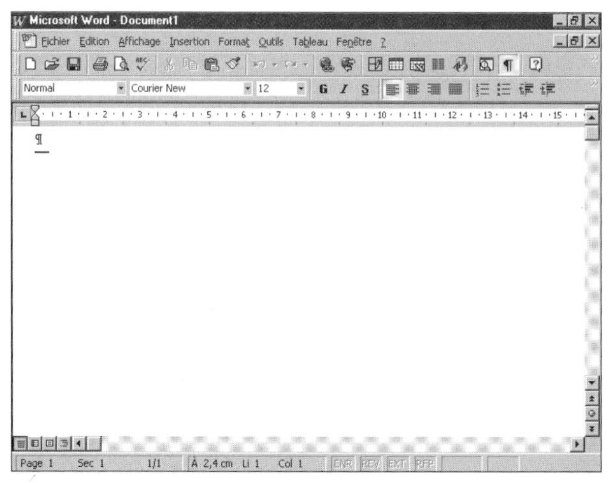

Figure 3.1 : L'écran de Word.

La barre de titre

La barre de titre est affichée en haut de l'écran. Elle comporte le nom de l'application (*Microsoft Word*), votre nom d'utilisateur et éventuellement le nom du document, si la fenêtre de celui-ci a été agrandie à sa taille maximale (ce qui est le cas par défaut). A l'extrémité gauche de la barre de titre, on trouve une icône permettant d'ouvrir le menu Système. Le menu Système permet de manipuler la fenêtre de l'application à l'aide des commandes standard de Windows. A l'extrémité droite de la barre de titre se trouvent la case de réduction, la case d'agrandissement (ou de restauration) et la case de fermeture. Ces éléments fonctionnent de façon tout à fait standard. Si vous ne savez pas les utiliser, reportez-vous à la documentation de Windows.

La barre de menus

Comme toutes les applications Windows, Word affiche sa barre de menus juste au-dessous de la barre de titre. Elle comporte neuf menus. Les menus de Word s'utilisent de façon normale.

Les barres d'outils

Les barres d'outils se trouvent juste au-dessous de la barre de menus. Word possède de nombreuses barres d'outils qui peuvent être affichées en haut ou en bas de l'écran, ou sous forme de *palettes flottantes*, à un emplacement quelconque. De plus, vous pouvez créer vos propres barres d'outils et modifier les barres standard. A titre d'exemple, nous allons effectuer quelques manipulations de barres d'outils. Procédez de la façon suivante :

1. Placez le pointeur sur une des barres d'outils affichées et pressez le bouton droit de la souris. Le menu contextuel de la Figure 3.2 est affiché.

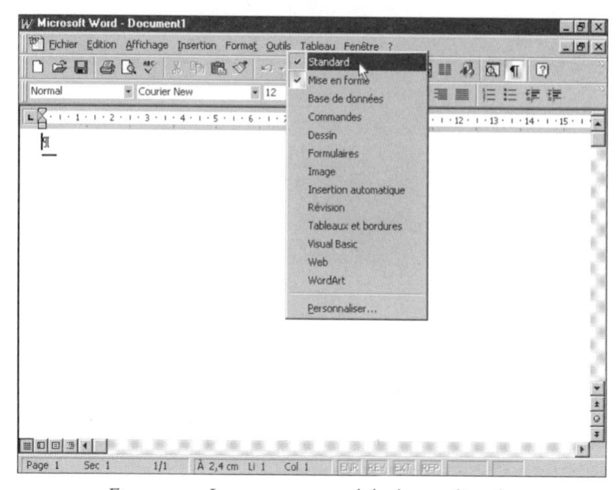

Figure 3.2 : Le menu contextuel des barres d'outils.

Vous pourrez constater que ce menu contient une liste de treize articles, qui sont les barres d'outils disponibles, ainsi que l'article *Personnaliser*. (Toutes les barres d'outils de Word ne sont pas disponibles ici.)

2. Le premier article de la liste désigne la barre d'outils *Standard*, affichée juste au-dessous de la barre de menus. Le signe en forme de V figurant à gauche de son nom indique qu'elle est active. Cliquez sur ce nom. La barre d'outils n'est plus affichée.
3. Procédez de la même façon pour l'afficher de nouveau. Vous pouvez constater que la barre standard reprend sa place, au-dessus de la barre d'outils *Mise en forme*.
4. Placez le pointeur sur la barre d'outils standard, pressez le bouton gauche de la souris et maintenez-le enfoncé.

5. Faites glisser le pointeur vers le bas. Le contour de la barre est affiché pendant le déplacement. Notez qu'il change de proportions lorsque vous quittez la zone des barres d'outils :

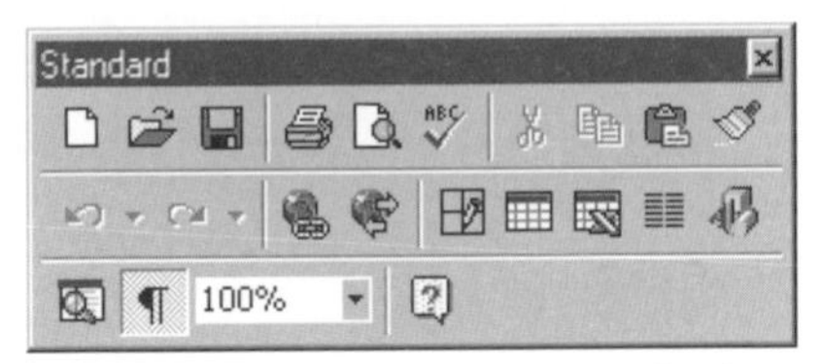

6. Relâchez le bouton de la souris. La barre d'outils est maintenant affichée sous la forme d'une palette flottante, que vous pouvez déplacer comme une fenêtre, en faisant glisser sa barre de titre. Notez que les outils ont été disposés sur deux lignes. Vous pouvez constater qu'il existe un outil supplémentaire qui n'était pas visible précédemment à cause de la trop faible largeur de l'écran.

Vous pouvez redimensionner cette palette en faisant glisser ses côtés ou ses angles, exactement comme une fenêtre Windows. Notez que les outils sont automatiquement disposés en conséquence.

7. Placez le pointeur sur la barre de titre de la palette d'outils, pressez le bouton gauche de la souris et maintenez-le enfoncé.

8. Faites glisser le pointeur vers le bas de l'écran jusqu'à ce que le rectangle en pointillé prenne la largeur de l'écran et relâchez le bouton. La barre d'outils est maintenant placée au bas de l'écran. Vous pouvez procéder de la même façon pour la placer verticalement, à gauche ou à droite de l'écran.

9. Cliquez deux fois sur la barre d'outils, *entre deux boutons*. (Ne cliquez surtout pas sur un bouton.) La barre est de nouveau affichée sous forme de palette flottante.
10. Cliquez deux fois sur la barre de titre de la palette. La barre reprend sa place au bas de l'écran.
11. Faites-la glisser vers le haut, jusqu'à la règle. (Arrêtez-vous dès qu'elle prend la largeur de l'écran.) Elle est maintenant affichée sous la barre d'outils *Mise en forme*.
12. Faites un double clic sur la barre d'outils *Mise en forme*, afin de l'afficher sous forme de palette flottante.
13. Cliquez sur la case se trouvant dans l'angle supérieur droit de la palette :

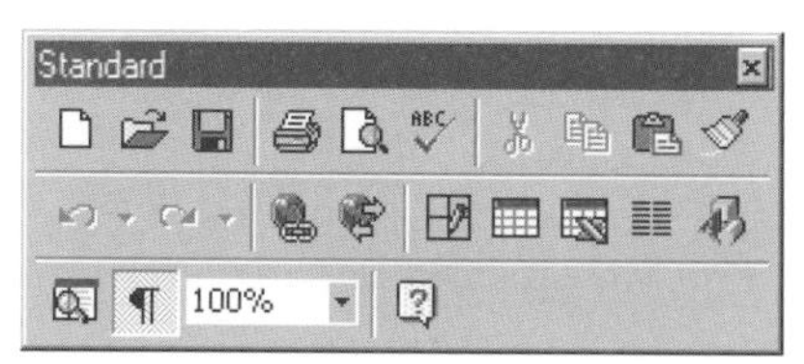

La barre d'outils a maintenant disparu.

14. Affichez-la de nouveau à l'aide du menu contextuel, en procédant comme à l'étape 1. Notez que lorsque vous affichez une barre d'outils, elle reprend la dernière position qu'elle occupait.
15. Faites glisser la palette (en pointant sur sa barre de titre) jusqu'au-dessous de la barre standard.

Vous pouvez également afficher ou supprimer les barres d'outils en utilisant la commande Barre d'outils du menu Affichage.

Utilisation des info-bulles

Lorsque vous placez le pointeur sur un bouton et que vous attendez une seconde, la fonction du bouton est affichée sous la forme d'une *info-bulle*.

Ce système est particulièrement utile si vous avez oublié la fonction d'un bouton. Les info-bulles peuvent être désactivées en utilisant la commande *Options* du menu *Outils*.

La fenêtre de document

Word affiche chaque document dans une fenêtre, qui comporte tous les éléments standard d'une fenêtre Windows, plus quelques éléments particuliers. La fenêtre peut être affichée normalement ou occuper la totalité de l'écran. Pour afficher un document dans une fenêtre, il suffit de cliquer sur le bouton de *restauration*, à l'extrémité droite de la barre de menus :

Lorsque le document est affiché dans une fenêtre, vous pouvez revenir à la taille maximale en cliquant sur le bouton d'*agrandissement*, se trouvant dans l'angle supérieur droit :

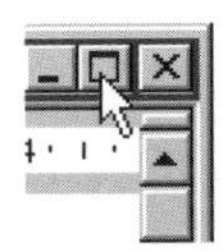

Le bouton situé immédiatement à sa gauche est le bouton de *réduction*.

Il permet d'afficher le document sous forme réduite, comme indiqué sur la Figure 3.3. Un document affiché sous cette forme est immédiatement disponible mais n'encombre pas l'écran. Pour l'ouvrir, il suffit de cliquer deux fois sur l'icône ou de taper la touche ENTRÉE lorsque l'icône est sélectionnée.

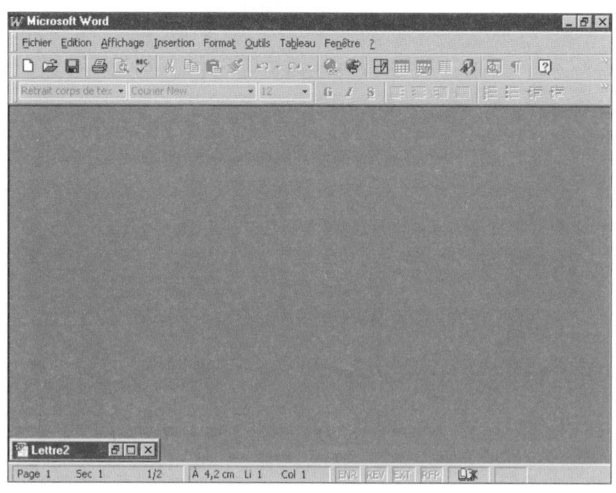

Figure 3.3 : Le document réduit.

La barre de titre

En haut de la fenêtre de document se trouve sa barre de titre. Comme son nom l'indique, la barre de titre comporte le titre du document.

Lorsqu'un document n'a pas encore été enregistré, il est nommé *Document*, suivi d'un chiffre.

La barre de titre sert également à déplacer la fenêtre, en la faisant glisser, ainsi que nous le verrons à la fin de ce chapitre. A l'extrémité gauche, on trouve une icône permettant d'ouvrir le menu Système de la fenêtre. Lorsque vous cliquez sur cette icône, le menu Système est affiché. Il contient les commandes permettant de redimensionner ou de déplacer la fenêtre. Cette icône permet également de fermer le document en y faisant un double clic.

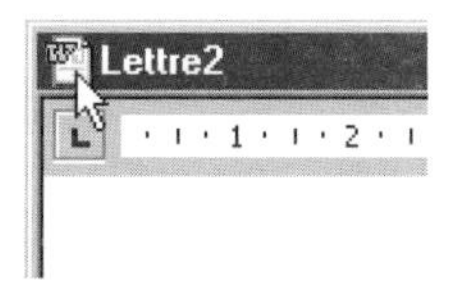

Cette action est l'équivalent de la commande *Fermer* du menu *Fichier* ou de la combinaison de touches ALT+F, F (ou CTRL+F4). Si vous fermez un document comportant des modifications non enregistrées, Word affiche un message d'avertissement :

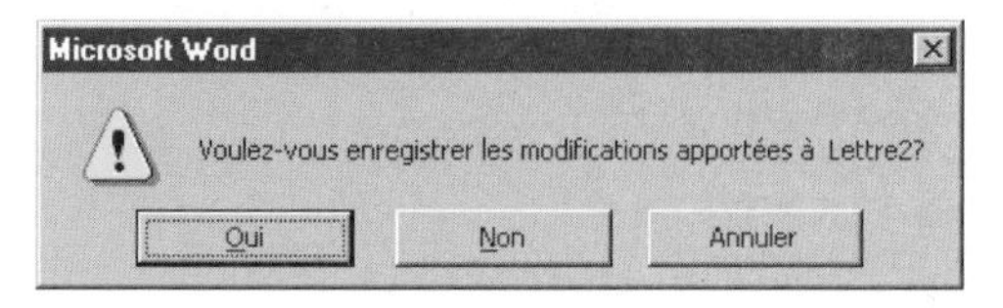

Si vous cliquez sur *Oui*, vous obtenez le même résultat qu'en utilisant l'article *Enregistrer* du menu *Fichier*. Le document est ensuite fermé normalement. Si vous cliquez sur *Non*, le document est fermé et les modifications non enregistrées sont perdues. Si vous cliquez sur *Annuler*, l'opération est interrompue. Le document reste ouvert, avec ses modifications.

Lorsque la fenêtre de document est affichée à sa taille maximale, l'icône du menu Système se trouve à l'extrémité gauche de la barre de menus :

La barre de fractionnement

Située en haut de la barre de défilement vertical, la barre de fractionnement permet de diviser en deux la fenêtre d'un document, afin d'afficher deux parties éloignées du texte. Pour l'utiliser, procédez de la façon suivante :

1. Placez le pointeur sur la barre de fractionnement. Notez qu'il prend l'aspect d'une double flèche verticale.

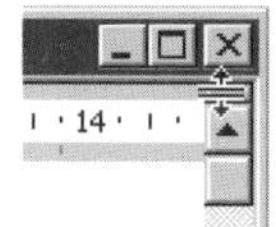

2. Pressez le bouton de la souris et maintenez-le enfoncé.
3. Faites glisser le pointeur vers le bas. Notez qu'une ligne horizontale grise se déplace avec lui (Figure 3.4).
4. Relâchez le bouton à la position souhaitée. La fenêtre est maintenant divisée en deux. Chaque partie comporte sa propre barre de défilement vertical. En faisant défiler l'affichage dans chaque partie de la fenêtre, il est possible de visualiser simultanément deux points éloignés du document. Chaque partie de la fenêtre ainsi divisée est appelée *volet*.

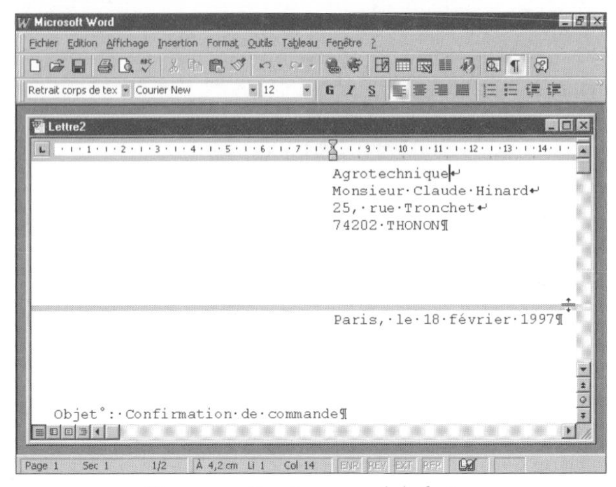

Figure 3.4 : Fractionnement de la fenêtre.

Pour diviser rapidement une fenêtre en deux parties égales, il suffit de cliquer deux fois dans la barre de fractionnement.

Vous pouvez à tout moment modifier la taille des deux volets de la fenêtre en faisant glisser de nouveau la barre de fractionnement.

Lorsque la fenêtre est divisée, les commandes concernant l'affichage s'appliquent uniquement au volet contenant le point d'insertion ou un élément sélectionné (sauf en ce qui concerne le passage en mode Aperçu avant impression). En revanche, les modifications apportées au texte dans un des volets sont immédiatement répercutées dans l'autre.

Pour supprimer la division de la fenêtre, vous pouvez faire glisser la barre de fractionnement vers le haut pour supprimer le volet supérieur, ou vers le bas pour supprimer le volet inférieur. Vous pouvez également cliquer deux fois sur la barre de fractionnement, ce qui a pour effet de supprimer le volet supérieur.

Pour fractionner la fenêtre, vous pouvez également employer l'article *Fractionner* du menu *Fenêtre* à l'aide de la souris. Cette méthode est en particulier assez pratique pour supprimer le fractionnement.

Lorsqu'une fenêtre est divisée, les deux volets peuvent être affichés dans des modes différents, comme nous le verrons plus loin.

La règle horizontale

La règle horizontale est la bande graduée affichée en haut de la fenêtre du document. Elle permet de disposer les marges des paragraphes et les tabulations :

Son utilisation sera décrite en détail dans les Chapitres 5 et 6.

La règle permet également, en faisant un double clic sur une marque de retrait (à droite, à gauche ou de première ligne), d'afficher la boîte de dialogue *Paragraphes*.

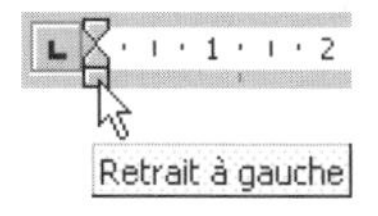

Un double clic dans la partie inférieure de la règle ou sur une marque de tabulation affiche la boîte de dialogue *Tabulations*.

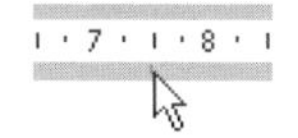

Un double clic dans la partie supérieure de la règle affiche la boîte de dialogue *Mise en page*.

Les barres de défilement

Les barres de défilement permettent de faire défiler l'affichage lorsque le document ne tient pas entièrement dans la fenêtre. Leur utilisation a été décrite au Chapitre 2.

Les boutons de sélection des modes d'affichage

Les quatre principaux modes d'affichage de Word peuvent être sélectionnés à l'aide des boutons se trouvant à l'extrémité gauche de la barre de défilement horizontal :

Le premier bouton (à gauche) active le mode *Normal*. Le deuxième bouton sélectionne le mode *Page* et le troisième le mode *Plan*.

La barre d'état

Au bas de la fenêtre de l'application se trouve la barre d'état. Elle est divisée en plusieurs parties :

La partie gauche affiche le numéro de la page courante, le numéro de la section, le nombre de pages jusqu'à la position du point d'insertion et le nombre total de pages. (Ces deux dernières informations sont séparées par une barre oblique.) Le nombre de pages jusqu'au point d'insertion peut être différent du numéro de page si la numérotation ne commence pas à 1 ou si certaines sections n'ont pas une numérotation continue. (Nous reviendrons sur ce sujet au Chapitre 9.)

La deuxième partie de la barre d'état indique la position du point d'insertion par rapport au haut de la page, mesurée en centimètres (ou dans l'unité que vous avez sélectionnée), puis le numéro de ligne et le numéro de colonne (nombre de caractères depuis la marge droite).

Dans la partie droite de la barre d'état se trouvent quatre indicateurs indiquant chacun un état ou un mode particulier : enregistrement de macro (ENR), mode *révision* (REV), mode *extension de sélection* (EXT) et mode *refrappe* (RFP). Ils sont affichés en noir lorsqu'ils sont actifs et en gris quand ils sont inactifs.

Un double clic sur le premier indicateur affiche la boîte de dialogue correspondante. Un double clic sur les indicateurs REV, EXT ou RFP active ou désactive les modes correspondants.

L'indicateur se trouvant à droite et représentant un livre ouvert sert à lancer la correction orthographique.

La barre d'état affiche également divers messages d'aide lorsque vous ouvrez des menus et que vous sélectionnez des commandes.

La zone de texte

La partie de la fenêtre se trouvant entre la règle et la barre d'état permet de saisir du texte. Lors de la création d'un nouveau document, elle ne contient que le point d'insertion, la marque de fin de document et, si l'affichage des caractères spéciaux est actif, une marque de fin de paragraphe.

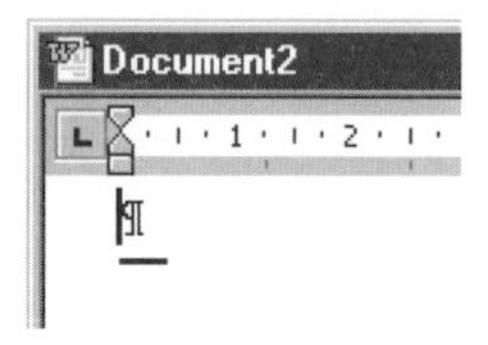

Le point d'insertion est représenté par une barre verticale clignotante. Il indique l'endroit où les caractères tapés seront insérés. Il peut être déplacé à l'aide des commandes étudiées au Chapitre 2.

La marque de fin de document est représentée par un tiret noir horizontal qui indique la limite du texte. Le point d'insertion ne peut être déplacé au-delà de cette limite.

Le pointeur

Le pointeur est certainement l'élément le plus important de l'interface de Word. Il se déplace en même temps que la souris et peut prendre des formes différentes. Il en change automatiquement en fonction de l'endroit où il se trouve ou de l'opération en cours.

Le pointeur a normalement la forme d'une flèche dirigée vers le haut et vers la gauche.

Ce pointeur sert, entre autres, à ouvrir les menus et à en sélectionner les articles, ainsi qu'à utiliser les zones de dialogue.

Le pointeur texte

Le pointeur texte a la forme d'un I majuscule. Il permet de placer le point d'insertion dans le texte, en cliquant simplement à l'emplacement choisi.

I

Le pointeur sélection

Lorsqu'il est placé dans la barre de sélection, le pointeur prend la forme d'une flèche dirigée vers la droite.

Ce pointeur permet de sélectionner plus facilement des lignes ou des paragraphes, comme nous l'avons vu au Chapitre 2. Il est également employé pour sélectionner des cellules dans les tableaux.

Le pointeur de fractionnement

Ainsi que nous l'avons vu précédemment, le pointeur prend la forme d'une double flèche verticale lorsqu'il est placé sur la barre de fractionnement.

Le pointeur de "glisser-déplacer"

Lors de l'utilisation de la fonction "glisser-déplacer", le pointeur prend une forme spéciale. Un petit carré gris lui est ajouté.

Ce pointeur indique que la sélection sera déplacée ou copiée lors du relâchement du bouton de la souris.

Le pointeur marges

Le pointeur marges sert à déplacer les marges en mode *Aperçu avant impression*.

Nous l'avons déjà employé au Chapitre 1.

Le pointeur loupe

Le pointeur loupe sert à agrandir l'affichage en mode *Aperçu avant impression*, comme nous l'avons vu au Chapitre 1.

Le pointeur plan

Le pointeur plan sert à déplacer les éléments en mode *Plan*. Il a la forme d'une croix comportant quatre pointes de flèche.

Le pointeur d'aide

Le pointeur d'aide a la forme du pointeur normal auquel est ajouté un point d'interrogation.

Il permet d'accéder directement à l'aide concernant un élément de l'écran, en cliquant dessus. Pour afficher ce pointeur, tapez les touches MAJ+F1.

Les modes d'affichage

Word permet d'utiliser plusieurs modes d'affichage. Chaque mode correspond à une utilisation particulière. Il est important de bien connaître les avantages et les inconvénients de chaque mode afin de les employer de façon optimale.

Le mode Normal

Pour la suite de ce chapitre, nous utiliserons les fichiers fournis sur la disquette d'accompagnement, disponible séparément. Ouvrez tout d'abord le document *Modepage.doc.* La Figure 3.5 montre le document affiché en mode *Normal.*

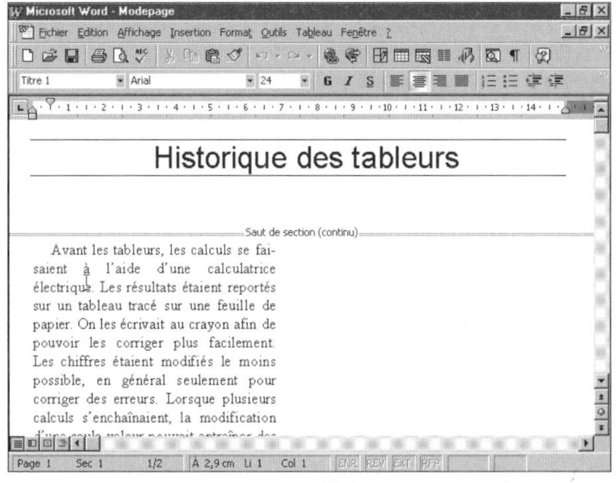

Figure 3.5 : Le document affiché en mode Normal.

Ce document comporte quatre *sections*, séparées par des doubles lignes horizontales pointillées incluant l'indication *Saut de section*. La première section occupe la largeur de la fenêtre. La deuxième n'occupe qu'environ la moitié de la fenêtre. En effet, ce document est constitué, pour sa deuxième section, de deux colonnes ; cependant, en mode *Normal*, Word n'affiche pas les colonnes les unes à côté des autres, mais les unes à la suite des autres. La troisième et la quatrième section ne sont pas visibles sur la figure.

Le mode *Normal* est celui dans lequel l'affichage est le plus rapide. Il est donc utilisé pour la saisie et la correction du texte.

Le mode Page

Pour visualiser la mise en page, il faut passer en mode *Page*. Pour cela, procédez de la façon suivante :

1. Déroulez le menu *Affichage*. Notez que l'article *Normal* est coché, indiquant le mode d'affichage employé jusqu'ici.
2. Sélectionnez *Page*. La Figure 3.6 montre le résultat obtenu.

Si vous préférez employer le clavier, vous pouvez obtenir le même résultat en tapant les touches ALT+A, P.

Une façon plus rapide de procéder consiste à cliquer sur le bouton d'affichage en mode *Page*, à l'extrémité gauche de la barre de défilement horizontal :

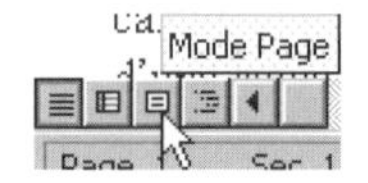

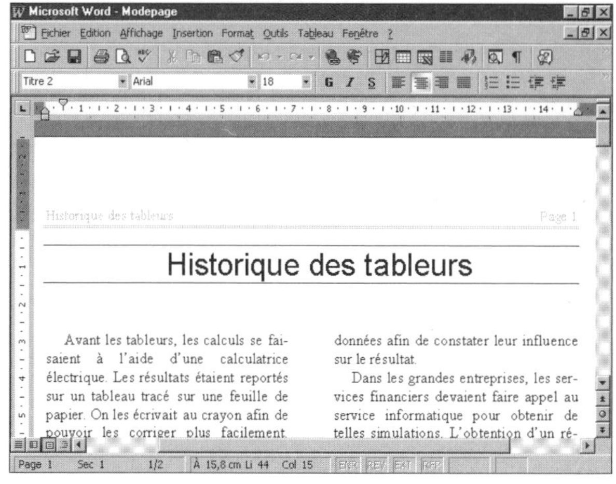

Figure 3.6 : L'affichage du document en mode Page.

Vous pouvez constater plusieurs choses :

- Le texte de la deuxième section est affiché sur deux colonnes.
- Des éléments affichés en gris ont été ajoutés en haut du document.
- Une règle verticale est affichée.

La principale différence entre le mode *Page* et le mode *Normal* est l'affichage des colonnes côte à côte. Cela permet d'avoir une vue beaucoup plus précise de l'aspect du document. En revanche, l'affichage est ralenti. C'est pourquoi il est préférable de saisir et de corriger le texte en mode *Normal* avant de l'afficher en mode *Page*. Une autre particularité du mode *Page* est que les titres courants sont affichés. Les titres courants sont des éléments figurant en haut et au bas de chaque page. Dans l'exemple affiché, le titre courant haut comporte le titre du document, à gauche, et le numéro de page, à droite.

En mode *Page*, les limites de la page sont matérialisées. Pour mettre cela en évidence, faites défiler l'affichage de façon à faire apparaître l'angle supérieur gauche du document. La règle verticale permet de modifier les marges haute et basse, en procédant comme nous l'avons fait en mode *Aperçu avant impression*, au Chapitre 1.

La règle horizontale permet de modifier de la même façon les marges gauche et droite :

ainsi que les limites des colonnes :

Les limites de colonnes se déplacent de façon symétrique. En effet, par défaut, Word maintient égales les largeurs de colonnes. Nous verrons au Chapitre 9 qu'il est parfaitement possible d'obtenir des colonnes de largeurs inégales.

Les deux doubles flèches figurant au bas de la barre de défilement vertical servent à passer d'une page à l'autre.

La flèche dirigée vers le haut fait passer à la page précédente et la flèche dirigée vers le bas à la page suivante.

Le petit bouton rond entre les deux doubles flèches permet de modifier la fonction de celles-ci. Si vous cliquez sur ce bouton, vous obtenez l'affichage d'une série de symboles :

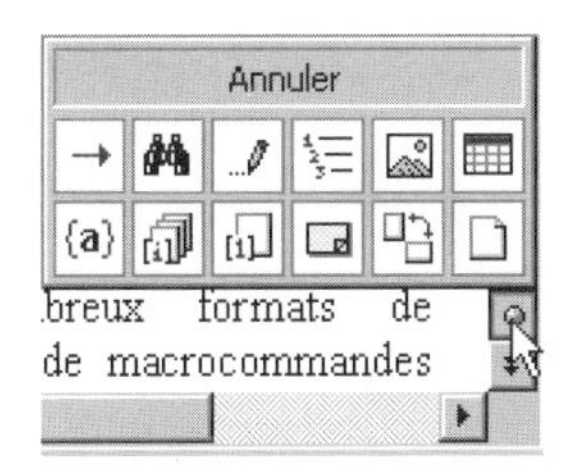

En cliquant sur l'un de ces symboles, vous pouvez choisir les objets parcourus. Par défaut, les doubles flèches servent à parcourir les pages du document. Cela est indiqué par leur couleur noire. Vous pouvez parcourir le document par titre, par graphique, par tableau, par modification, par champ, par note, par commentaire ou par section.

Si la sélection n'est pas "par pages", les doubles flèches sont affichées en bleu :

Bien sûr, le mode *Page* est surtout intéressant avec un écran pleine page, c'est-à-dire affichant une page entière, verticalement. Si vous ne disposez pas d'un tel écran, vous pouvez le simuler en utilisant la fonction *Zoom* (menu *Affichage*) et en sélectionnant l'option *Page en-*

tière. Word remplace les caractères trop petits par du texte simulé pour donner une image globale de la page. Notez que le pourcentage de réduction est affiché dans la barre d'outils *Standard* si votre écran est assez large ou si la barre d'outils est affichée sous forme de palette flottante. Le bouton situé immédiatement à droite de cette zone permet de sélectionner les différents facteurs de zoom :

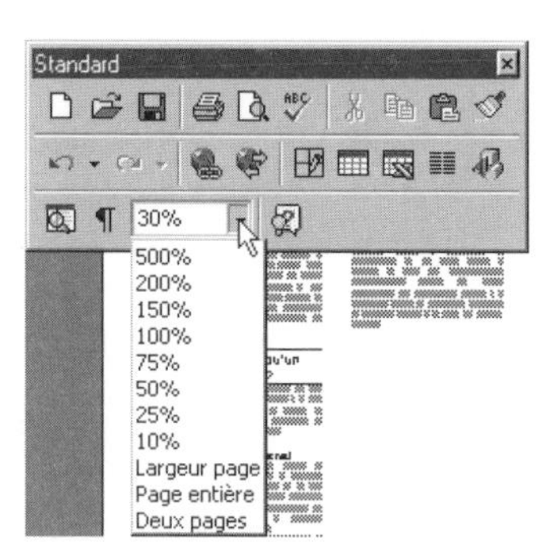

Il est également possible d'afficher plusieurs pages. Pour cela, procédez de la façon suivante :

1. Sélectionnez la commande *Zoom* du menu *Affichage*. La boîte de dialogue *Zoom* est affichée.
2. Cliquez sur l'option *Plusieurs pages*. La zone *Aperçu* vous montre la façon dont vos pages seront affichées et l'aspect que prendra le texte. La zone *Personnalisé* montre le pourcentage de réduction.
3. Si vous souhaitez afficher plus de deux pages, cliquez sur le bouton figurant au-dessous de l'option *Plusieurs pages*. Une grille est affichée.

4. Sélectionnez sur cette grille le nombre de pages que vous souhaitez afficher. Dans l'exemple de la Figure 3.7, nous demandons l'affichage de quatre pages horizontalement et de deux pages verticalement. Notez que la grille s'étend automatiquement lorsque vous déplacez le pointeur.

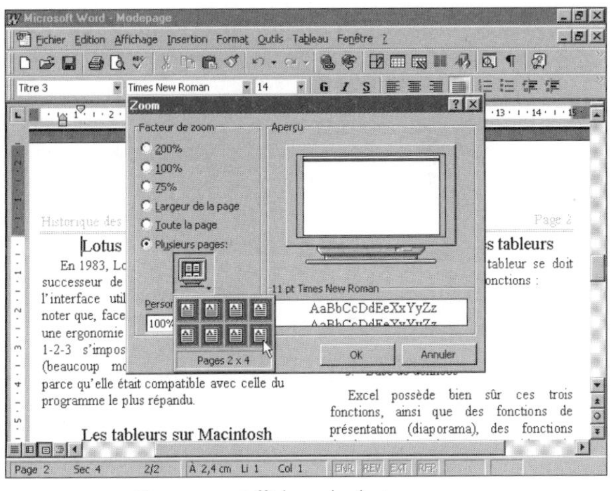

Figure 3.7 : Affichage de plusieurs pages.

Pour saisir un facteur de zoom dans la barre d'outils, cliquez sur la valeur affichée. Celle-ci est automatiquement sélectionnée :

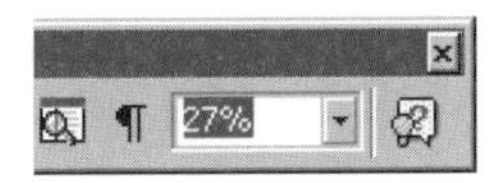

Tapez la nouvelle valeur. (Il n'est pas nécessaire de taper le signe %.) Terminez par la touche ENTRÉE.

Le mode Plan

Pour afficher un exemple en mode *Plan*, nous utiliserons le document *Tableurs* se trouvant sur la disquette d'accompagnement, disponible séparément. Ouvrez ce document. Il s'affiche en mode *Page*, comme indiqué sur la Figure 3.8.

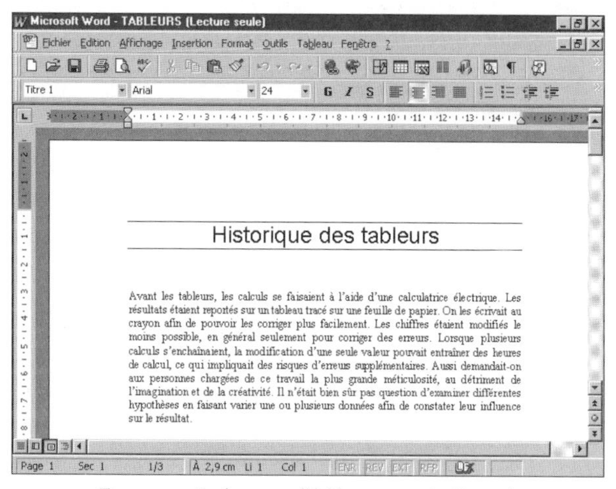

Figure 3.8 : Le document Tableurs en mode Normal.

Ce document possède une certaine structure, constituée de texte et de différents niveaux de titres. Le mode *Plan* permet de mettre en évidence et de manipuler cette structure. Pour passer en mode *Plan*, cliquez sur l'icône du mode *Plan*, à l'extrémité gauche de la barre de défilement horizontal.

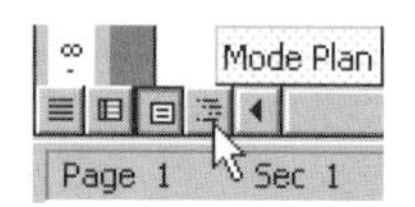

La Figure 3.9 montre le document affiché en mode *Plan*.

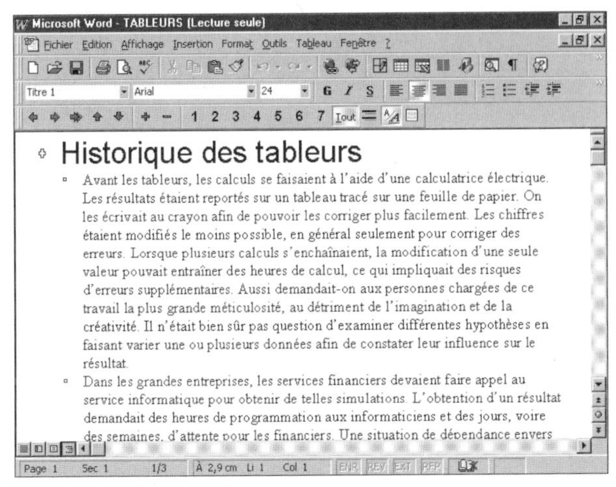

Figure 3.9 : Le document affiché en mode Plan.

Dans ce mode, chaque élément est indenté en fonction de sa position hiérarchique dans la structure. De plus, il est possible de masquer sélectivement certains éléments ou tous les éléments d'un niveau inférieur à un niveau donné.

En mode *Plan*, des commandes sont disponibles pour modifier le niveau d'un élément et pour déplacer un élément avec tous ses éléments dépendants. Nous étudierons le mode *Plan* en détail au Chapitre 10. Outre le fait de faciliter la réalisation de documents parfaitement structurés, le mode *Plan* permet également de se déplacer rapidement dans un long document.

L'explorateur de document

L'explorateur de document correspond à un mode d'affichage spécial dans lequel le document est affiché dans la partie droite de l'écran et sa structure dans la partie gauche. Pour passer dans ce mode, il suffit de cliquer sur le bouton correspondant de la barre d'outils Standard :

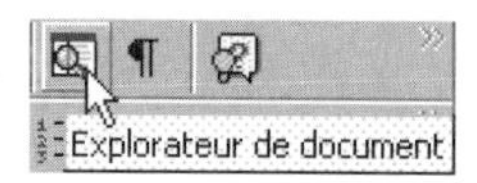

Vous obtenez alors l'affichage de la Figure 3.10.

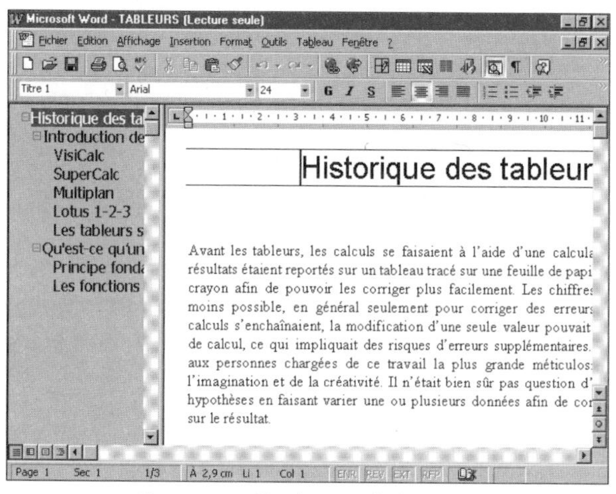

Figure 3.10 : L'explorateur de document.

Vous pouvez alors parcourir très facilement le document en cliquant sur les titres affichés dans la partie gauche de l'écran. Pour quitter l'explorateur de document, il suffit de cliquer de nouveau sur le bouton de la barre d'outils.

Revenir au mode Normal

Pour revenir au mode *Normal*, cliquez sur l'icône du mode *Normal*, à l'extrémité gauche de la barre de défilement horizontal :

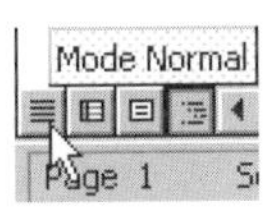

Si vous préférez utiliser le clavier :

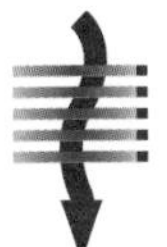

1. Déroulez le menu *Affiche* (touches ALT+A).
2. Sélectionnez *Normal* (touche M).

Comme nous l'avons dit précédemment, il est possible de diviser la fenêtre d'un document et d'afficher les deux volets dans des modes différents. Rappelons que, lorsque l'écran est divisé en volets, les commandes de changement de mode d'affichage s'appliquent au volet contenant le point d'insertion ou du texte sélectionné. Par ailleurs, lorsque l'on supprime le fractionnement d'une fenêtre à l'aide du menu *Fenêtre*, l'affichage reste dans le mode utilisé pour le volet contenant le point d'insertion.

Le mode Document maître

Le mode *Document maître* ressemble beaucoup au mode *Plan*. Son principal avantage est qu'il permet de mettre en évidence la structure d'un document composé de plusieurs sous-documents, comme un livre peut être composé de chapitres. Il sera étudié au Chapitre 10.

Le mode Aperçu avant impression

Nous avons déjà employé le mode *Aperçu avant impression* au Chapitre 1. Il est très proche du mode *Page*. Leurs principales différences sont la taille de l'affichage par défaut (page entière) et une barre d'outils spéciale. Pour passer dans ce mode, vous devez sélectionner l'article correspondant du menu *Fichier*. Pour revenir au mode précédent, il vous suffit de cliquer sur *Fermer* dans la barre d'outils ou de taper les touches ALT+F. Vous pouvez également sélectionner un mode d'affichage au moyen du menu *Affichage* ou des boutons se trouvant à l'extrémité gauche de la barre de défilement horizontal.

Affichage en mode Plein écran

Word permet d'utiliser la totalité de l'écran pour l'affichage du document. Pour cela, il vous suffit de sélectionner *Plein écran* dans le menu *Affichage*. Toutes les commandes clavier restent disponibles dans ce mode. Vous pouvez ainsi afficher les menus et les boîtes de dialogue. Ce mode est très pratique pour les utilisateurs chevronnés qui connaissent par cœur les commandes dont ils ont besoin.

Pour désactiver le mode *Plein écran*, il suffit de taper la touche ECHAP, ou d'utiliser le menu *Affichage* (au moyen des touches ALT+A ou en plaçant le pointeur en haut de l'écran) ou encore de cliquer sur le bouton *Fermer le plein écran*.

Affichage de plusieurs fenêtres

Nous avons vu dans une section précédente qu'il était possible de diviser la fenêtre d'un document pour visualiser des parties éloignées. Cette méthode ne permet d'afficher que deux parties du document. Il est également possible d'ouvrir plusieurs fenêtres d'un même document ou d'ouvrir plusieurs documents.

Ouvrir plusieurs fenêtres d'un même document

Pour expérimenter les possibilités d'utilisation de fenêtres multiples, procédez de la façon suivante :

1. Ouvrez le document *Lettre1*.
2. Déroulez le menu *Fenêtre* et sélectionnez *Nouvelle fenêtre*. Word ouvre une deuxième fenêtre du même document. Cette fenêtre est affichée par-dessus la première. L'existence des deux fenêtres est signalée par la barre de titre, qui porte l'indication *Lettre1:2*, c'est-à-dire *Lettre1*, deuxième fenêtre.
3. Ouvrez une troisième fenêtre en sélectionnant l'article correspondant du menu *Ecran*.

Comme dans le cas d'une fenêtre divisée, les modifications effectuées dans une fenêtre sont immédiatement répercutées dans les autres fenêtres du même document. Par ailleurs, si vous fermez une fenêtre en tapant CTRL+F4 ou en sélectionnant Fermer dans son menu Système, ou encore en faisant un double clic sur l'icône du menu Système, alors que des modifications n'ont pas été enregistrées, aucun message de confirmation n'est affiché, sauf s'il s'agit de la dernière fenêtre ouverte de ce document.

A titre d'exemple, effectuez la manipulation suivante :

1. Modifiez le document en remplaçant la date *14 février* par *15 février*.
2. Déroulez le menu Système de la fenêtre de document et cliquez sur *Fermeture*, ou tapez CTRL+W ou CTRL+F4.

Notez que la commande *Fermer* ne s'applique qu'à la fenêtre 3. Il s'agit de la fenêtre *active*. Il ne peut y avoir qu'une seule fenêtre active à la fois. Les commandes concernant une fenêtre s'appliquent toujours à la fenêtre active. Nous verrons plus loin comment changer de fenêtre active.

Une fois la fenêtre 3 refermée, remarquez que la modification a été également effectuée dans la fenêtre 2. (C'est aussi le cas de la fenêtre 1, bien que celle-ci ne soit pas visible pour l'instant.)

En revanche, notez que la commande Fermer du menu Fichier s'applique au document, et non à une fenêtre.

Ouvrir plusieurs documents

Il est également possible, bien entendu, d'ouvrir plusieurs documents en même temps. Faites-le en ouvrant le document *Lettre2*. Le document s'affiche dans une nouvelle fenêtre, masquant les deux autres.

Activer une fenêtre

Pour activer une fenêtre, vous pouvez procéder de plusieurs façons. Lorsque la fenêtre à activer n'est pas visible, vous devez employer le menu *Ecran*. Pour activer la fenêtre *Lettre1:1*, procédez de la façon suivante :

1. Déroulez le menu *Fenêtre*. La liste des fenêtres ouvertes est affichée au bas du menu. La fenêtre active est cochée (Figure 3.11).
2. Sélectionnez la fenêtre à activer.

Figure 3.11 : Utilisation du menu Fenêtre pour changer de fenêtre active.

Vous pouvez également activer une fenêtre à l'aide du clavier. Pour activer la deuxième fenêtre du document *Lettre1*, procédez de la façon suivante :

1. Tapez les touches CTRL+F6. La fenêtre *Lettre1:1* est activée.
2. Tapez une nouvelle fois les touches CTRL+F6. La fenêtre *Lettre1:2* est activée.

Comme vous l'avez remarqué, cette séquence de touches active les fenêtres les unes après les autres, dans l'ordre dans lequel elles ont été ouvertes.

Organisation de l'affichage

Une autre façon d'activer une fenêtre est de cliquer dedans. Pour cela, il faut qu'elle soit en partie visible. Si les fenêtres se recouvrent, il faut donc les redimensionner. Word possède une fonction d'organisation automatique de l'affichage. Elle ne permet malheureusement pas de choisir le type d'organisation. Pour l'utiliser, déroulez le menu *Ecran* et cliquez sur *Réorganiser*.

Copie et déplacement de texte entre fenêtres

Il est tout à fait possible de copier ou de déplacer du texte ou tout autre élément d'une fenêtre à une autre, qu'il s'agisse du même document ou de documents différents, en utilisant toutes les techniques décrites au Chapitre 2, y compris la méthode du "glisser-déplacer". Cependant, dans ce cas, vous devez franchir les limites des fenêtres d'un mouvement rapide, faute de quoi Word présume que vous voulez faire défiler l'affichage de la fenêtre active et non passer à une autre fenêtre.

Utilisation du système d'aide

Word offre un système d'aide aux possibilités multiples. Il est accessible par l'intermédiaire du menu d'aide, représenté par un point d'interrogation. Le système d'aide de Word correspond au standard Windows. Il possède en outre une particularité. Si vous pressez les touches MAJ+F1, le pointeur s'accompagne d'un gros point d'interrogation.

Vous pouvez alors cliquer sur un élément quelconque de la fenêtre de Word pour obtenir directement l'aide correspondante.

CHAPITRE 4

Mise en forme des caractères

Avant de mettre en pratique les commandes de formatage des caractères, il faut savoir ce qu'est une police, connaître les trois technologies employées par Windows et avoir quelques notions de la façon de les utiliser dans un texte.

Les différentes technologies de polices

Windows utilise trois technologies différentes pour afficher et imprimer les caractères. Ces différences ont une influence sur la façon dont vous pourrez utiliser les polices.

Les polices en mode points

Ces polices étaient les seules disponibles sur les premiers ordinateurs. Chaque caractère était représenté par un ensemble de points. Pour utiliser une taille donnée, il fallait disposer de la police dans cette taille. Cette technologie n'est maintenant plus utilisée que pour l'affichage sur écran, dans les petites tailles.

Les polices PostScript

Les polices PostScript sont des polices dans lesquelles les contours des caractères sont définis par des formules mathématiques. Il est donc possible de les imprimer dans une taille quelconque (après quelques calculs réalisés dans l'imprimante). Pour utiliser ces polices, il faut posséder un programme utilitaire appelé ATM (*Adobe Type Manager*) permettant à Windows d'afficher les polices PostScript, et de les imprimer sur tous les types d'imprimantes. (Ces polices ne s'impriment normalement qu'avec les imprimantes PostScript.) Les polices PostScript sont les plus employées par les professionnels de la composition de texte.

Les polices TrueType

Avec Windows 95, vous bénéficiez de la technologie TrueType. Les caractères des polices TrueType sont également décrits par leurs contours. La différence est que Windows est capable de les interpréter sans l'ajout d'un utilitaire spécial. Leur emploi est donc plus simple. Les polices TrueType peuvent être imprimées sur toutes les imprimantes, PostScript ou non.

Les polices d'imprimantes

Selon l'imprimante que vous possédez, différentes polices de caractères peuvent être disponibles. Ces polices sont représentées à l'écran par des polices approchantes. De ce fait, vous ne pouvez pas toujours les distinguer à l'écran. Etant donné la diversité des imprimantes existantes, nous ne pouvons pas traiter ici chaque cas particulier.

Quel type choisir ?

La réponse à cette question est assez simple. Oubliez les polices en mode points, qui ne présentent aucun avantage. PostScript est le standard de fait de la composition de texte et de la mise en page. Si vous voulez disposer du plus grand nombre de polices, si vous saisissez du texte dans Word pour l'exporter vers un système de mise en page, et surtout si vous travaillez pour des clients susceptibles d'exiger une police particulière, optez pour les polices PostScript avec ATM. Dans le cas contraire, choisissez TrueType sans hésiter, pour sa simplicité et sa compatibilité avec les autres systèmes. De plus, les caractères spéciaux ANSI ne sont disponibles qu'avec les polices TrueType. Notez que vous pouvez utiliser simultanément les deux technologies. Il est cependant fortement déconseillé d'employer en même temps les versions PostScript et TrueType d'une même police. Par ailleurs, l'utilisation d'une imprimante PostScript contenant des polices en mémoire avec les polices TrueType de même nom peut poser des problèmes d'espacement des caractères.

Si votre imprimante possède ses propres polices, vous pouvez les utiliser. Vous risquez cependant de ne pas pouvoir les distinguer à l'écran, car elles seront représentées par des polices approchantes. (Le *Times New Roman* pour les polices à empattements et l'*Arial* pour les polices sans empattements.) Pour ces raisons, nous n'emploierons que les polices TrueType, et nous vous conseillons de faire de même.

La police par défaut

Vous pouvez employer Word pour produire de nombreux documents sans jamais sélectionner une police ou une taille de caractères. Dans ce cas, Word utilise la *Police par défaut*. La police par défaut est celle définie pour le style *Normal* dans le modèle utilisé. Les styles et les modèles seront étudiés au Chapitre 7.

Sélection d'une police

Nous allons maintenant apprendre à sélectionner une police de caractères dans un document.

Pour sélectionner une police, vous pouvez utiliser deux méthodes : la boîte de dialogue *Police* et la liste déroulante de la barre d'outils. Ces deux méthodes donnent des résultats identiques. Elles s'appliquent de deux façons. L'une consiste à sélectionner un texte déjà tapé et à lui attribuer une police, l'autre à sélectionner une police, puis à taper le texte.

La seconde méthode est plus rationnelle. En effet, contrairement aux enrichissements comme l'italique, le gras ou le soulignement, une police est rarement employée pour mettre quelques mots en valeur. (Cela arrive néanmoins dans les manuels techniques.) L'usage le plus fréquent des changements de police concerne la mise en valeur des titres. Le changement de police concerne alors un paragraphe entier. Nous verrons au Chapitre 7 que l'utilisation des feuilles de styles permet d'automatiser complètement les changements de police dans ce cas. Nous allons cependant apprendre à sélectionner une police manuellement, ne serait-ce que parce que cela nous sera indispensable plus tard pour définir les styles.

Pour sélectionner une police, procédez de la façon suivante :

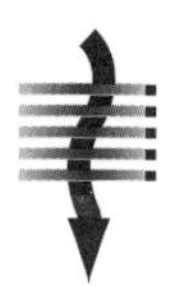

1. Créez un nouveau document, en cliquant sur le premier bouton, à gauche de la barre d'outils. N'utilisez pas l'article *Nouveau* du menu *Fichier*, car il vous faudrait alors choisir un modèle, ce que nous n'avons pas encore appris à faire. (Si vous y tenez, faites-le en choisissant le modèle *Normal*, qui est d'ailleurs proposé par défaut.) Une nouvelle fenêtre est affichée. Notez, dans la partie gauche de la barre d'outils *Mise en forme*, que la police et la taille par défaut, *Courier New 12*, sont sélectionnées.
2. Tapez le texte suivant :

   `Ce texte est en Courier.`

3. Placez le pointeur sur le bouton situé à droite de la zone contenant le nom de la police, dans la barre d'outils :

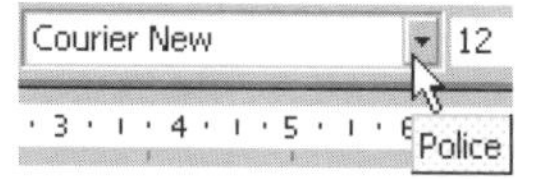

4. Pressez le bouton de la souris et maintenez-le enfoncé. La liste des polices disponibles est affichée. Remarquez

que la police que vous avez utilisée jusqu'ici est placée au début de la liste et est séparée des autres polices, classées par ordre alphabétique, par un double trait horizontal. Word place en tête de liste les polices les plus souvent utilisées de façon que vous puissiez les atteindre plus rapidement. Vous pouvez noter par ailleurs que les polices sont distinguées par des icônes, affichées à gauche de leur nom. Les polices d'imprimantes sont indiquées par une icône représentant une imprimante.

Les polices TrueType sont indiquées par un double T (par exemple, *Symbol* ou *Times New Roman*). Les polices d'imprimante sont signalées par une icône représentant une imprimante. Dans ces exercices, nous n'utiliserons que les polices TrueType. De cette façon, les manipulations seront identiques quelle que soit votre imprimante. L'illustration suivante montre cependant la façon dont les polices d'imprimantes sont représentées :

5. Sélectionnez la police *Times New Roman*. Vous pouvez noter deux choses :

▼ La police *Times New Roman* est maintenant indiquée dans la barre d'outils :

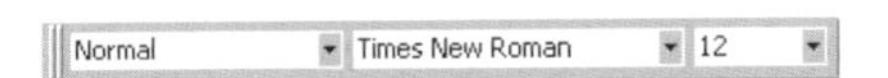

▼ Le texte tapé n'a pas été modifié. Lorsque aucun texte n'est sélectionné, un changement de police s'applique aux caractères qui seront saisis.

6. Tapez le texte suivant :

```
Ce texte est en Times.
```

Vous pouvez constater que les caractères affichés sont très différents. Ils sont plus étroits, et leur largeur est variable.

7. Cliquez sur le bouton droit de la souris pour afficher le menu contextuel et sélectionnez l'option *Police*. La boîte de dialogue correspondante est affichée, comme on peut le voir sur la Figure 4.1. (Vous pouvez obtenir le même résultat en sélectionnant *Police* dans le menu *Format*.)

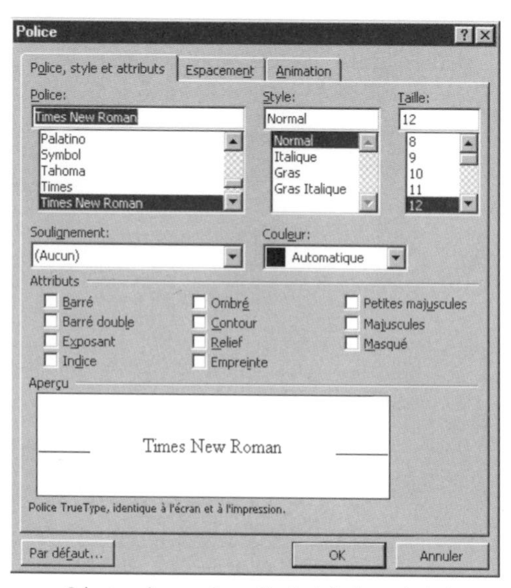

Figure 4.1 : Sélection d'une police à l'aide de la boîte de dialogue Police.

8. Dans la liste *Police*, sélectionnez la police *Arial* et cliquez sur *OK*. Notez que lorsque vous sélectionnez une police, un exemple de texte est affiché dans la zone *Aperçu*.

9. Tapez le texte suivant :

   ```
   Ce texte est écrit en grec.
   ```

   Notez la différence de dessin des caractères. En particulier, remarquez que le caractère, bien que de la même taille (encombrement vertical total), paraît plus gros.

Modification de la police d'un texte déjà saisi

Si vous vous êtes trompé de police, vous pouvez modifier la police d'un texte déjà saisi. Pour cela, procédez de la façon suivante :

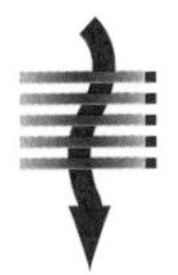

1. Sélectionnez la dernière phrase du texte (par exemple en y cliquant tout en maintenant la touche CTRL enfoncée).
2. Déroulez la liste des polices de la barre d'outils.
3. Sélectionnez la police *Symbol*. Cette fois, le texte est réellement affiché en caractères grecs. La police *Symbol* comporte, en effet, de nombreux signes spéciaux, ainsi que les caractères grecs.

Vous avez pu constater que le choix d'une police s'applique au texte qui sera saisi, si aucun texte n'est sélectionné, et au texte sélectionné dans le cas contraire.

Vous pouvez aussi sélectionner une police à partir du clavier en procédant de la façon suivante :

- Tapez les touches CTRL+MAJ+P. Le nom de la police courante est affiché en inverse dans la barre d'outils.
- Utilisez les touches HAUT et BAS pour sélectionner une police dans la liste.
- Tapez la touche ENTRÉE.

Word offre un raccourci clavier pour revenir à la police par défaut. Pour cela, il vous suffit de taper les touches CTRL+ESPACE. Notez, cependant, que la méthode précédente est préférable si vous avez modifié la taille des caractères, car la séquence CTRL+ESPACE annule le changement de police, mais également le changement de taille.

Déterminer la police sélectionnée en un point donné du texte

Si vous insérez du texte dans un document comportant plusieurs polices, vous devez faire attention à la police active. La règle est la suivante :

- Si vous tapez du texte à partir du point d'insertion, le texte prend la même police que les caractères situés à gauche de celui-ci. Cette police est indiquée dans la barre d'outils, ainsi que dans la liste de la boîte de dialogue *Police*. Dans l'exemple suivant, le texte inséré sera en *Courier New*.

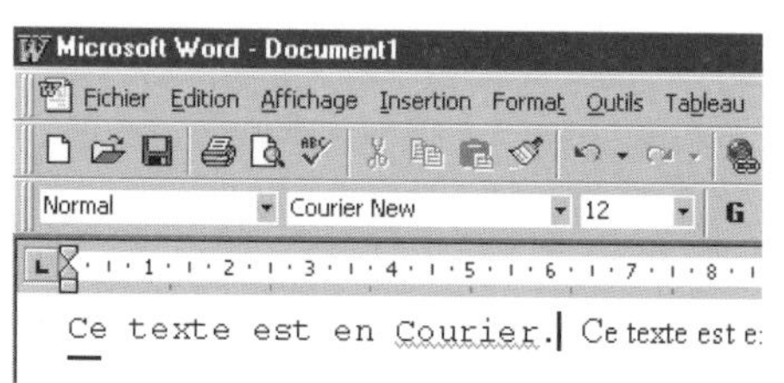

▼ Si vous tapez du texte en remplacement d'un texte sélectionné, le texte de remplacement prend la même police que celui-ci. Si le texte sélectionné comporte plusieurs polices, celle du premier caractère de la sélection est appliquée au texte de remplacement. Notez que dans ce cas aucune police n'est indiquée dans la barre d'outils, ni dans la liste de la boîte de dialogue *Police*.

La taille des caractères

Tout comme il existe une police par défaut, Word utilise une taille de caractères chaque fois que vous n'en choisissez pas une explicitement. Comme la police, elle est indiquée dans la barre d'outils. Dans les exemples précédents, les caractères saisis étaient en taille 10.

Il est rare d'avoir à modifier la taille des caractères dans le courant du texte. Généralement, cela est même fortement déconseillé. Un caractère plus gros que le corps du texte est en principe employé pour les titres, un caractère plus petit peut l'être pour des notes de bas de page, ou les légendes des figures. Dans ce livre, les légendes des figures sont en taille 9, alors que le texte est en taille 10. Pour ce type d'utilisation, une taille de caractères est affectée à tous les paragraphes d'un certain style (titres de niveau 1 ou 2, légendes de figures, notes de bas de page) au moyen d'une feuille de styles, comme nous le verrons au Chapitre 7.

Il peut cependant être nécessaire de modifier la taille d'un mot si vous utilisez une police dont le dessin est beaucoup plus gros que celui du texte environnant. Dans l'exemple suivant, nous utiliserons la police *Arial* pour distinguer, dans un manuel d'utilisation, les noms de touches à taper :

1. Fermez le document utilisé pour l'exemple précédent, sans l'enregistrer, et créez un nouveau document.
2. Tapez le texte suivant :

```
Pressez la touche Majuscule et maintenez-
la enfoncée.
```

3. Formatez la totalité du texte à l'aide de la police *Times New Roman* 10.
4. Sélectionnez le mot *Majuscule* et attribuez-lui la police *Arial*.

L'exemple suivant montre que l'*Arial* est beaucoup plus gros que le *Times*. Nous allons donc choisir pour ce mot une taille inférieure.

Pressez la touche Majuscule maintenez-la enfoncée.

Vous pouvez sélectionner une taille de caractères de la même façon qu'une police, au moyen de la liste de la barre d'outils :

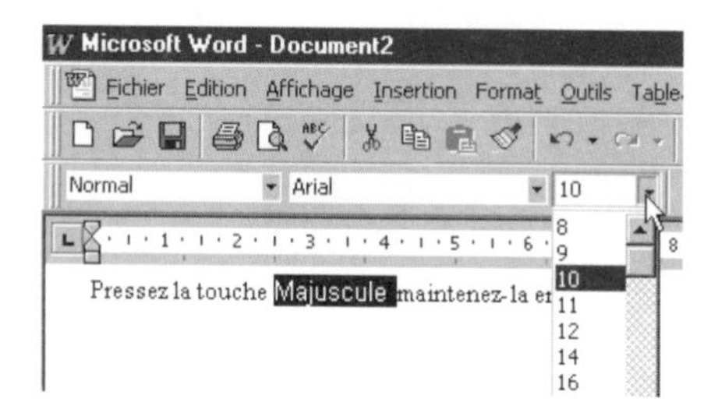

ou de celle de la boîte de dialogue *Police* :

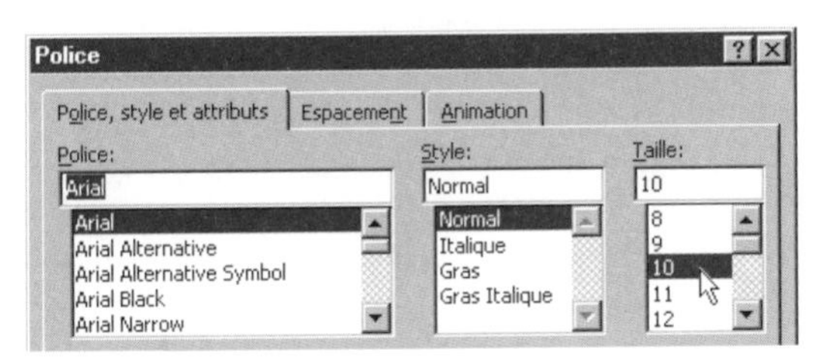

Vous pouvez également taper la valeur choisie dans la zone de texte correspondante. Vous pouvez aussi employer des équivalents clavier permettant d'augmenter ou de diminuer la taille de la police. Comme d'habitude, le changement de taille s'applique à la sélection si un texte est sélectionné, ou aux prochains caractères tapés dans le cas contraire. Procédez de la façon suivante :

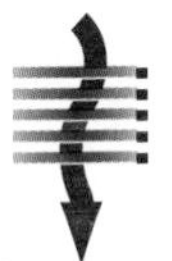

1. Sélectionnez le mot *Majuscule*.
2. Tapez les touches CTRL+ALT+<.

La taille des caractères est diminuée d'un point, comme l'indique la barre d'outils :

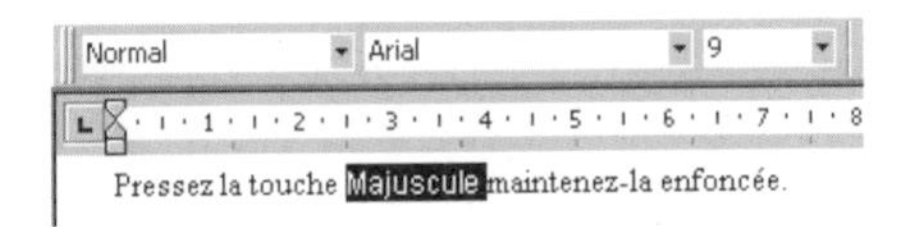

Les touches CTRL+ALT+> (c'est-à-dire CTRL+ALT+MAJ+<) produisent l'effet inverse, augmentant la taille des caractères d'un point.

Une autre méthode consiste à taper directement la taille choisie dans la liste de la barre d'outils ou dans celle de la boîte de dialogue *Police*. Procédez de la façon suivante :

1. Cliquez sur la taille indiquée dans la barre d'outils ou tapez les touches CTRL+MAJ+E. La zone est sélectionnée, comme on le voit dans l'illustration suivante :

2. Tapez **7**, puis la touche ENTRÉE pour valider. (Si vous préférez annuler, vous pouvez taper la touche ESC.)

Cette fois, le caractère est trop petit. Nous allons lui redonner la taille 8 :

1. Déroulez la liste des tailles de la barre d'outils en cliquant sur la flèche ou en tapant les touches CTRL+MAJ+E, puis HAUT ou BAS.
2. Sélectionnez la taille 8.

Une fois ces manipulations terminées, fermez le document sans l'enregistrer.

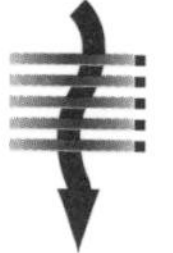

La taille minimale est de 1 point et la taille maximale de 1 638 points. Par ailleurs, si vous utilisez une police d'imprimante, il est possible que quelques tailles seulement soient disponibles (par exemple, 8, 10, 12 et 14 points).

Les enrichissements de base

Les enrichissements de base tels que l'italique, le gras ou le soulignement sont très faciles à employer. Comme dans le cas des polices ou de la taille des caractères, il existe deux façons de procéder. Vous pouvez apporter un enrichissement à un texte existant, ou taper directement un texte avec son enrichissement.

Enrichissement d'un texte existant

Pour enrichir un texte existant, il faut procéder en deux temps :

- Sélectionner le texte.
- Lui appliquer la commande d'enrichissement.

Enrichissement à l'aide de la barre d'outils

A titre d'exemple, nous allons appliquer le soulignement, le gras et l'italique à quelques mots de notre première lettre. Procédez de la façon suivante :

1. Ouvrez le document *Lettre1*.
2. Sélectionnez les mots *Confirmation de commande* (Figure 4.2).
3. Cliquez sur le bouton *Italique* dans la barre d'outils.

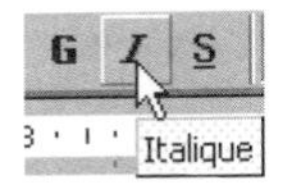

4. Désélectionnez le texte en cliquant à un endroit quelconque ou en tapant une touche de direction. Le texte est maintenant affiché en italique.

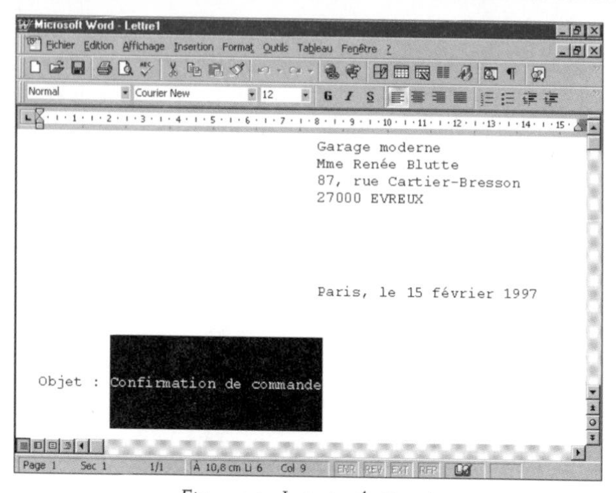

Figure 4.2 : Le texte sélectionné.

Nous allons maintenant supprimer l'enrichissement pour l'appliquer à nouveau par une autre méthode.

Suppression de l'enrichissement

Supprimer l'e l'enrichissement est une opération tout à fait semblable à celle que nous venons d'exécuter. Vous devez sélectionner le texte et lui appliquer une commande. Procédez de la façon suivante :

1. Sélectionnez le texte en italique. Notez que le bouton *Italique* est représenté en position enfoncée. L'état du bouton indique toujours le format du premier caractère de la sélection.
2. Cliquez sur le bouton *Italique*. Le texte est de nouveau affiché en caractères normaux.

Utilisation de la boîte de dialogue Police

Nous allons de nouveau appliquer le style *Italique* au texte en utilisant la boîte de dialogue *Police*. Procédez de la façon suivante :

1. Sélectionnez le texte comme précédemment.
2. Affichez la boîte de dialogue *Police* en employant une des méthodes suivantes :
   - Affichez le menu contextuel en cliquant sur le bouton droit de la souris et cliquez sur *Police*.
   - Déroulez le menu *Format* et cliquez sur *Police*.
   - Tapez les touches ALT+T, P, ou CTRL+D.
3. Cliquez sur *Italique*, dans la zone *Style*, ou tapez ALT+S puis sélectionnez *Italique* à l'aide de la touche BAS.
4. Cliquez sur *OK* ou tapez la touche ENTRÉE. Le texte est de nouveau affiché en italique.

Enrichissement à partir du clavier

Vous pouvez également appliquer l'italique à un texte sélectionné en tapant simplement la séquence de touches CTRL+I. Nous utiliserons cette technique (avec CTRL+G) pour appliquer un autre enrichissement, le gras. Nous allons mettre en gras les mots *cinq fauteuils visiteurs*. Procédez de la façon suivante :

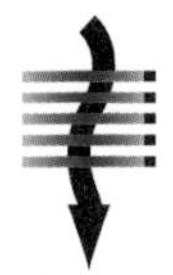

1. Sélectionnez les mots à mettre en gras.
2. Tapez les touches CTRL+G. Le texte est maintenant affiché en gras.

Les équivalents clavier suivants peuvent être employés :

Fonction	Touches
Gras	CTRL+G
Italique	CTRL+I
Souligné	CTRL+U
Double souligné	CTRL+ALT+U
Mots soulignés	ALT+MAJ+U
Petites majuscules	CTRL+MAJ+K
Majuscules	CTRL+MAJ+A
Texte masqué	CTRL+MAJ+U
Police *Symbol*	CTRL+MAJ+Q
Indices	CTRL+=
Exposants	CTRL++ (plus)
Standard	CTRL+ESPACE

Combinaison d'enrichissements sur un même texte

Il est possible de combiner les enrichissements sur un même texte pour obtenir, par exemple, de l'italique gras ou du gras souligné. En effet, les enrichissements se cumulent (sauf lorsqu'ils sont incompatibles, comme *majuscules* et *petites majuscules*, ou les différentes sortes de soulignements). Seule la commande *Texte standard* (CTRL+ESPACE) annule tous les enrichissements. Il n'existe d'ailleurs pas, dans la boîte de dialogue *Caractères*, d'option correspondant au texte standard. Pour obtenir du texte sans enrichissement à l'aide de cette boîte de dialogue, vous devez sélectionner *Normal* et annuler tous les enrichissements existants.

Enrichissement en cours de frappe

Il est rare d'enrichir un texte déjà saisi. Le plus souvent, vous sélectionnerez le gras, l'italique ou le soulignement en cours de frappe. La méthode à utiliser pour cela est très simple :

- Taper le texte normal.
- Au début du texte devant être enrichi, exécuter la commande d'enrichissement.
- Taper le texte enrichi.
- A la fin du texte devant être enrichi, exécuter la commande sélectionnant le texte standard.
- Continuer à taper la suite du texte.

En fait, si une commande d'enrichissement est tapée lorsque du texte est sélectionné, elle s'applique à ce texte. Dans le cas contraire, elle s'applique au texte qui sera tapé, jusqu'à ce que la commande de sélection de texte normal soit exécutée (ou la commande d'annulation de l'enrichissement utilisé). Si vous sélectionnez un deuxième enrichissement, il s'ajoute au précédent. Par conséquent, si vous souhaitez passer du gras à l'italique, il est nécessaire de désélectionner le gras, puis de sélectionner l'italique.

A titre d'exemple, nous allons ressaisir la dernière ligne du dernier paragraphe de la lettre. Nous mettrons les mots *90 jours* en souligné, les mots *fin de mois* en gras souligné, les mots *par traite* en normal souligné, et les mots *sur relevé* en italique. La Figure 4.3 montre le résultat que vous devez obtenir.

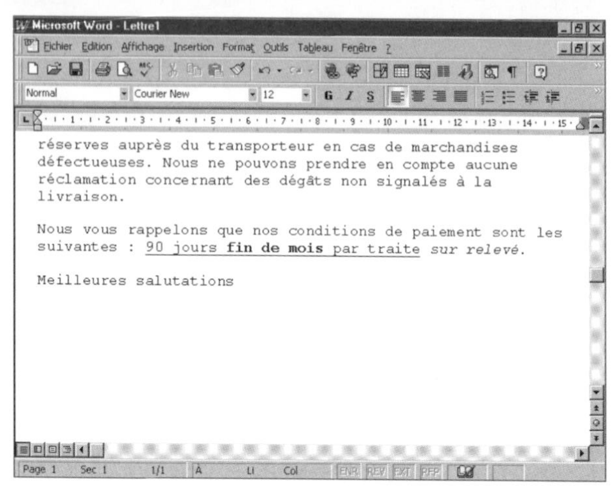

Figure 4.3 : Utilisation de l'enrichissement en cours de frappe.

Procédez de la façon suivante :

1. Effacez la deuxième ligne du paragraphe, à partir du mot *suivantes* et jusqu'à la fin de la ligne, sans toucher à la marque de fin de paragraphe.
2. Placez le point d'insertion à la fin de la première ligne du paragraphe.
3. Tapez :

   `suivantes :`

   sans oublier l'espace après le deux-points. (Souvenez-vous que vous devez taper un espace insécable, c'est-à-dire les touches CTRL+MAJ+ESPACE *avant* le deux-points.)

4. Tapez les touches CTRL+U. Vous pouvez utiliser une autre méthode, mais il est plus logique et plus efficace de ne pas quitter le clavier. Notez que le bouton correspondant de la barre d'outils prend la position enfoncée.
5. Tapez :

   `90 jours`

6. Tapez les touches CTRL+G. Le bouton de la barre d'outils correspondant aux caractères gras prend la position enfoncée.
7. Tapez :

   `fin de mois`

   Le texte est affiché en gras souligné. L'attribut gras est ajouté à l'attribut souligné.
8. Pour revenir à du texte souligné non gras tapez les touches CTRL+G pour désélectionner le gras.
9. Tapez les mots :

   `par traite`

   Ne tapez pas l'espace à la fin du mot *traite*. Dans le cas contraire, celui-ci serait souligné, ce qui serait inesthétique.
10. Pour taper le texte suivant en italique, vous devez d'abord annuler le soulignement en tapant les touches CTRL+U.
11. Sélectionnez l'italique en tapant CTRL+I.
12. Tapez les mots :

    `relevé.`

    (L'absence du mot *sur* est intentionnelle.)

Nous avons simulé l'oubli d'un mot afin de montrer le comportement de Word lors de l'insertion de caractères dans un texte enrichi. Nous allons maintenant ajouter le mot manquant :

13. Placez le point d'insertion à la fin du mot *traite*.
14. Tapez un espace, puis le mot :

    `sur`

Le mot est affiché en souligné, car le texte saisi prend les attributs des caractères se trouvant à gauche du point d'insertion. Pour obtenir le résultat souhaité, il aurait fallu presser les touches CTRL+U, puis CTRL+I pour annuler le soulignement et sélectionner l'italique, avant de taper le mot.

Le soulignement

Lorsque vous avez employé le soulignement, vous avez peut-être noté que les espaces étaient soulignés. En effet, l'enrichissement sélectionné s'applique à tous les caractères, et l'espace est considéré comme un caractère. Vous pouvez cependant choisir, dans la boîte de dialogue *Police*, des types de soulignement différents :

- *Aucun* (pas de soulignement)
- *Continu* (soulignement normal)
- *Mots* (les espaces ne sont pas soulignés)
- *Double* (deux traits de soulignement)
- *Pointillés*
- *Épais*
- *Tiret*
- *Point-tiret*

- *Point-point-tiret*
- *Vague* (trait de soulignement ondulé)

Les autres enrichissements

Vous avez pu remarquer que la boîte de dialogue *Police* contenait d'autres enrichissements. Ils peuvent être répartis en plusieurs catégories.

Le texte barré

Le texte barré est un enrichissement beaucoup plus utile, si vous en avez l'emploi. Il sert en effet, dans des documents juridiques, à montrer qu'un texte existant a été supprimé (pour indiquer, par exemple, qu'une clause a volontairement été annulée, et non pas oubliée). Voici un exemple de texte barré :

~~Texte barré~~

Les majuscules et les petites majuscules

La boîte de dialogue *Police* comporte également les enrichissements *Petites majuscules* et *Majuscules*. L'emploi de ces enrichissements demande de la mesure et du discernement. L'option *Majuscules* est appliquée le plus souvent à des paragraphes entiers servant de titres. Le texte est saisi normalement, en minuscules. L'utilisation de cette option permet d'obtenir des majuscules. Si vous changez d'avis, vous pouvez revenir aux minuscules en désactivant l'option. Cette option trouve toute son utilité avec les feuilles de styles. Il est ainsi possible de faire passer en majuscules tous les titres de documents en une seule opération. Nous donnerons plus de détails sur ce sujet au Chapitre 7.

Le changement de casse

Il ne faut pas confondre l'utilisation de l'enrichissement *Majuscules* avec la fonction de changement de casse. Le changement de casse modifie les caractères, et non leur enrichissement.

Pour utiliser cette fonction, il vous suffit de sélectionner le texte à modifier et de taper les touches MAJ+F3. Les caractères sont transformés en majuscules. Une nouvelle pression sur ces touches met le texte en minuscules avec une majuscule au début de chaque phrase. La troisième pression met tous les caractères en minuscules.

Le changement de casse peut également être effectué à l'aide de l'option *Changer la casse* du menu *Format*. Cette option affiche la boîte de dialogue suivante :

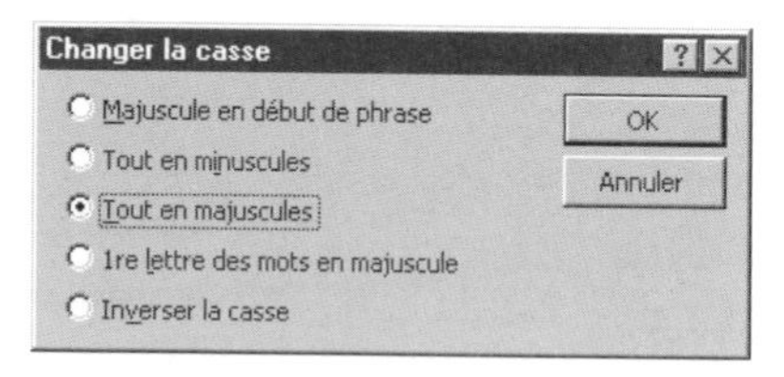

Elle permet de choisir directement la modification souhaitée, et offre deux options supplémentaires : l'initiale de chaque mot en majuscule et l'inversion de casse.

Le texte masqué

Le texte masqué sert à saisir des commentaires ou des éléments qui ne doivent pas être imprimés. Vous pouvez configurer Word pour qu'il affiche ou non le texte masqué. Vous pouvez, de même, demander l'impression du texte masqué avec le texte normal. En utilisation normale, le texte masqué n'est pas imprimé. Il est affiché si l'affichage des caractères spéciaux est actif. Vous pouvez également configurer Word pour que le texte masqué soit affiché lorsque les caractères spéciaux ne le sont pas (voir Chapitre 15). Le texte masqué affiché est indiqué par un soulignement pointillé :

Ce·texte·est·en·caractères·masqués·

Notez une particularité : il n'est pas possible d'effacer des caractères masqués non affichés à l'aide de la touche ARRIÈRE. En revanche, si vous sélectionnez un texte contenant des caractères masqués non affichés, vous pouvez les supprimer sans problème (et parfois sans le vouloir). Avant de supprimer du texte de cette façon, il est donc prudent d'afficher les caractères spéciaux.

Le surlignage

Word permet également de surligner les caractères. Il ne s'agit pas à proprement parler d'un enrichissement, mais d'une mise en évidence de mots ou de parties de texte, comme vous pourriez le faire à l'aide d'un stylo feutre. Pour surligner un mot, procédez de la façon suivante :

1. Cliquez sur le bouton de surlignage. Le pointeur prend l'aspect d'un feutre.

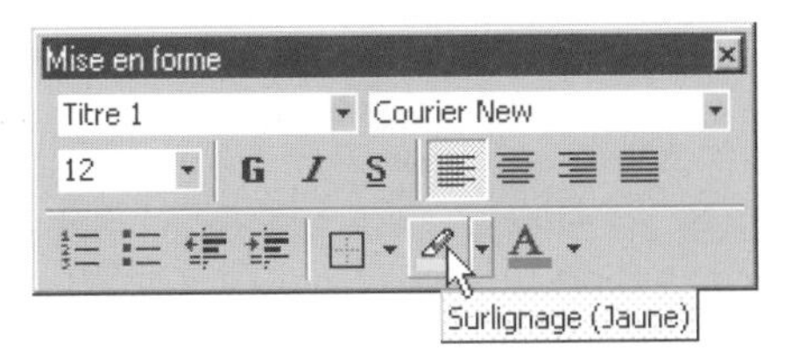

Si votre écran n'est pas d'une largeur suffisante, le bouton de surlignage n'est pas affiché. Faites alors glisser la barre d'outils pour l'afficher sous forme de palette flottante.

2. Faites glisser le pointeur sur les mots à surligner.

```
eption de votre commande de cinq fauteuils
nce 35-650, au prix de 1 550,00 francs HT.
ison est de quatre à cinq semaines
```

Le bouton de surlignage permet également de choisir la couleur dans une liste. Pour supprimer le surlignage, il suffit de sélectionner les mots surlignés et de choisir *aucune* dans la liste des couleurs :

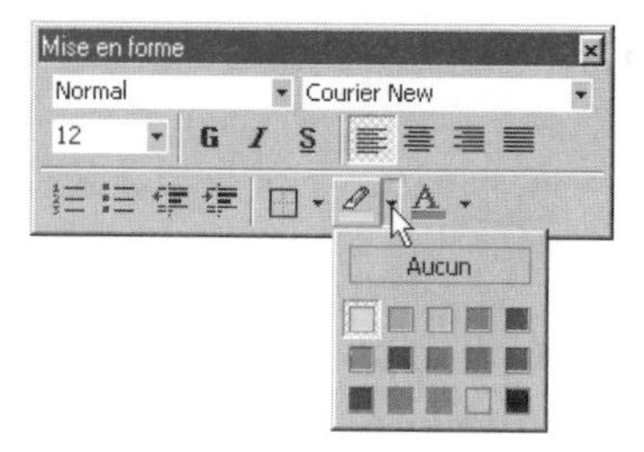

Les indices et les exposants

Un autre type de formatage fréquemment employé pour les caractères est la mise en indice ou en exposant. Si les indices servent rarement dans le texte courant, il n'en est pas de même pour les exposants qui doivent être utilisés pour de nombreuses abréviations : XVIIe, 1er, M^{e}, etc.

Pour mettre un texte en exposant ou en indice, Word offre plusieurs possibilités. Nous allons les essayer. Procédez de la façon suivante :

1. Fermez le document contenant les exemples précédents sans l'enregistrer.
2. Créez un nouveau document.
3. Tapez les phrases suivantes :

```
Nous avons rendez-vous avec Me Dubois le
1er février. N'oubliez pas le dossier
no 32. Il y est prouvé sans équivoque que
la formule de l'eau est H2O.
```

Vous pouvez constater que Word met automatiquement les lettres *er* en exposant pour obtenir 1er.

Pour mettre manuellement du texte en exposant, procédez de la façon suivante :

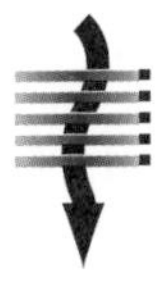

1. Sélectionnez le *e* de Me Dubois.
2. Affichez la boîte de dialogue *Police* et sélectionnez l'onglet *Espacement*.
3. Cliquez sur *Exposant*.
4. Cliquez sur *OK*.

Vous pouvez aussi mettre un texte en exposant à l'aide du clavier :

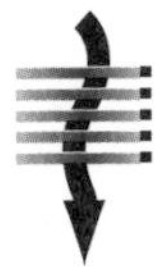

1. Sélectionnez le o de *no 32*.
2. Tapez les touches CTRL+MAJ+PLUS.

Vous pouvez également mettre les caractères en exposant en cours de frappe, de la façon suivante :

- Tapez le texte jusqu'à l'exposant.

- Tapez CTRL+MAJ+PLUS.
- Tapez l'exposant.
- Tapez CTRL+MAJ+PLUS pour revenir au caractère normal.

Il existe également une commande permettant de mettre un texte en indice, à partir du clavier. Il s'agit des touches CTRL+=. Utilisez-les pour placer le 2 de H2O en indice. Voici le résultat que vous devez obtenir :

```
Nous avons rendez-vous avec Me Dubois le 1er février. N'oubliez
pas le dossier n° 32. Il y est prouvé sans équivoque que la
formule de l'eau est H2O.
```

La couleur

Word permet d'attribuer une couleur au caractère. Les couleurs ne seront imprimées que si vous disposez d'une imprimante couleur. Dans le cas contraire, elles seront remplacées par des niveaux de gris, ainsi que nous le verrons au Chapitre 11. Pour attribuer une couleur à des caractères, procédez de la façon suivante :

- Sélectionnez le texte à mettre en couleur.
- Affichez la boîte de dialogue *Police* et cliquez sur l'onglet *Police, style et attributs*.
- Sélectionnez une couleur dans la liste déroulante.
- Cliquez sur *OK*.

Supprimer les enrichissements des caractères

Pour supprimer l'enrichissement des caractères, il suffit de sélectionner les caractères et de taper les touches CTRL+ESPACE. Le texte sélectionné perd tous ses enrichissements, y compris la police et la taille. Si vous voulez supprimer les enrichissements en conservant la police et la taille, annulez les enrichissements un par un.

Copier des formats de caractères

Si vous avez attribué à des caractères un format complexe, vous pouvez le recopier pour l'attribuer à d'autres caractères, en procédant ainsi :

1. Sélectionnez le texte possédant le format à copier.
2. Cliquez sur le bouton de copie de mise en forme, dans la barre d'outils standard :

Le pointeur prend la forme d'un petit pinceau.

3. Faites glisser le pointeur sur le texte à formater tout en maintenant le bouton de la souris enfoncé.

Pour copier une mise en forme à l'aide du clavier, procédez de la façon suivante :

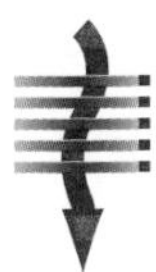

1. Sélectionnez le texte possédant le format à copier.
2. Tapez les touches CTRL+MAJ+C.

3. Sélectionnez le texte à formater.
4. Tapez les touches CTRL+MAJ+V.

Contrôler le format des caractères

La barre d'outils donne de nombreuses indications concernant le format des caractères sélectionnés. Cependant, il n'est pas toujours pratique d'effectuer de nombreux contrôles en sélectionnant chaque fois le texte concerné. Word vous permet d'employer une technique beaucoup plus simple :

1. Tapez les touches MAJ+F1.
2. Cliquez sur le texte dont vous voulez contrôler la mise en forme. La Figure 4.4 montre le résultat obtenu. La fenêtre d'information affichée indique le format du caractère sur lequel vous avez cliqué ainsi que celui du paragraphe dans lequel il se trouve.

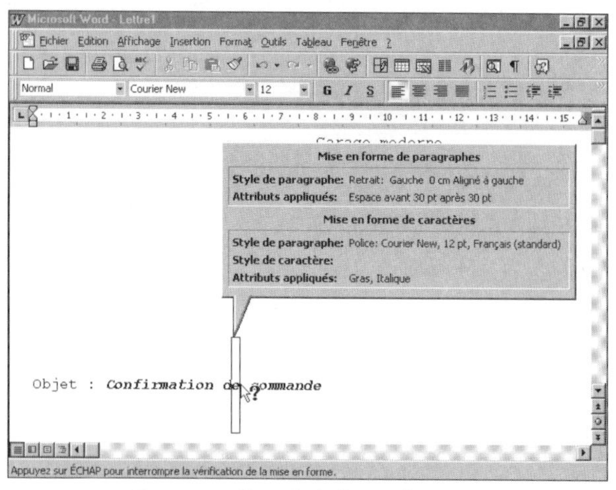

Figure 4.4 : Contrôle du format d'un texte.

3. Vous pouvez ainsi contrôler le format de plusieurs éléments en y cliquant successivement. Lorsque vous avez terminé votre contrôle, tapez la touche ECHAP.

Les caractères spéciaux

Word vous permet de placer dans votre texte des caractères spéciaux ne figurant pas sur le clavier. Pour cela, il vous suffit de sélectionner la commande *Caractères spéciaux* dans le menu *Insertion*. Une boîte de dialogue contenant une liste des symboles est affichée. Cette boîte de dialogue comporte deux onglets. Le premier affiche les caractères de la police *Symbol*. Pour utiliser un symbole venant d'une autre police, il vous suffit alors de sélectionner une police de caractères dans la liste déroulante de la rubrique *Police*. Il suffit de cliquer sur un caractère pour en obtenir une image agrandie. Pour insérer un caractère dans votre texte, il suffit de cliquer dessus, puis sur *Insérer*, ou d'y faire un double clic. Il existe d'autres polices de symboles, comme la police WingDings.

L'onglet *Caractères spéciaux* permet d'afficher une liste de caractères spéciaux qui ne figurent pas sur le clavier et qui n'appartiennent pas à une police particulière : tirets et espaces de longueurs variées, tirets insécables ou conditionnels, points de suspension, marque de copyright, etc.

Insertion de symboles à partir du clavier

Il est souvent plus pratique de saisir les caractères spéciaux au clavier. C'est en particulier le cas des majuscules accentuées. La boîte de dialogue *Caractères spéciaux* indique les équivalents clavier des symboles, mais ne dit rien des caractères accentués. Pour saisir des caractères accentués ne figurant pas sur votre clavier, vous devez employer des touches *Préfixes*. Un exemple de touche préfixe est l'accent circonflexe. Lorsque vous tapez cette touche, rien ne se produit. En revanche, si vous saisissez ensuite une voyelle, vous obtenez sa version accentuée.

Les principales touches préfixes sont les suivantes :

CTRL+&	ligature avec un e : œ, Œ, æ ou Æ.
ALTGR+é	tilde : ñ, Ñ, õ, etc.
CTRL+'	accent aigu.
ALTGR+è	accent grave.

Bien entendu, ces touches ne fonctionnent pas avec tous les caractères. Vous ne pouvez pas, par exemple, mettre un accent sur une consonne. (Cela reste possible en utilisant les techniques de composition de formules mathématiques.)

Il est également possible de sélectionner la police Symbol en tapant les touches CTRL+MAJ+Q.

Vous pouvez aussi insérer des caractères spéciaux en tapant leur code ANSI. Par exemple, pour insérer un *œ*, procédez de la façon suivante :

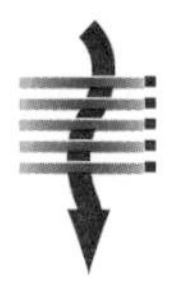

1. Verrouillez le pavé numérique en tapant la touche VERR.NUM. Le verrouillage est confirmé par un indicateur lumineux sur votre clavier.
2. Maintenez la touche ALT enfoncée.
3. Tapez 0156 sur le pavé numérique.
4. Déverrouillez le pavé numérique.

Voici quelques codes de caractères que vous pouvez employer :

"	0147
"	0148
"	0171
"	0187
•	0149
–	0150
—	0151
œ	0156
Ç	0199
È	0200
É	0201
Ê	0202
Ë	0203

CHAPITRE 5

Mise en forme des paragraphes

Au Chapitre 1, nous avons utilisé un certain nombre de commandes concernant la création et la mise en forme des paragraphes. Nous allons maintenant examiner de façon plus détaillée les commandes de mise en forme des paragraphes et des documents. Si vous avez appris à vous servir d'une machine à écrire, vous devrez perdre un certain nombre d'habitudes :

- Ne tapez pas la touche RETOUR pour passer à la ligne. Laissez Word passer automatiquement à la ligne suivante lorsque la ligne en cours est pleine. Si vous voulez forcer le passage à la ligne, Word possède une commande spéciale.
- Ne tapez pas d'espaces ou de tabulations pour centrer un titre, mais attribuez le format *Centré* au paragraphe.
- Ne tapez pas d'espaces ou de tabulations pour indenter la première ligne d'un paragraphe. Utilisez un retrait de première ligne.
- N'utilisez pas les fins de ligne, les espaces et les tabulations pour décaler les paragraphes vers la gauche ou vers la droite. Employez des retraits à gauche et à droite.
- Ne saisissez pas de lignes vides pour espacer les paragraphes. Employez les attributs *Espace avant* et *Espace après*.
- N'employez pas d'espaces pour aligner les colonnes d'un tableau. Utilisez des tabulations ou la fonction *Tableau* (décrite au Chapitre 6).
- N'utilisez pas de fin de ligne pour empêcher une coupure inesthétique sur un espace ou un tiret. Employez plutôt l'espace et le tiret insécables.

- N'utilisez pas de fin de page pour empêcher une rupture de page inesthétique (entre un titre et le texte suivant, par exemple). Interdisez plutôt la rupture de page à l'aide de l'attribut de paragraphe correspondant.

Tous ces éléments seront détaillés lors de l'étude des attributs de format correspondants.

Mise en forme des paragraphes à l'aide de la règle

Nous avons déjà employé la règle et les barres d'outils, pour formater les paragraphes et les caractères.

La règle est normalement graduée en centimètres. Vous pouvez sélectionner une autre unité (pouce, point ou pica) à l'aide de la commande *Options* du menu *Outils*.

La règle permet de modifier les éléments de mise en forme de paragraphes suivants :

- Retrait à gauche
- Retrait à droite
- Retrait de première ligne
- Position des tabulations

Les barres d'outils permettent de modifier les éléments suivants :

- Alignement
- Listes numériques et à puces
- Retrait à droite
- Bordures

Les tabulations seront évoquées à la fin de ce chapitre et étudiées en détail au chapitre suivant.

Les retraits

Au premier chapitre, nous avons modifié le retrait à gauche des paragraphes, pour mettre en forme l'adresse, la date et la signature de notre lettre, en faisant glisser les marques de retrait, dans la règle, comme indiqué dans l'exemple suivant.

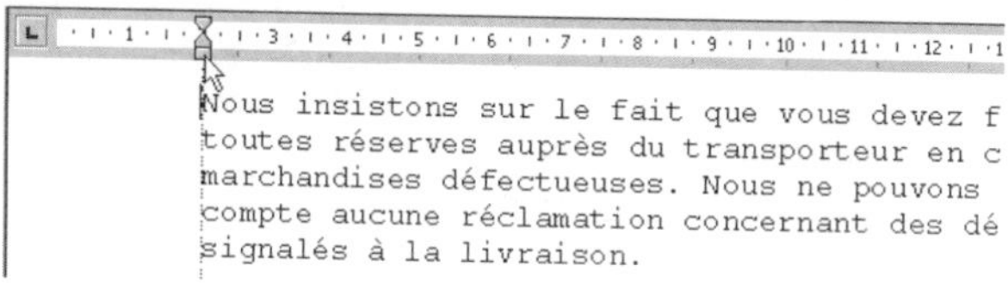

Nous insistons sur le fait que vous devez f
toutes réserves auprès du transporteur en c
marchandises défectueuses. Nous ne pouvons
compte aucune réclamation concernant des dé
signalés à la livraison.

La marque de retrait à gauche est le petit triangle pointant vers le haut. Le petit triangle pointant vers le bas est la marque de retrait de première ligne. Pour modifier à la fois le retrait de paragraphe et le retrait de première ligne, vous devez faire glisser le petit carré se trouvant au-dessous de la règle.

La marque de retrait de première ligne peut être déplacée vers la gauche (retrait négatif) ou vers la droite (retrait positif).

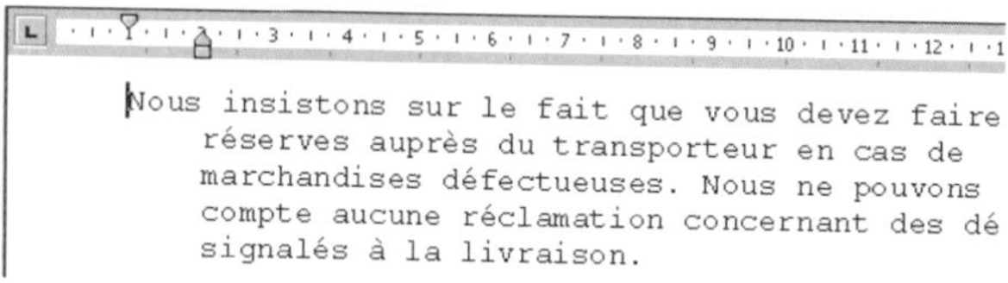

Nous insistons sur le fait que vous devez faire
réserves auprès du transporteur en cas de
marchandises défectueuses. Nous ne pouvons
compte aucune réclamation concernant des dé
signalés à la livraison.

L · 1 · 2 · 3 · 4 · 5 · 6 · 7 · 8 · 9 · 10 · 11 · 12 · 1

```
    Nous insistons sur le fait que vous devez f
toutes réserves auprès du transporteur en cas d
marchandises défectueuses. Nous ne pouvons pren
compte aucune réclamation concernant des dégâts
signalés à la livraison.
```

Word a une façon très particulière de noter les retraits. Ainsi, dans le premier de ces deux exemples, le retrait à gauche est de 1 cm (bien que la marque de retrait se trouve sur la graduation 2) et le retrait de première ligne est négatif, de 1 cm. Dans le second exemple, le retrait à gauche est de 2 cm et le retrait de première ligne est positif, de 1 cm. Cette façon de faire est tout à fait différente de celle de tous les autres traitements de texte, y compris Word pour Windows 2 ou Word pour le Macintosh !

De la même façon, il est possible de modifier le retrait à droite. Dans l'exemple suivant, le paragraphe a un retrait à gauche de 2 cm, un retrait de première ligne de 1 cm et un retrait à droite de 3,5 cm.

L · 1 · 2 · 3 · 4 · 5 · 6 · 7 · 8 · 9 · 10 · 11 · 12 · 1

```
    Nous insistons sur le fait que vous
devez faire toutes réserves auprès du
transporteur en cas de marchandises
défectueuses. Nous ne pouvons prendre
en compte aucune réclamation concernant
```

Alignement

Les quatre boutons de la barre d'outils situés immédiatement à droite des boutons de gras, d'italique et de soulignement permettent de sélectionner quatre types d'alignements :

- A gauche :

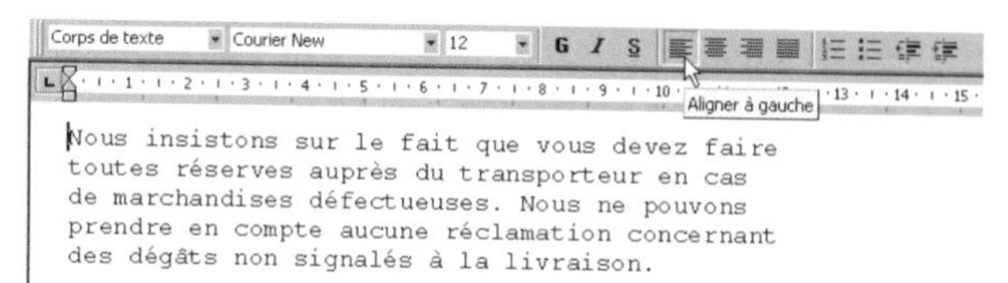

- A droite :

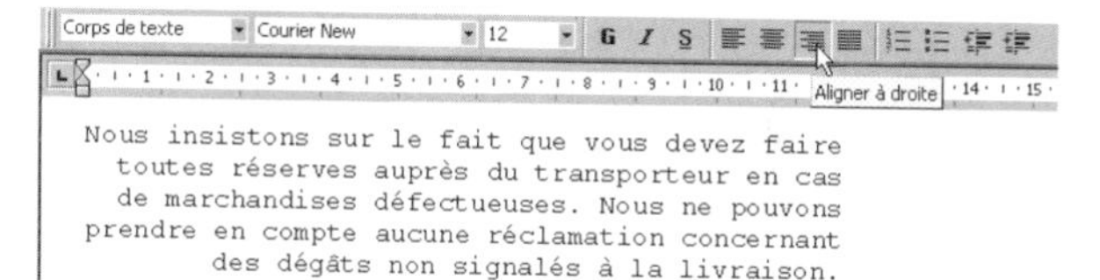

- Au centre :

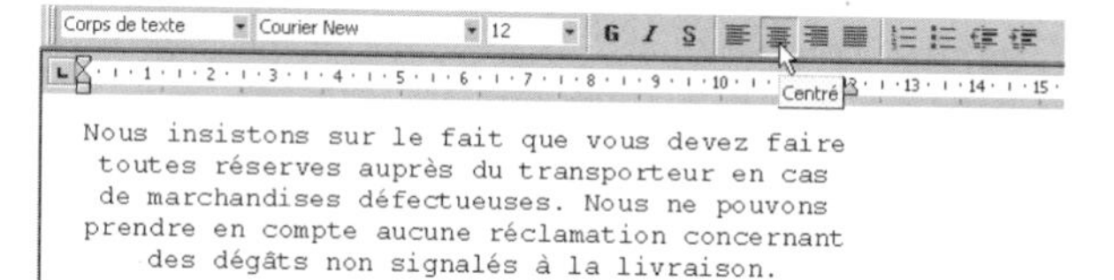

- Justifié :

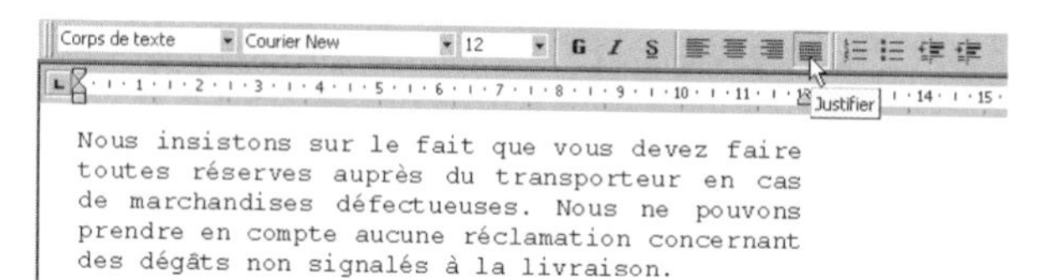

Les alignements à gauche, à droite et au centre sont faciles à comprendre. Le texte justifié est aligné des deux côtés en ajoutant de l'espace entre les mots de toutes les lignes, sauf la dernière du paragraphe. (Les programmes de mise en page sont également capables de réduire l'espace entre les mots lorsque cela est nécessaire, pour obtenir un meilleur résultat.) De ce fait, dans les lignes très courtes, les mots sont trop espacés. En règle générale, la justification est de meilleure qualité si la largeur des paragraphes est importante, si les caractères sont petits et si les mots sont courts.

Mise en forme à l'aide de la barre d'outils

La barre d'outils comporte quatre boutons concernant la mise en forme des paragraphes :

Les deux premiers permettent de créer rapidement des énumérations ou des *listes à puces*, chaque point étant signalé par un numéro ou une puce (terme utilisé en typographie pour désigner les symboles employés pour indiquer les éléments des listes). Pour réaliser une telle structure, procédez de la façon suivante :

1. Tapez le texte en plaçant chaque élément de l'énumération dans un paragraphe indépendant (Figure 5.1).
2. Sélectionnez les éléments de l'énumération.
3. Cliquez sur le deuxième bouton :

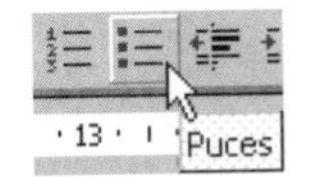

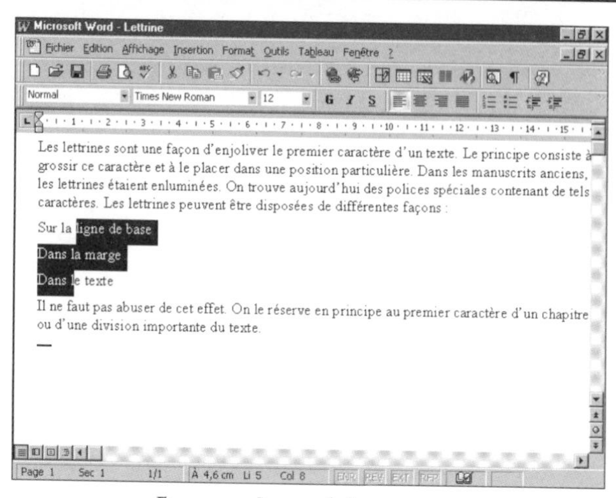

Figure 5.1 : Le texte de l'énumération.

La Figure 5.2 montre le résultat obtenu (après affichage des caractères spéciaux). On peut voir que les paragraphes ont reçu un retrait de première ligne négatif de 0,5 cm.

Vous pouvez obtenir une liste numérotée en cliquant sur le premier bouton, comme nous le verrons plus loin.

Les deux autres boutons de la barre d'outils permettent de faire varier le retrait gauche des paragraphes de la valeur d'une tabulation standard. Le premier bouton augmente le retrait gauche et le second le diminue.

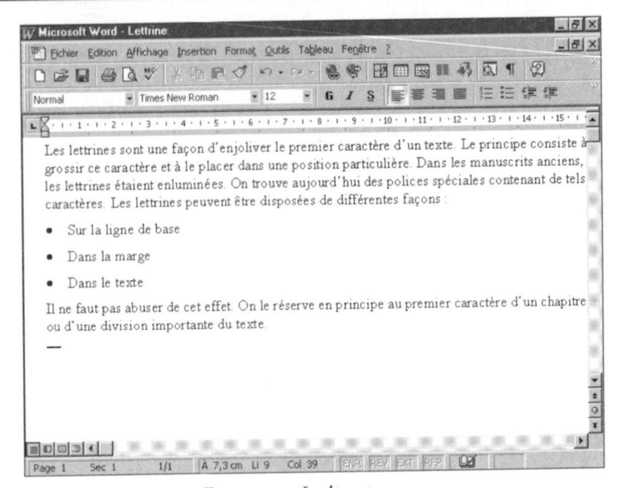

Figure 5.2 : La liste à puces.

Mise en forme à l'aide du clavier

Un certain nombre d'équivalents clavier peuvent être employés pour mettre en forme les paragraphes.

Fonction	Touches
Alignement à gauche	CTRL+MAJ+G
Alignement à droite	CTRL+MAJ+D
Alignement au centre	CTRL+E
Paragraphe justifié	CTRL+J
Augmentation du retrait gauche	CTRL+R
Diminution du retrait gauche	CTRL+MAJ+M

Fonction	Touches
Augmentation du retrait de première ligne	CTRL+MAJ+T
Diminution du retrait de première ligne	CTRL+T
Espace avant d'une ligne	CTRL+À
Suppression de l'espace avant	CTRL+À
Interligne simple	CTRL+MAJ+L
Interligne 1,5	CTRL+(
Interligne double	ALT+MAJ+L
Suppression de la mise en forme	CTRL+Q
Liste à puces (à l'aide d'un style)	ALT+P
Affichage de la boîte de dialogue Paragraphe	ALT+T, R

Mise en forme à l'aide de la boîte de dialogue Paragraphe

Parmi les attributs de mise en forme étudiés jusqu'ici, nombreux sont ceux qui nécessitent un contrôle plus précis pour obtenir un résultat parfait. En fait, en dehors de la justification, tous les attributs peuvent être paramétrés. Par exemple, l'interligne ou l'espace séparant les paragraphes peuvent être déterminés à l'aide d'une valeur numérique précise. (L'équivalent clavier CTRL+à permet uniquement d'obtenir un espace avant d'une ligne.)

Par ailleurs, de nombreux attributs ne sont accessibles ni à l'aide du clavier, ni à l'aide de la règle ou de la barre d'outils. Pour les utiliser, vous devez afficher la boîte de dialogue *Paragraphes*. Pour cela, procédez d'une des façons suivantes :

- Déroulez le menu *Format* et sélectionnez *Paragraphes*.
- Faites un double clic dans la règle, sur une marque de retrait :

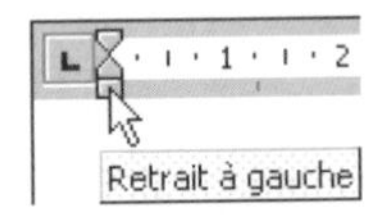

- Tapez ALT+T, R.

L'interligne

La rubrique *Interligne* permet de spécifier un interligne en points et de choisir une méthode d'interlignage.

Les valeurs *Simple*, *1,5 ligne*, *Double* et *Multiple* sélectionnent des interlignes adaptés automatiquement à la taille du texte. L'interligne obtenu pour l'option *Simple* correspond à environ 120 % de la taille du plus grand caractère de chaque ligne. L'option *Multiple* permet d'obtenir un interligne multiple de la hauteur des caractères (par défaut, 3 fois cette hauteur).

Lorsque la valeur *Au moins xx pt* est sélectionnée, Word choisit automatiquement l'interligne sans descendre au-dessous de la valeur *xx* spécifiée.

Dans tous les cas précédents, l'interligne peut être irrégulier si le texte comporte des éléments de hauteurs variables (caractères de différentes tailles ou graphiques).

Si la valeur *Exactement xx pt* est sélectionnée, l'interligne est constant. Il se peut, dans ce cas, que les caractères se chevauchent.

Si vous utilisez des caractères de tailles différentes, il est préférable, pour obtenir un résultat satisfaisant, de sélectionner un interligne fixe de valeur suffisante, afin d'éviter à la fois les variations d'interligne et les chevauchements de caractères.

Pour sélectionner une valeur d'interligne, vous pouvez utiliser les petites flèches de la zone *De:*, à droite de la zone *Interligne*.

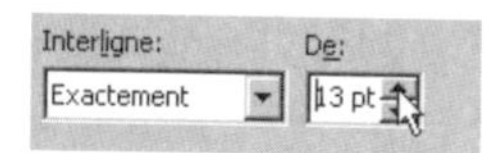

A chaque clic, la valeur augmente de 1 point pour l'option *Exactement*, et de 0,5 ligne pour les autres options.

Espacement

Nous avons déjà utilisé les options d'espacement au premier chapitre. Les espaces avant et après les paragraphes sont indiqués par défaut en *points*. Vous pouvez utiliser les centimètres (cm), les pouces ("), les picas (pi) ou les lignes (li). Un pouce vaut 2,54 cm ou 72 points. Un pica vaut 12 points. Une ligne vaut également 12 points. Quelle que soit l'unité choisie, la valeur est toujours convertie en points.

Alignement

La boîte de dialogue *Paragraphes* permet également de sélectionner l'alignement des paragraphes (à gauche, à droite, centré ou justifié).

Niveau hiérarchique

Ce paramètre permet d'attribuer au paragraphe un niveau hiérarchique (niveau de titre par exemple). Les niveaux hiérarchiques sont utilisés par l'explorateur de documents pour faciliter la consultation des documents longs.

Les options d'enchaînement

L'onglet *Enchaînement* permet d'accéder aux options concernant la façon dont Word coupe les pages avant, après, entre et au milieu des paragraphes.

Veuves et orphelines

L'option *Eviter veuves et orphelines* sert à interdire les ruptures de page après la première ligne ou avant la dernière ligne d'un paragraphe. Il est en effet d'usage de ne pas autoriser la rupture de page à ces endroits afin de ne pas laisser une ligne seule en haut ou en bas de page. (Ce sont ces lignes que l'on appelle *veuves* et *orphelines*.) En revanche, Word ne gère pas les lignes *creuses*. (Une ligne creuse est la dernière ligne d'un paragraphe qui ne comporte que quelques mots, voire un seul. Cela n'est pas très esthétique et doit être évité pour respecter les règles typographiques. Idéalement, la dernière ligne de chaque paragraphe devrait avoir une longueur égale au minimum à la moitié de celle des autres lignes.)

Lignes solidaires

L'option *Lignes solidaires* rend un paragraphe insécable. De cette façon, si le paragraphe contient six lignes (par exemple) et qu'il ne reste de place que pour trois lignes au bas de la page, le paragraphe entier sera reporté à la page suivante.

Paragraphes solidaires

L'option *Paragraphes solidaires* permet d'interdire un saut de page *après* un paragraphe. Elle peut éviter de se retrouver avec un titre en bas de page et le début du texte correspondant en haut de la page suivante. Cette option peut être également employée pour les paragraphes contenant des figures, afin qu'elles ne soient pas séparées de leurs légendes.

Saut de page avant

L'option *Saut de page avant* permet de forcer Word à commencer une nouvelle page avant le paragraphe. Elle sera activée pour un titre que l'on veut voir apparaître en haut de page. Cette option doit être employée de préférence à la méthode consistant à placer un saut de page avant le titre. Elle est particulièrement utile avec les feuilles de styles, comme nous le verrons au Chapitre 7.

Supprimer les numéros de ligne

En cochant cette case, vous pouvez supprimer la numérotation des lignes pour un ou plusieurs paragraphes.

Ne pas couper les mots

Cette option permet de désactiver la coupure de mots pour le paragraphe. Lorsque la coupure de mots est active, Word essaie d'améliorer la présentation du texte en coupant certains mots en fin de ligne à l'aide de traits d'union. Il est cependant recommandé de ne pas utiliser cette fonction dans les titres, ainsi que dans certains autres types de paragraphes. Cette option est particulièrement utile avec les feuilles de styles, qui seront étudiées au Chapitre 7. La coupure de mots sera étudiée au Chapitre 10.

Les bordures

Le menu *Format* contient également l'article *Bordure et trame*. Si vous sélectionnez cet article, vous obtenez l'affichage de la boîte de dialogue de la Figure 5.3. Vous pouvez parvenir au même résultat en tapant les touches ALT+T, D.

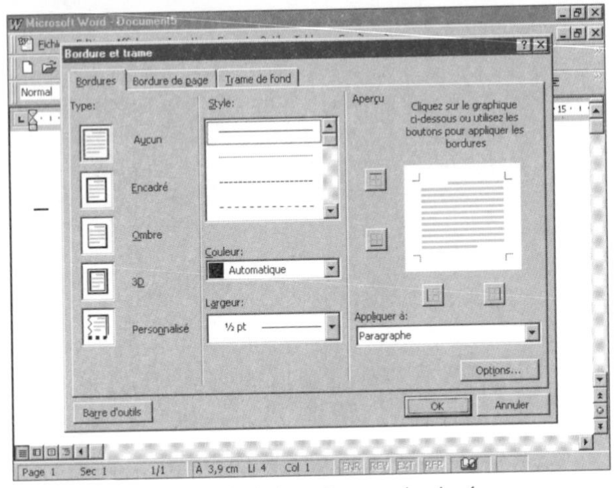

Figure 5.3 : La boîte de dialogue Paragraphe : bordure et trame.

Les bordures sont des lignes qui peuvent être placées au-dessus, au-dessous, à gauche, à droite ou entre les paragraphes. Il est important de noter la distinction suivante : si deux paragraphes consécutifs ont une bordure au-dessus et au-dessous, la bordure au-dessus ne s'appliquera qu'au premier et la bordure au-dessous au second. Pour obtenir une bordure *entre* les paragraphes, il faut sélectionner spécifiquement ce type.

La bordure entre les paragraphes n'est disponible que si vous avez sélectionné plusieurs paragraphes avant d'afficher la boîte de dialogue.

La zone *Stype* permet de sélectionner un type de trait parmi les vingt-deux proposés. Vous pouvez choisir la couleur et l'épaisseur des traits, ainsi que différents styles de pointillés.

Pour sélectionner une bordure, procédez de la façon suivante :

1. Dans la zone *Style*, sélectionnez un type de ligne.
2. Dans la zone *Aperçu*, cliquez sur l'emplacement des bordures choisies ou sur les boutons correspondants :

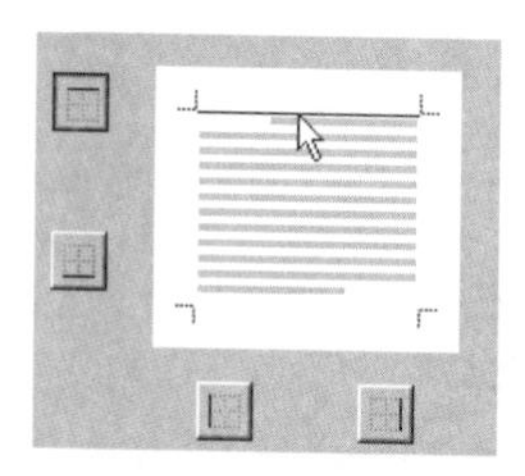

3. Cliquez sur le bouton *Options* et indiquez la distance devant séparer les bordures du texte.

La Figure 5.4 montre quelques exemples de bordures. Notez les particularités suivantes :

Ce paragraphe ne comporte pas de bordure

Ce paragraphe comporte une bordure à gauche

Ce paragraphe comporte une bordure au-dessus

Ce paragraphe comporte une bordure au-dessous

Celui-ci aussi

Ce texte composé de deux paragraphes

Comporte un double encadrement

Texte encadré
avec une
ombre portée

Figure 5.4 : Exemples de bordures.

- Le quatrième et le cinquième paragraphe ont tous deux une bordure au-dessous. Celle du quatrième paragraphe n'est donc pas affichée.
- Les deux paragraphes encadrés d'un double filet ont des bordures séparées du texte par des espaces différents : 0 partout, sauf pour la bordure au-dessous du deuxième paragraphe, qui est espacée de 5 points.
- Le dernier exemple comporte un cadre composé de lignes simples à gauche et au-dessous, et de lignes épaisses au-dessus et à droite, de façon à obtenir un effet d'ombre portée.

La largeur du cadre est égale à la largeur du paragraphe, augmentée de la distance entre le cadre et le texte à droite et à gauche.

L'espacement maximal entre les bordures et le texte est de 31 points.

Les bordures prédéfinies

La rubrique *Bordures prédéfinies* permet de sélectionner rapidement deux types de bordures (*Encadré* et *Ombre*), ou de supprimer toutes les bordures.

Lorsque des cellules de tableau sont sélectionnées, les options *Ombré* et *3D* sont remplacées par *Toutes* et *Quadrillage*. Ces options permettent d'obtenir un filet épais autour de la zone sélectionnée et des filets minces pour séparer les cellules. De même, la zone *Aperçu* permet alors de choisir une ligne de séparation verticale entre les cellules :

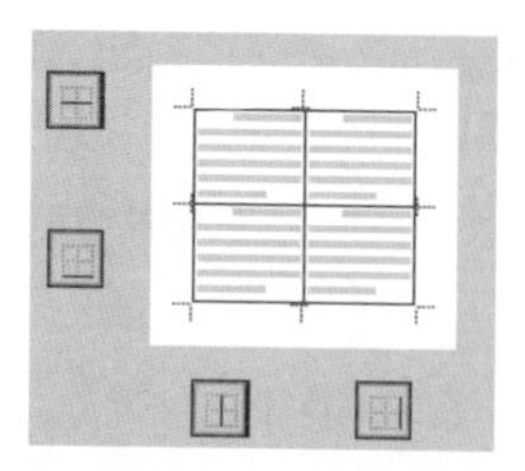

L'onglet Bordure de page permet d'attribuer les même types de bordures à l'ensemble de la page.

Les trames de fond

La boîte de dialogue *Bordures et trame* permet également d'attribuer aux paragraphes un fond tramé. Pour cela, il vous suffit de cliquer sur l'onglet *Trame de fond*.

Vous pouvez sélectionner *Aucune*, ou diverses combinaisons de trames, de motifs et de couleurs. Le résultat obtenu sera très différent selon l'imprimante utilisée.

Utilisation de la barre d'outils pour appliquer les bordures

Vous pouvez également appliquer des bordures en utilisant les barres d'outils. La boîte de dialogue *Bordure et trame* comporte, dans son angle inférieur droit, un bouton permettant d'afficher la barre d'outils *Tableaux et bordures* :

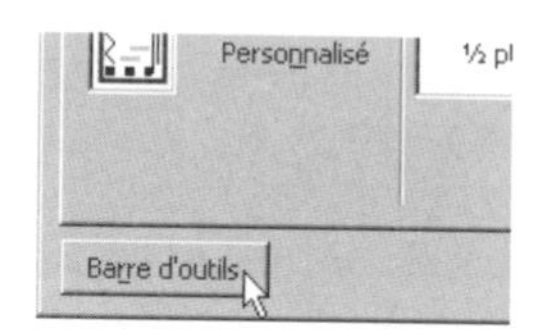

Lorsque vous cliquez sur ce bouton, la barre d'outils *Tableaux et bordures* est affichée sous la forme d'une palette flottante :

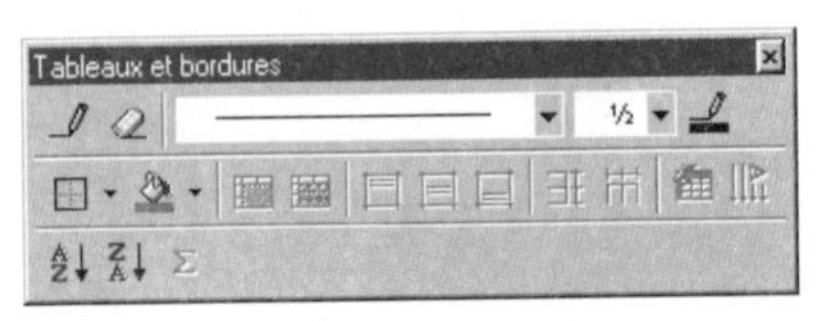

Les deux listes servent à sélectionner l'épaisseur et le style des filets. Le bouton *Bordure extérieure* permet de choisir les différents types de bordures. Il affiche une palette qui peut être détachée en la faisant glisser par sa barre de titre :

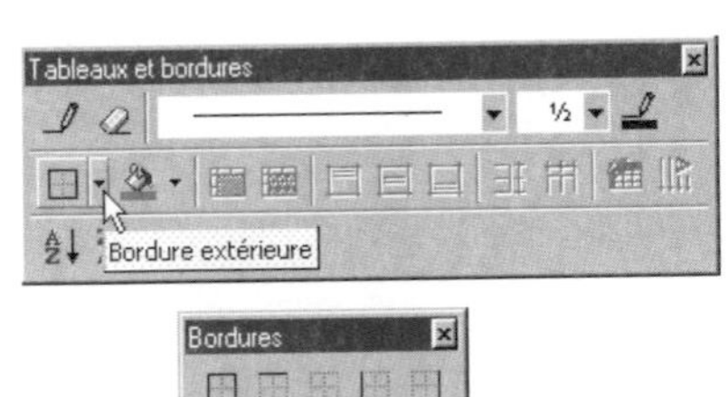

Reproduire la mise en forme des paragraphes

Avec Word, tout se passe comme si les formats de paragraphe étaient enregistrés dans la marque de fin de paragraphe. Nous pouvons tirer parti de cette caractéristique pour reproduire facilement la mise en forme d'un paragraphe et l'attribuer à un autre paragraphe. Pour cela, procédez de la façon suivante :

1. Sélectionnez la marque de fin du paragraphe dont vous voulez copier la mise en forme. La façon la plus simple de sélectionner une marque de paragraphe (surtout lors-

qu'elle n'est pas affichée) consiste à cliquer deux fois à droite de la dernière ligne de celui-ci. Dans l'exemple suivant, la marque de fin de paragraphe, bien que non affichée, est sélectionnée. La position du pointeur montre l'endroit où l'on a cliqué.

```
Ces articles seront expédiés dès qu'ils seror
par transporteur spécialisé.
```

2. Cliquez sur le bouton de reproduction de la mise en forme, dans la barre d'outils standard :

3. Cliquez dans le paragraphe auquel vous voulez attribuer la mise en forme copié.

Nous verrons, au Chapitre 7, qu'il existe une méthode plus efficace pour attribuer le même style à plusieurs paragraphes.

Numérotation des paragraphes

Word permet de numéroter automatiquement les paragraphes. Cette fonction peut être employée pour des textes dans lesquels il est nécessaire de faire référence à tous les paragraphes, ou pour créer des listes numérotées.

Pour numéroter les paragraphes, procédez de la façon suivante :

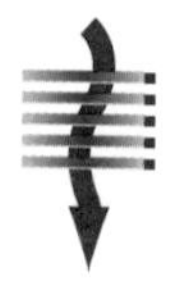

1. Tapez le texte de la Figure 5.5. Formatez le texte en *Times New Roman* 10 et sélectionnez les paragraphes à numéroter (Figure 5.5). Vous pouvez également utiliser le texte du fichier *Numérot1* se trouvant sur la disquette d'accompagnement (disponible séparément).

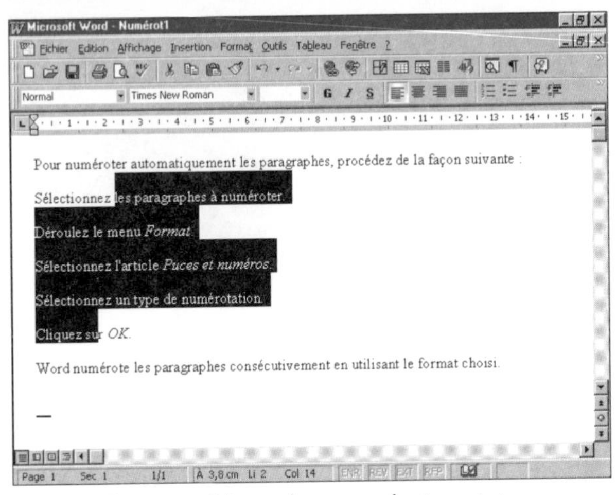

Figure 5.5 : Sélection des paragraphes à numéroter.

2. Cliquez sur le bouton *Numérotation*, dans la barre d'outils *Mise en forme* :

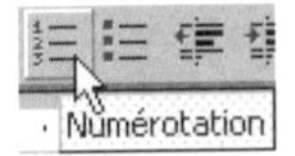

La Figure 5.6 montre le résultat obtenu. Les paragraphes ont été numérotés avec les options par défaut. Il est bien entendu possible de modifier ces options :

3. Si vous les avez désélectionnés, sélectionnez de nouveau les paragraphes numérotés.
4. Déroulez le menu *Format* et cliquez sur *Puces et numéros*. La boîte de dialogue affichée comporte trois onglets. L'onglet *Puces* permet de modifier le format des listes à puces, que nous avons utilisées précédemment. Cliquez sur l'onglet *Numéros*. Vous obtenez l'affichage de la Figure 5.7.

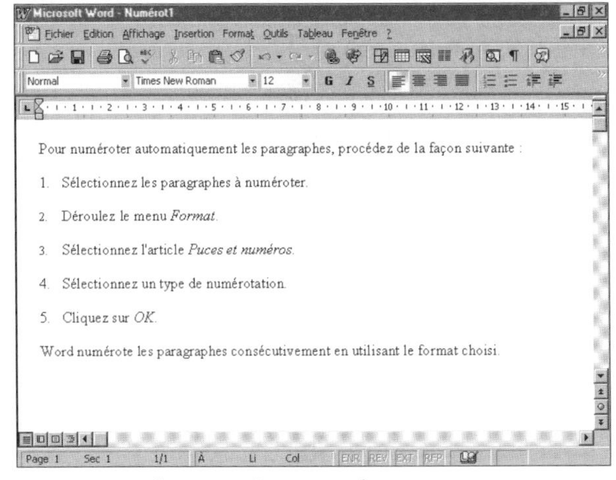

Figure 5.6 : Les paragraphes numérotés.

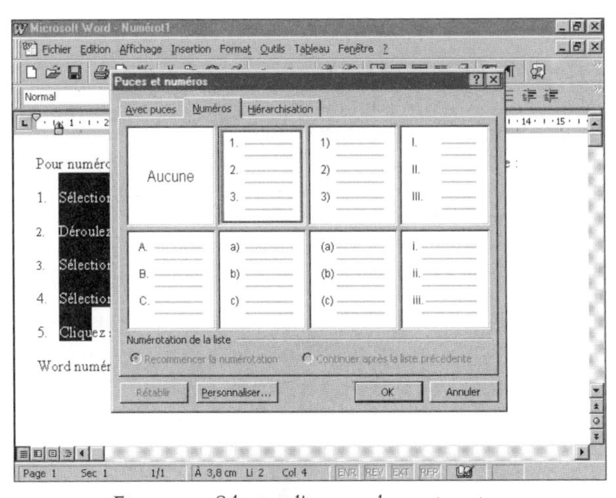

Figure 5.7 : Sélection d'un type de numérotation.

Vous pouvez maintenant choisir un des sept formats de numérotation proposés. Si aucun de ces formats ne vous convient, vous pouvez créer un format personnalisé :

5. Cliquez sur *Personnaliser*. La boîte de dialogue de la Figure 5.8 est affichée.

- La zone *Format de la numérotation* permet de choisir les élements de texte accompagnant la numérotation. Vous pouvez indiquer le texte qui sera affiché avant et après le numéro. Si vous tapez un contrat, vous pouvez, par exemple, indiquer *Article* pour le texte avant (en terminant par un espace), : (deux-points) pour le texte après (en tapant un espace avant le deux-points, mais pas après) et *un, deux...* pour la numérotation.
- La zone *Format* permet de choisir un format de numérotation. Vous pouvez choisir des chiffres arabes (1) ou romains (I ou i), des lettres majuscules ou minuscules (A ou a), ou une numérotation en toutes lettres (*un, deux, trois...*, ou *premier, deuxième, troisième...*).
- Le bouton *Police* sert à indiquer la police de caractères et les enrichissements utilisés pour la numérotation.
- L'option *A partir de* permet de fixer le numéro du premier paragraphe.
- L'option *Alignement* sert à déterminer la position des numéros. Lorsque l'on utilise de simples chiffres suivis d'un point ou d'une parenthèse fermante, on choisit généralement un alignement à droite.
- L'option *Retrait* correspond à la valeur du retrait de première ligne qui sera appliqué aux paragraphes numérotés.

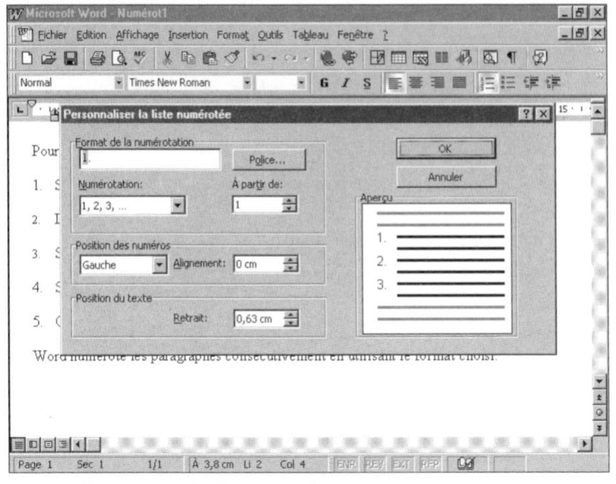

Figure 5.8 : Configuration des options de numérotation.

6. Dans la zone *Format de la numérotation*, tapez le mot **Etape**, suivi d'un espace *avant* la numérotation.
7. Tapez un espace suivi d'un deux-points (:) *après* la numérotation (supprimez le point).
8. Dans la zone *Numérotation*, sélectionnez *un, deux...*
9. Dans la zone *Position des numéros*, sélectionnez *Gauche*.
10. Dans la zone *Retrait*, tapez **2,4**.
11. Dans la zone *Alignement*, laissez la valeur 0.
12. Cliquez sur *OK*. La Figure 5.9 montre le résultat obtenu.

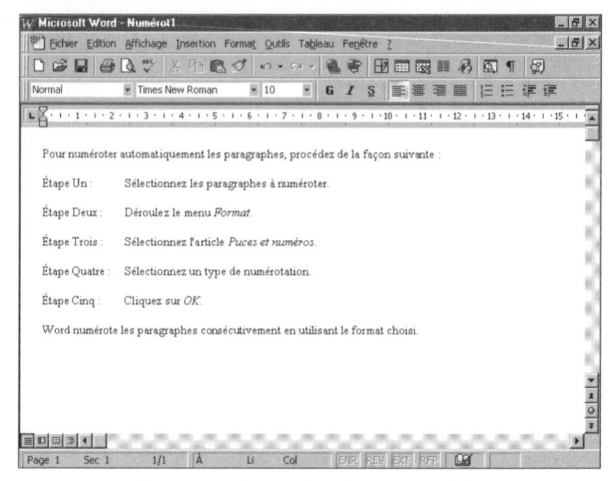

Figure 5.9 : La numérotation personnalisée.

Vous n'avez heureusement pas à recommencer ces opérations à chaque liste. Le bouton Numéroter de la barre d'outils applique systématiquement le dernier format utilisé. Cela est très pratique, mais pose un problème si vous devez employer régulièrement deux formats différents dans le même document. Nous verrons, au Chapitre 7, que l'utilisation d'une feuille de styles permet de résoudre ce problème de façon efficace.

Lors de la numérotation, Word ignore les paragraphes vides. Si vous ajoutez du texte à ces paragraphes après la numérotation, celle-ci n'est pas modifiée. Vous pouvez également employer cette particularité pour tourner la difficulté précédente et insérer une figure ou tout autre élément non numéroté dans la liste.

Si Word numérote un paragraphe vide lorsque vous l'ajoutez, tapez simplement la touche ARRIÈRE pour supprimer la numérotation.

Les listes à puces

La boîte de dialogue *Puces et numéros* sert également à créer des listes à puces comme celle que nous avons créée à l'aide de la barre d'outils. Les options affichées permettent de sélectionner le type de symbole, sa taille, sa couleur, ainsi que la valeur du retrait.

Suppression des listes

Pour supprimer la numérotation ou les puces d'une liste, procédez de la façon suivante :

1. Sélectionnez les paragraphes de la liste.
2. Cliquez sur le bouton *Numérotation* ou sur le bouton *Puces* (selon le cas) dans la barre d'outils.

La numérotation des titres

Les titres peuvent être numérotés automatiquement de la même façon que les listes à plusieurs niveaux.

Les options de numérotation des titres ressemblent beaucoup à celles que nous avons rencontrées pour les listes. La principale différence est que la numérotation ne s'applique pas au texte sélectionné, mais aux *styles* nommés *Titre 1*, *Titre2*, etc. Nous étudierons donc ce type de numérotation en même temps que les styles, au Chapitre 7.

Dans ce chapitre, vous avez appris à contrôler la mise en forme des paragraphes. La plupart des techniques employées prendront tout leur sens lorsque nous étudierons les feuilles de styles, au Chapitre 7. Le prochain chapitre sera consacré à la création de tableaux.

CHAPITRE 6

Les tableaux

Dans ce chapitre, nous étudierons les deux façons de créer des tableaux, à l'aide des tabulations et à l'aide de la fonction *Tableau*.

Il est important d'employer l'outil adapté au travail à réaliser. Il ne faut jamais essayer d'aligner les colonnes en tapant la barre d'espacement. Bien que cette méthode donne un résultat correct dans certains cas, vous risquez de gros ennuis si vous modifiez le caractère utilisé pour le texte, car tous les caractères n'ont pas la même largeur.

Réalisation de tableaux à l'aide de tabulations

Une autre façon de faire consiste à taper plusieurs tabulations entre chaque colonne, jusqu'à l'obtention du résultat désiré. Lorsque vous tapez une tabulation, le point d'insertion se déplace jusqu'au *taquet de tabulation* le plus proche. Tant que vous ne placez pas vos propres tabulations, Word utilise les tabulations standard indiquées sur la règle.

```
→  1 → France →   →   → 310→5,6→437→49↵
→  2 → Danemark→  →   → 21 → 4,1→427→68↵
→  3 → Allemagne·fédérale→215→3,5→423→60↵
→  4 → Belgique→  →   → 28 → 2,8→400→59↵
→  5 → Espagne →  →   → 205→5,3→393→31↵
→  6 → Grande-Bretagne → 200→3,5→388→40↵
→  7 → Luxembourg →   → 1,2→3,2→386→39↵
→  8 → Italie →   →   → 290→5,1→368→40↵
→  9 → Pays-Bas→  →   → 95 → 6,5→354→56↵
→  10 → Grèce →   →   → 70 → 7 → 348→27↵
→  11 → Portugal→ →   → 40 → 3,9→286→40↵
→  12 → Irlande → →   → 20 → 5,6→271→21¶
```

Si vous vous contentez des tabulations standard, vous ne contrôlerez pas précisément la position des colonnes. Vous ne pourrez pas obtenir un alignement centré, à droite ou décimal. (Les tabulations standard donnent un alignement à gauche.) Vous serez obligé de taper un nombre variable de tabulations pour aligner vos données, ce qui risque de poser des problèmes en cas de modification de celles-ci.

Pour toutes ces raisons, il est préférable de n'utiliser qu'une seule tabulation entre chaque colonne et de positionner les taquets de tabulation correspondants.

Pour créer un tableau à l'aide de tabulations, procédez de la façon suivante :

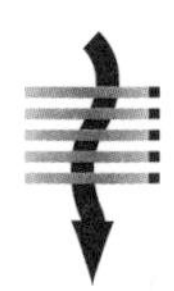

1. Assurez-vous que votre tableau peut être réalisé sans trop de difficultés à l'aide de tabulations. (Il ne doit pas contenir d'éléments trop longs occupant plusieurs lignes.)
2. Saisissez le tableau ligne par ligne, en tapant une fois la touche TAB entre chaque colonne et les touches MAJ+ENTRÉE à la fin de chaque ligne. (Il est important de ne pas terminer les lignes par des fins de paragraphe, comme nous le verrons plus loin.) Saisissez le tableau de l'exemple suivant en utilisant la police Arial 12 et en respectant les caractères spéciaux, ou ouvrez le document *Tableau1* se trouvant sur la disquette d'accompagnement (disponible séparément).

→ 1 → France → 310 → 5,6 → 437 → 49↵
→ 2 → Danemark → 21 → 4,1 → 427 → 68↵
→ 3 → Allemagne·fédérale→215 → 3,5 → 423 → 60↵
→ 4 → Belgique → 28 → 2,8 → 400 → 59↵
→ 5 → Espagne → 205 → 5,3 → 393 → 31↵
→ 6 → Grande-Bretagne → 200 → 3,5 → 388 → 40↵
→ 7 → Luxembourg→1,2 → 3,2 → 386 → 39↵
→ 8 → Italie→290 → 5,1 → 368 → 40↵
→ 9 → Pays-Bas → 95 → 6,5 → 354 → 56↵
→ 10 → Grèce→70 → 7 → 348 → 27↵
→ 11 → Portugal → 40 → 3,9 → 286 → 40↵
→ 12 → Irlande → 20 → 5,6 → 271 → 21¶

Vous devez maintenant placer les taquets de tabulation aux emplacements corrects. Nous commencerons par une tabulation à droite, pour la première colonne. Procédez de la façon suivante :

3. Placez le point d'insertion dans le tableau.
4. Cliquez sur la marque de tabulation, à l'extrémité gauche de la règle, jusqu'à ce qu'elle affiche une tabulation à droite :

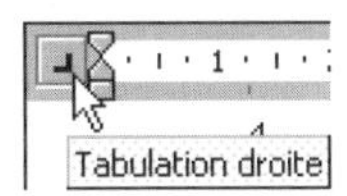

Le symbole représentant une tabulation à droite a une forme de L inversé.

5. Cliquez dans la partie inférieure de la règle, à l'emplacement où vous souhaitez poser un taquet de tabulation :

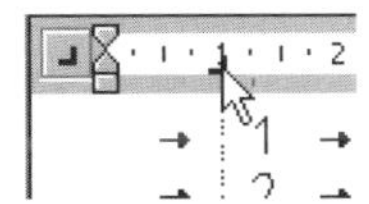

Une marque identique à celle obtenue précédemment est affichée à l'endroit où vous avez cliqué.

Vous pouvez ajuster la position du taquet de tabulation tant que vous n'avez pas relâché le bouton de la souris. Vous pouvez également annuler l'opération en faisant glisser le pointeur hors de la règle.

La deuxième colonne semble correctement alignée. Nous allons donc passer directement à la troisième.

6. Cliquez dans la règle, à 6 cm :

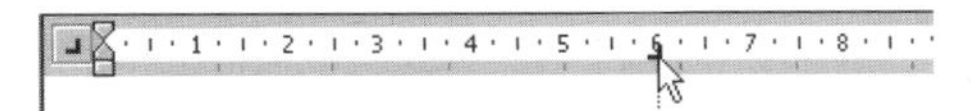

Le résultat n'est pas du tout celui que nous escomptions. En effet, chaque fois que vous posez un taquet de tabulation sur la règle, toutes les tabulations standard qui se trouvent à sa gauche sont supprimées. Il nous faut donc ajouter une tabulation à gauche, à 1,5 cm.

7. Cliquez sur le symbole de tabulation, à l'extrémité gauche de la règle, jusqu'à ce qu'il soit remplacé par une marque de tabulation à gauche (en forme de L) :

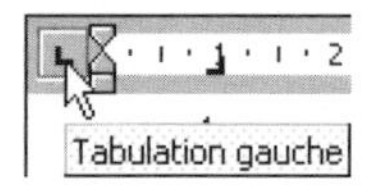

8. Cliquez dans la règle, à 1,5 cm.

Déplacement d'une tabulation

La troisième tabulation est trop près de la deuxième. Nous allons donc la déplacer vers la droite :

1. Cliquez sur la troisième marque de tabulation et maintenez le bouton de la souris enfoncé. La marque est sélectionnée et une ligne verticale pointillée, matérialisant l'alignement, est affichée.

→ 1 → France → 310→5,6 → 437 → 49↵
→ 2 → Danemark → 21→4,1 → 427 → 68↵
→ 3 → Allemagne·fédérale→215→3,5 → 423 → 60↵

2. Faites glisser la marque de tabulation jusqu'à la position 6,5.
3. Relâchez le bouton de la souris.

Suppression d'une tabulation

La troisième marque de tabulation correspond à un alignement à droite. Cela n'est pas correct, comme on peut le voir à la septième ligne. Pour aligner la septième valeur sur la virgule, nous devons choisir une tabulation décimale. Avant de le faire, il faut supprimer la tabulation existante :

1. Cliquez sur la tabulation et maintenez le bouton de la souris enfoncé.
2. Faites glisser la tabulation hors de la règle.
3. Relâchez le bouton de la souris.
4. Cliquez sur l'icône de tabulation, à l'extrémité gauche de la règle, jusqu'à l'obtention du symbole de tabulation décimale :

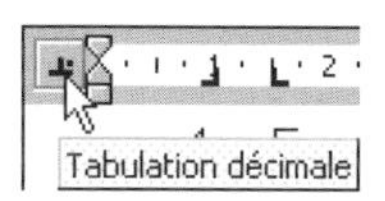

5. Cliquez à la position 6,5.

Placer des tabulations à l'aide de la boîte de dialogue

Il nous reste à placer une tabulation décimale à la position 8,5 et deux tabulations à droite, aux positions 11 et 13. Nous allons le faire en utilisant la boîte de dialogue *Tabulations*. Celle-ci peut être affichée de quatre façons :

- En ouvrant la boîte de dialogue *Paragraphes* et en cliquant sur le bouton *Tabulations*.
- En faisant un double clic sur un taquet de tabulation. (Si vous faites un double clic dans la partie inférieure de la règle à un endroit où il n'y a pas de taquet, Word pose une tabulation et affiche la boîte de dialogue.)
- En déroulant le menu *Format* et en sélectionnant *Tabulations*.
- En tapant les touches ALT+T, T.

La Figure 6.1 montre la boîte de dialogue *Tabulations*.

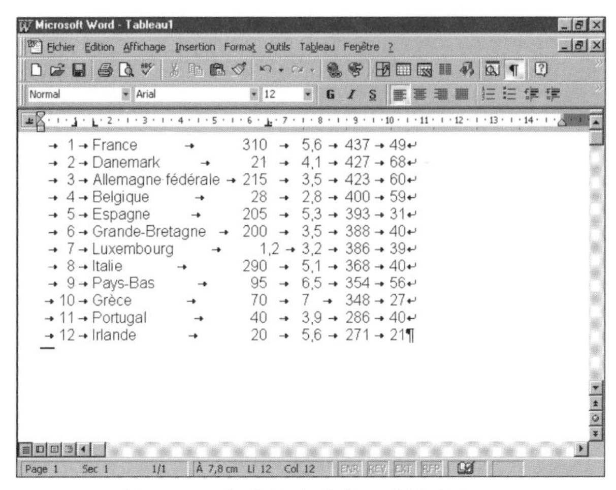

Figure 6.1 : La boîte de dialogue Tabulations.

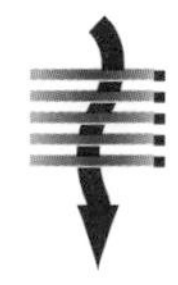

1. Dans la zone *Position*, tapez **8,5**. Il n'est pas nécessaire de taper les unités, car le centimètre est l'unité par défaut. Si vous préférez une autre unité, vous pouvez employer les abréviations " (pouces), *pi* (picas) ou *pt* (points).
2. Sélectionnez le type *Décimal* en cliquant sur le bouton correspondant, dans la zone *Alignement* (ou en tapant ALT+M).
3. Cliquez sur *Définir* ou tapez ALT+D.

Le bouton Définir **crée la tabulation, mais ne l'applique pas au paragraphe. Pour visualiser le résultat, vous devrez refermer la boîte de dialogue.**

Pour entrer une autre tabulation, procédez de la façon suivante :

4. Indiquez la nouvelle position en tapant **11** dans la zone correspondante.
5. Cliquez sur *Décimal*.
6. Cliquez sur *Définir*.
7. Procédez de la même façon pour placer un taquet de tabulation à droite, à la position 13.
8. Cliquez sur *OK*.

Modification des tabulations existantes

Vous pouvez modifier une tabulation existante à l'aide de la boîte de dialogue ou à l'aide de la règle. Avec la règle, vous ne pouvez modifier que la position d'une tabulation, en la faisant glisser vers la gauche ou vers la droite. Si vous voulez modifier le type de tabulation, vous devez employer la boîte de dialogue.

Les points de suite

Les tabulations peuvent également avoir des *points de suite* (encore appelés *points de conduite*). Il s'agit de caractères, le plus souvent des points, guidant la lecture d'un élément à un autre, comme c'est souvent le cas dans les tables des matières :

```
Chapitre 1 ............ 1
Chapitre 2 ........... 29
Chapitre 3 ........... 45
Chapitre 4 ........... 67
```

Dans l'exemple précédent, nous avons sélectionné des points (en cliquant sur la deuxième option de la rubrique *Points de suite* de la boîte de dialogue *Tabulations*).

Suppression de tabulations à l'aide de la boîte de dialogue

La boîte de dialogue *Tabulations* permet également de supprimer une tabulation. Il suffit pour cela de la sélectionner en cliquant sur sa position dans la rubrique correspondante, et de cliquer sur *Supprimer*. Pour effacer toutes les tabulations, cliquez sur le bouton *Supprimer tout*.

Les tabulations par défaut

Word utilise normalement des tabulations par défaut espacées de 1,25 cm. Vous pouvez modifier cette valeur à l'aide de la boîte de dialogue *Tabulations*.

La fonction Tableau

Notre tableau se présente assez bien, mais nous avons oublié les titres. En fait, les titres vont nous poser un problème. Ils sont trop longs par rapport à la largeur des colonnes et devront être disposés sur plusieurs lignes. Pour cela, il est préférable d'utiliser la fonction *Tableau* de Word.

Word permet de créer des tableaux constitués de lignes et de colonnes. L'intersection d'une ligne et d'une colonne est appelée une cellule. Dans une cellule, vous pouvez placer un nombre, un mot, une phrase, un paragraphe, plusieurs paragraphes, un graphique, etc.

Nous allons maintenant recréer le tableau précédent à l'aide de la fonction *Tableau*. Procédez de la façon suivante :

1. Ouvrez un nouveau document. Affichez les caractères spéciaux.
2. Placez le pointeur sur le bouton Tableau, dans la barre d'outils.

3. Pressez le bouton de la souris et maintenez-le enfoncé. Un petit tableau de cinq colonnes et quatre lignes est affiché.

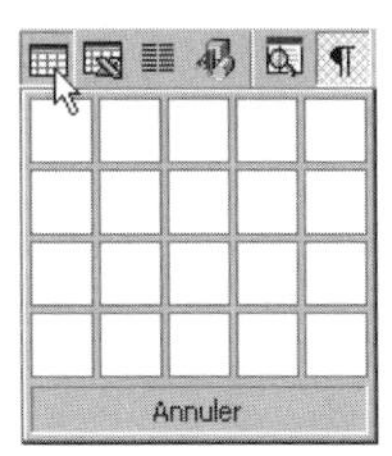

4. Faites glisser le pointeur pour sélectionner les nombres de lignes et de colonnes souhaités. Pour l'instant, sélectionnez cinq colonnes et treize lignes. Notez qu'en déplaçant le pointeur au-delà des limites du tableau, celui-ci s'agrandit.

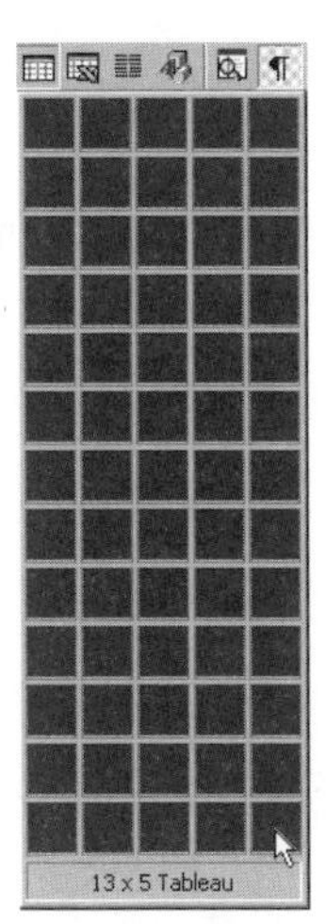

Word affiche un tableau vierge de cinq colonnes et treize lignes (Figure 6.2). Pour l'instant, toutes les colonnes ont la même largeur, égale à un cinquième de la largeur du paragraphe.

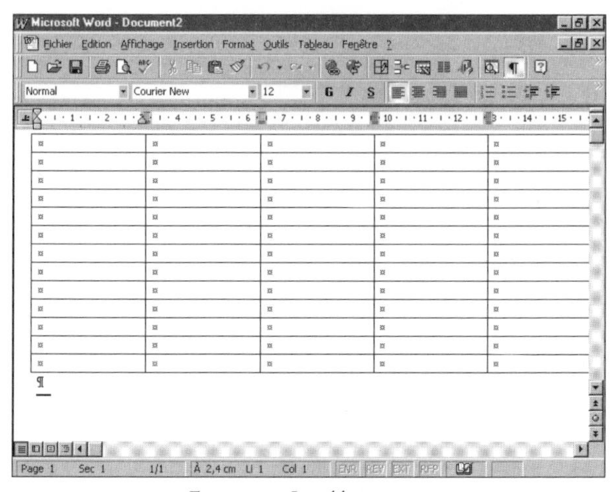

Figure 6.2 : Le tableau vierge.

Le point d'insertion se trouve dans la première cellule de la première ligne. Vous êtes prêt à entrer du texte.

5. Tapez le texte suivant :

   `France`

Pour passer à la cellule suivante, vous pouvez :

- Cliquer dedans.
- Taper la touche DROITE.
- Taper la touche TAB.

6. Passez à la cellule suivante.
7. Tapez les nombres suivants dans les autres cellules de la ligne :

```
310      5,6  437  49
```

8. Une fois à la dernière cellule de la ligne, passez à la première de la ligne suivante en tapant les touches TAB ou DROITE.

Vous pouvez également déplacer le point d'insertion d'une cellule vers la gauche en tapant les touches **GAUCHE** ou **MAJ+TAB**, et d'une cellule vers le haut ou vers le bas à l'aide des touches **HAUT** ou **BAS**. Lorsque le point d'insertion se trouve à la dernière cellule d'une ligne, les touches **TAB** ou **DROITE** le placent à la première cellule de la ligne suivante. Lorsqu'il se trouve à la première cellule d'une ligne, les touches **MAJ+TAB** ou **GAUCHE** le placent à la dernière cellule de la précédente. S'il se trouve sur la première ou la dernière ligne, les touches **HAUT** et **BAS** le font sortir du tableau.

Dans une cellule d'un tableau, vous pouvez saisir tout ce que Word permet de saisir normalement. Si vous voulez placer plusieurs paragraphes dans une cellule, tapez simplement la touche **ENTRÉE**. Vous ne pouvez pas, cependant, saisir un tableau dans une cellule, du moins pas avec la fonction Tableau. En revanche, vous pouvez y placer un tableau construit à l'aide de tabulations, comme celui de l'exemple précédent. Pour saisir une tabulation dans une cellule, vous devez taper les touches **CTRL+TAB**.

Remplissez le tableau comme indiqué sur la Figure 6.3 Si vous n'en avez pas le courage et si vous possédez la disquette d'accompagnement (disponible séparément), fermez votre document sans l'enregistrer et ouvrez le document *Tableau2*. Si vous tapez le texte, sélectionnez la totalité de celui-ci en cliquant dans la barre de sélection tout en maintenant la touche CTRL enfoncée, et attribuez-lui la police *Times New Roman* et la taille 10.

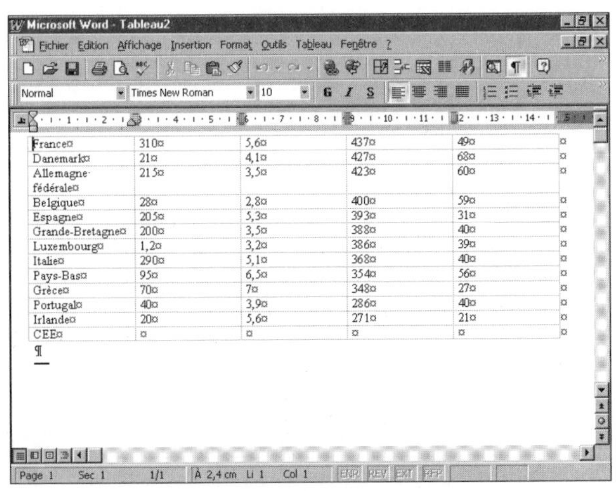

France	310	5,6	437	49
Danemark	21	4,1	427	68
Allemagne fédérale	215	3,5	423	60
Belgique	28	2,8	400	59
Espagne	205	5,3	393	31
Grande-Bretagne	200	3,5	388	40
Luxembourg	1,2	3,2	386	39
Italie	290	5,1	368	40
Pays-Bas	95	6,5	354	56
Grèce	70	7	348	27
Portugal	40	3,9	286	40
Irlande	20	5,6	271	21
CEE				

Figure 6.3 : Le tableau rempli.

Sélectionner des éléments de tableau

Pour manipuler les éléments d'un tableau (cellules, lignes ou colonnes), il faut pouvoir les sélectionner. Il existe deux façons de le faire. Pour sélectionner une cellule, il suffit de sélectionner normalement le texte qu'elle contient, en incluant dans la sélection la marque de fin de cellule, représentée par un cercle gris (si les caractères spéciaux sont affichés). Dans l'exemple suivant, le contenu de la cellule est sélectionné, mais pas la marque de fin :

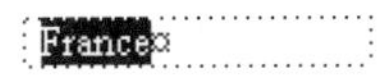

Voici maintenant la même cellule sélectionnée :

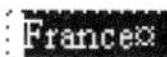

Si les caractères spéciaux ne sont pas affichés, vous pouvez voir qu'une cellule est sélectionnée lorsque son fond est intégralement noir.

Sélection de plusieurs cellules à l'aide du point d'insertion

En faisant glisser le point d'insertion pour agrandir la sélection, vous pouvez sélectionner plusieurs cellules. Dès qu'une cellule entière est sélectionnée, Word passe en mode sélection de cellule. La sélection s'agrandit alors d'une cellule entière à la fois. Si vous déplacez le pointeur vers le bas, la sélection s'étend de la même façon qu'en mode colonne. Il est ainsi possible de sélectionner une ou plusieurs colonnes.

Les commandes de sélection

Word dispose de plusieurs commandes permettant de sélectionner facilement des éléments d'un tableau.

Sélectionner des cellules

Pour sélectionner une cellule, cliquez sur la barre de sélection de cellule, à droite du texte de la cellule. Lorsque le pointeur se trouve sur la barre, il prend la forme d'une flèche dirigée vers la droite :

4,1¤
3,5¤

Pour sélectionner une zone comportant plusieurs cellules, sélectionnez la cellule d'un angle de la zone, puis maintenez la touche MAJ enfoncée et sélectionnez la cellule de l'angle opposé. Vous pouvez également faire glisser le pointeur d'un angle à l'autre de la zone à sélectionner tout en maintenant le bouton de la souris enfoncé.

Sélectionner une ligne

Pour sélectionner une ligne du tableau, cliquez dans la barre de sélection, ou faites un double clic sur la barre de sélection d'une cellule de la ligne. Vous pouvez également utiliser la commande *Sélectionner la ligne* du menu *Tableau*.

Si une ligne est sélectionnée et que vous sélectionnez une cellule en maintenant la touche MAJ enfoncée, toutes les lignes se trouvant entre la sélection et la cellule sont ajoutées à la sélection.

Sélectionner une colonne

Pour sélectionner une colonne, placez le pointeur sur le haut de la première cellule de la colonne et cliquez. La position correcte est atteinte lorsque le pointeur prend la forme d'une flèche dirigée vers le bas :

Vous pouvez également utiliser la commande *Sélectionner la colonne* du menu *Tableau*.

Si une colonne est sélectionnée et que vous sélectionnez une cellule en maintenant la touche MAJ enfoncée, toutes les colonnes se trouvant entre la sélection et la cellule sont ajoutées à la sélection.

Sélectionner le tableau entier

Pour sélectionner le tableau entier, utilisez la commande *Sélectionner tout* du menu *Tableau*.

Insérer des lignes

Il existe deux façons d'insérer des lignes dans un tableau : entre les lignes existantes ou à la fin du tableau. Nous allons insérer une ligne au début du tableau afin d'y placer les titres. A titre d'exercice, nous procéderons en plusieurs étapes. Effectuez les opérations suivantes :

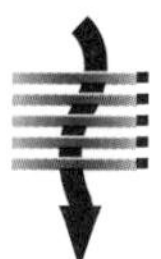

1. Placez le point d'insertion dans la première cellule du tableau, en y cliquant.
2. Cliquez sur le bouton *Insérer des lignes* qui a remplacé le bouton de création de tableau de la barre d'outils :

   ou sélectionnez *Insérer des lignes* dans le menu *Tableau*. Une ligne est insérée au-dessus du tableau. En effet, si aucune cellule n'est sélectionnée, Word insère une ligne entière au-dessus de la ligne contenant le point d'insertion.
3. Annulez l'opération puis sélectionnez la première cellule de la première ligne et déroulez le menu *Tableau*. Vous pouvez constater que l'option *Insérer des lignes* est remplacée par *Insérer cellules*. Sélectionnez cette option. (Vous pouvez également cliquer sur le bouton *Tableau*, dont la fonction est également modifiée.) La boîte de dialogue de la Figure 6.4 est affichée.
4. Vérifiez que l'option *Décaler les cellules vers le bas* est bien sélectionnée.
5. Cliquez sur *OK*. Une cellule a été insérée en décalant les cellules de la colonne vers le bas.

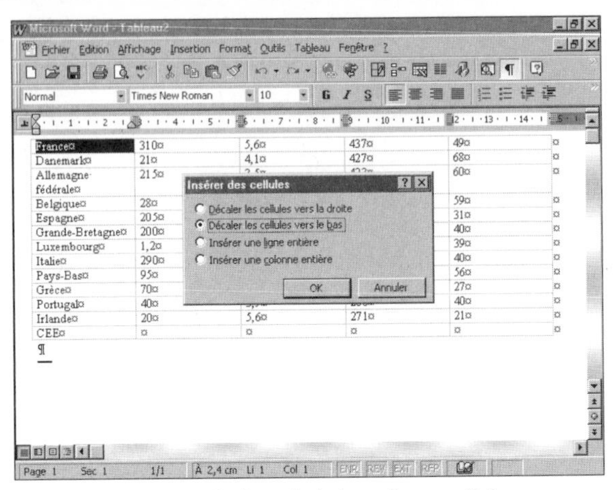

Figure 6.4 : La boîte de dialogue Insérer cellules.

6. Sélectionnez les quatre dernières cel lules de la première ligne (Figure 6.5).

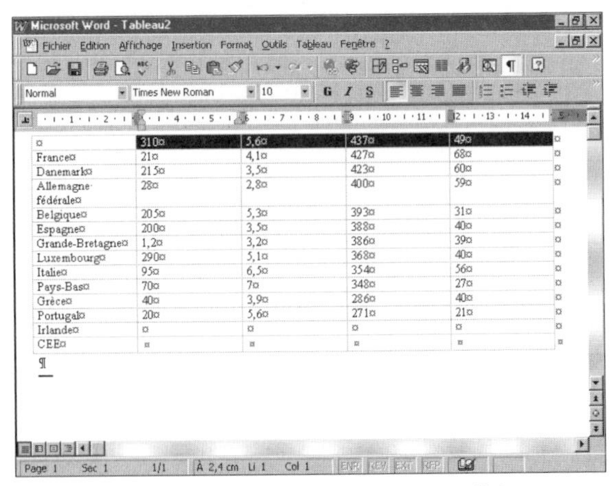

Figure 6.5 : Sélection des quatre dernières cellules.

7. Affichez la boîte de dialogue *Insérer cellules*.
8. Cliquez sur *OK*.

Nous avons procédé en deux étapes afin de vous montrer qu'il est possible d'insérer des lignes dans certaines colonnes seulement. Pour insérer une ligne entière, il est plus rapide de procéder comme précédemment, sans sélectionner de cellules.

Vous pouvez aussi insérer plusieurs cellules ou plusieurs lignes :

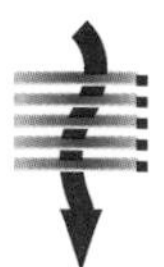

1. Sélectionnez les deux premières cellules de la première colonne.
2. Affichez la boîte de dialogue *Insérer cellules*.
3. Cliquez sur *OK*. Deux cellules sont insérées avant celles qui étaient sélectionnées. Lorsque des cellules sont sélectionnées, Word insère le même nombre de lignes ou de colonnes.

Remarquez que Word a ajouté des cellules dans l'angle inférieur droit du tableau afin qu'il garde sa forme rectangulaire.

Si vous sélectionnez des lignes ou des colonnes entières avant de cliquer sur le bouton Tableau de la barre d'outils, la commande Insérer cellules est remplacée par Insérer lignes ou Insérer colonnes et Word insère autant de lignes ou de colonnes que vous en avez sélectionnées sans afficher la boîte de dialogue. Il en est de même si vous cliquez sur le bouton Tableau de la barre d'outils.

Supprimer des lignes

Nous avons maintenant des lignes à supprimer. Pour cela, procédez de la façon suivante :

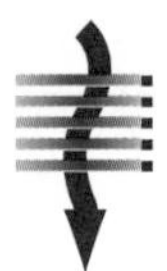

1. Sélectionnez les cellules vides de l'angle inférieur droit du tableau.
2. Sélectionnez *Supprimer les cellules* dans le menu *Tableau*.
3. Cliquez sur Décaler les cellules vers le haut.
4. Cliquez sur *OK*.

Vous pouvez constater que les cellules ne sont pas supprimées. En effet, avec la suppression de ces cellules, le tableau ne serait plus rectangulaire. Word n'accepte pas cela lors de l'insertion ou de la suppression de cellules avec un décalage vertical. Vous pouvez, en revanche, y parvenir en ayant recours à l'option *Décaler les cellules vers la gauche*.

5. Sélectionnez les deux premières cellules vides de la première colonne du tableau.
6. Affichez la boîte de dialogue *Supprimer cellules*. Dans ce cas, vous devez spécifier un décalage vers le haut, afin de replacer les noms des pays en position correcte.
7. Cliquez sur *OK*. Notez, cette fois, que les cellules se sont déplacées vers le haut, mais qu'il reste trois cellules vides au bas de la colonne.
8. Sélectionnez la première ligne et tapez CTRL+X. La ligne est supprimée.
9. Annulez l'opération précédente en tapant CTRL+Z, car nous avons besoin de cette ligne.

10. Sélectionnez les trois cellules vides du bas de la colonne et tapez CTRL+X.

La séquence de touches CTRL+X supprime une ligne lorsque la marque de fin de ligne de tableau (identique à celles se trouvant dans chaque cellule, mais placée en fin de ligne) est sélectionnée avec le reste de la ligne. Dans l'exemple suivant, la ligne ne peut pas être effacée à l'aide de cette séquence :

Elle peut l'être, en revanche, dans le cas suivant :

Bien entendu, toutes ces manipulations n'étaient pas nécessaires pour insérer une ligne au début du tableau, mais elles vous ont permis de faire connaissance avec les commandes d'insertion et de suppression. Il reste, cependant, encore quelques techniques à étudier.

Ajouter des lignes en fin de tableau

Pour insérer une ligne à la fin d'un tableau, il suffit de taper la touche TAB lorsque le point d'insertion se trouve dans la dernière cellule de la dernière ligne.

Insérer des colonnes

La méthode utilisée pour insérer des lignes dans un tableau permet également d'insérer des colonnes. Pour insérer une colonne, il suffit de placer le point d'insertion dans une cellule de la colonne à la gauche de laquelle la nouvelle colonne doit être insérée, d'afficher la boîte de dialogue *Insérer cellules*, de cliquer sur *Insérer colonne entière*, puis sur *OK*. Pour insérer une colonne à droite du tableau, sélectionnez la marque de fin de ligne, à droite de la dernière colonne, et utilisez la commande *Insérer cellules* du menu *Tableau*. Utilisez cette technique pour ajouter les quatre cellules manquantes sur la dernière ligne.

Déplacer des lignes ou des colonnes

Pour déplacer des lignes, procédez de la façon suivante :

1. Sélectionnez les lignes à déplacer.
2. Placez le pointeur sur les lignes sélectionnées, pressez le bouton de la souris et maintenez-le enfoncé.
3. Faites glisser le pointeur jusqu'à la position à laquelle les lignes doivent être déplacées (méthode du "glisser-déplacer").
4. Relâchez le bouton de la souris.

La position d'arrivée doit impérativement être au début de la ligne avant laquelle les lignes déplacées doivent être insérées. Si vous les placez au milieu d'une ligne, vous obtiendrez des résultats catastrophiques.

Vous pouvez utiliser la même méthode pour déplacer des colonnes.

Saisie des titres

Nous pouvons maintenant saisir les titres des colonnes. Placez le point d'insertion dans la deuxième cellule de la première ligne du tableau et tapez :

```
Construits en°1992 (en°milliers)
```

Les signes ° représentent des espaces insécables (CTRL+MAJ+ESPACE). Vous pouvez constater que le texte se répartit automatiquement sur plusieurs lignes en respectant la largeur de la cellule.

Dans les cellules suivantes, tapez les titres :

```
Construits pour 1°000°hab.

Nombre pour 1°000°hab.

Parc locatif (en°%)
```

Mise en forme du texte du tableau

Le texte est pour l'instant en *Times New Roman 10*. Nous allons le formater en *Arial 10*. Procédez de la façon suivante :

1. Sélectionnez la totalité du tableau.
2. Sélectionnez la police *Arial*.

Réglage de la largeur des colonnes

Une fois la police (et éventuellement la taille) choisie, nous pouvons configurer la largeur des colonnes. (Il aurait été inefficace, bien sûr, de le faire avant.)

Modification interactive de la largeur

Nous allons modifier la largeur de la première colonne de façon interactive. La règle affiche un marqueur à la position de chaque colonne (Figure 6.6).

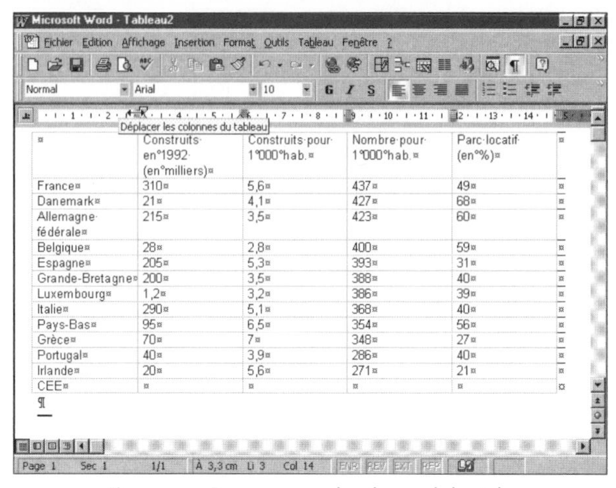

	Construits en 1992 (en milliers)	Construits pour 1 000 hab.	Nombre pour 1 000 hab.	Parc locatif (en %)
France	310	5,6	437	49
Danemark	21	4,1	427	68
Allemagne fédérale	215	3,5	423	60
Belgique	28	2,8	400	59
Espagne	205	5,3	393	31
Grande-Bretagne	200	3,5	388	40
Luxembourg	1,2	3,2	386	39
Italie	290	5,1	368	40
Pays-Bas	95	6,5	354	56
Grèce	70	7	348	27
Portugal	40	3,9	286	40
Irlande	20	5,6	271	21
CEE				

Figure 6.6 : Les marqueurs de colonnes de la règle.

Pour modifier la largeur de la première colonne, procédez de la façon suivante :

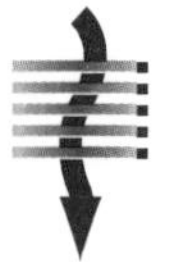

1. Placez le pointeur sur la marque de colonne, dans la règle, comme indiqué sur la Figure 6.16. Le pointeur prend la forme d'une double flèche horizontale.
2. Pressez le bouton de la souris et maintenez-le enfoncé.
3. Faites glisser le marqueur jusqu'à la position 3,5 de la règle.
4. Relâchez le bouton de la souris.

Remarquez que la largeur de la colonne suivante n'est pas modifiée. Toutes les colonnes se trouvant à gauche de la colonne sélectionnée sont déplacées pour tenir compte de la modification.

Vous pouvez également modifier la largeur des colonnes en faisant glisser les traits pointillés qui les séparent. Le pointeur prend alors une apparence semblable à celle qu'il a lors du fractionnement de la fenêtre :

¤	Construits en 1988 (en milliers)
France¤	310¤

Modification de la largeur des colonnes à l'aide de la boîte de dialogue

Pour obtenir une largeur plus précise, vous pouvez employer la commande *Taille des cellules* du menu *Tableau*. Procédez de la façon suivante pour modifier la largeur des autres colonnes :

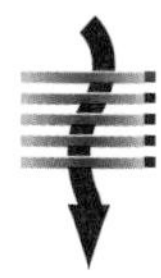

1. Sélectionnez les colonnes 2 à 5.
2. Déroulez le menu *Tableau* et sélectionnez *Taille des cellules*. Une boîte de dialogue est affichée.
3. Cliquez sur l'onglet *Colonne*.
4. Dans la zone *Largeur des colonnes*, indiquez **2,2**.
5. Cliquez sur *OK*.

Modification des hauteurs de lignes

Pour modifier les hauteurs de lignes, vous devez utiliser l'onglet *Ligne* de la même boîte de dialogue. Les options de cette boîte de dialogue permettent de configurer la hauteur de ligne, le retrait à gauche du tableau et son alignement. (Il s'agit de l'alignement du tableau, et non de celui du texte dans les cellules.) La dernière option est particulièrement intéressante. Elle permet d'autoriser Word à couper un tableau en bas de page au milieu d'une ligne, ce qui améliore la mise en page des tableaux contenant des lignes très hautes (comportant plusieurs lignes de texte).

Alignement des cellules

Nous devons maintenant aligner le texte dans les cellules. Pour l'instant, toutes les cellules ont leur contenu aligné à gauche. Cela convient parfaitement pour la première colonne, mais pas pour les suivantes. Pour modifier l'alignement des cellules, procédez de la façon suivante :

1. Sélectionnez la première ligne du tableau.
2. Cliquez sur le bouton d'alignement au centre, dans la barre d'outils *Mise en forme*.

Vous pouvez constater que les cellules s'alignent de la même façon que les paragraphes, et que les limites des cellules sont leurs marges. Vous devinez sûrement comment il est possible d'aligner une colonne de nombres à droite, en laissant un espace de chaque côté. Procédez de la façon suivante :

3. Sélectionnez les cellules de la cinquième colonne, à l'exception de celle contenant le titre.
4. Cliquez sur le bouton d'alignement à droite.
5. Déplacez le marqueur de marge droite pour centrer le texte dans la colonne.

Vous devez bien comprendre qu'il ne s'agit pas d'une colonne centrée. En effet, si la colonne contenait des valeurs à deux et trois chiffres, le centrage ne donnerait pas le résultat souhaité.

Procédez de la même façon pour aligner la quatrième colonne.

Si Word refuse de déplacer le marqueur de marge jusqu'à la position souhaitée, affichez la boîte de dialogue Paragraphe (par exemple en cliquant deux fois sur le marqueur) et augmentez la valeur du retrait à droite.

Le problème se complique avec les colonnes 2 et 3. En effet, celles-ci comportent des valeurs entières et décimales. Il nous faut donc un alignement de type décimal. (En fait, les colonnes 4 et 5 contenant également des nombres, nous aurions dû employer aussi un alignement décimal, ce qui est d'ailleurs plus simple. Nous n'avons procédé ainsi que dans un but pédagogique.) Pour obtenir un alignement décimal, procédez de la façon suivante :

1. Sélectionnez les cellules de la troisième colonne.
2. Sélectionnez une tabulation décimale en cliquant sur le symbole se trouvant à l'extrémité gauche de la règle, puis placez une marque de tabulation en cliquant à la position indiquée sur la Figure 6.7.

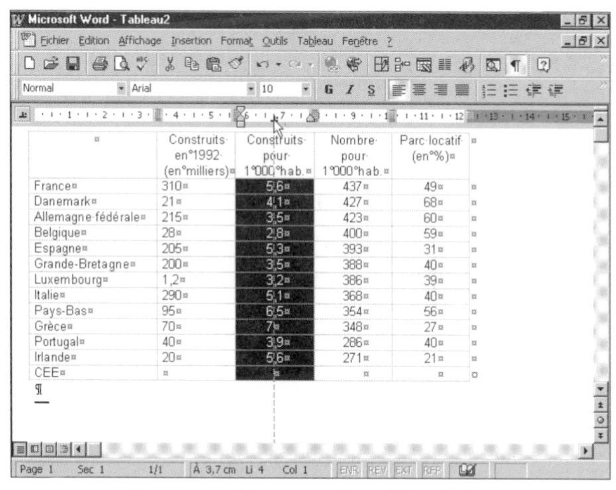

	Construits en 1992 (en milliers)	Construits pour 1 000 hab.	Nombre pour 1 000 hab.	Parc locatif (en %)
France	310	5,6	437	49
Danemark	21	4,1	427	68
Allemagne fédérale	215	3,5	423	60
Belgique	28	2,8	400	59
Espagne	205	5,3	393	31
Grande-Bretagne	200	3,5	388	40
Luxembourg	1,2	3,2	386	39
Italie	290	5,1	368	40
Pays-Bas	95	6,5	354	56
Grèce	70	7	348	27
Portugal	40	3,9	286	40
Irlande	20	5,6	271	21
CEE				

Figure 6.7 : Alignement décimal des cellules.

Vous ne pouvez utiliser de cette façon que les tabulations décimales. Pour utiliser les autres tabulations, vous devez saisir des tabulations dans le texte, comme nous le verrons dans la prochaine section.

3. Procédez de la même manière pour aligner les valeurs de la deuxième colonne.

Utilisation de tabulations dans les tableaux

Il est parfaitement possible d'utiliser des tabulations dans les cellules des tableaux. Nous allons en montrer un exemple. Nous utiliserons cette technique pour placer des points de conduite à la suite des noms de pays. Procédez de la façon suivante :

1. Dans chaque cellule de la première colonne, placez le point d'insertion après le nom de pays et tapez CTRL+TAB. (Comme nous l'avons déjà dit, la touche TAB fait passer à la cellule suivante. Il faut donc utiliser cette séquence de touches pour taper une tabulation.)

Certaines cellules ne sont pas assez larges et le texte se trouve affiché sur deux lignes. Cela n'a pas d'importance.

2. Sélectionnez la première colonne.
3. Placez une tabulation à droite au niveau de la limite droite de la colonne (Figure 6.8). Cela n'est pas très visible sur la figure car la marque de tabulation est masquée par la marque de retrait à droite.
4. Déroulez le menu *Format* et sélectionnez *Tabulations*.

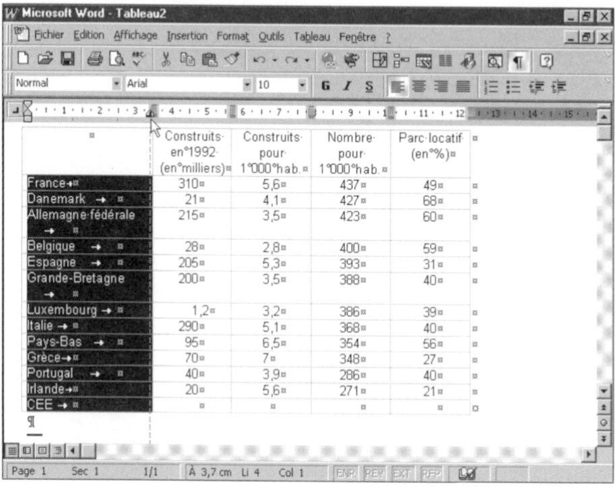
Microsoft Word - Tableau2
Fichier Edition Affichage Insertion Format Outils Tableau Fenêtre ?
Normal
Arial
10
Construits en°1992 (en°milliers)
Construits pour 1°000°hab.
Nombre pour 1°000°hab.
Parc locatif (en°%)
France 310 5,6 437 49
Danemark 21 4,1 427 68
Allemagne fédérale 215 3,5 423 60
Belgique 28 2,8 400 59
Espagne 205 5,3 393 31
Grande-Bretagne 200 3,5 388 40
Luxembourg 1,2 3,2 386 39
Italie 290 5,1 368 40
Pays-Bas 95 6,5 354 56
Grèce 70 7 348 27
Portugal 40 3,9 286 40
Irlande 20 5,6 271 21
CEE
Page 1 Sec 1 1/1 À 3,7 cm Li 4 Col 1

Figure 6.8 : Utilisation de tabulations dans une colonne.

5. Dans la zone *Points de suite* de la boîte de dialogue, sélectionnez la deuxième option (ligne de points).
6. Cliquez sur *OK*.

Les points de suite (ou points de conduite) sont souvent employés dans les tableaux lorsque la première colonne contient des noms de longueurs très différentes. Dans ce cas, la colonne est large, et il peut être difficile de lire certaines lignes commençant par un titre court. Les points de suite facilitent la lecture.

Fusion de cellules

Nous allons ajouter un titre au-dessus de notre tableau. Il sera composé en *Arial gras 18*. Il devra donc s'étendre sur plusieurs cellules, dans une ligne que nous placerons au-dessus du tableau. Procédez de la façon suivante :

1. Placez le point d'insertion dans la première ligne du tableau.
2. Insérez une ligne entière au moyen de la commande *Insérer des lignes* du menu *Tableau*.
3. La ligne que vous venez d'insérer doit être sélectionnée. Si ce n'est pas le cas, sélectionnez-la.
4. Déroulez le menu *Tableau* et sélectionnez *Fusionner cellules*.
5. Dans la première ligne du tableau, tapez le titre suivant :

   `Le logement dans les pays de la CEE`

6. Sélectionnez le titre que vous venez de taper et formatez-le en Arial 18 gras, de couleur blanche. (Rappelons que pour attribuer une couleur au texte, vous devez employer la boîte de dialogue *Police*.)
7. Donnez au texte un espace avant et un espace après de 3 pt (à l'aide de la boîte de dialogue *Paragraphes*).

Notre tableau est presque terminé. Il nous reste à tracer des filets et à sélectionner un fond pour le titre, ainsi qu'à entrer les valeurs pour la dernière ligne.

Utilisation de bordures et d'ombrages

Ajouter des bordures et des trames est extrêmement simple. La méthode à suivre est exactement la même que celle que nous avons employée au chapitre précédent. Procédez de la façon suivante :

1. Sélectionnez l'ensemble du tableau.
2. Déroulez le menu *Format* et sélectionnez *Bordure et trame*. La boîte de dialogue *Bordure et trame* est affichée.

Cette boîte de dialogue est pratiquement identique à celle que nous connaissons, à une exception près : la zone *Type* contient les options *Encadré*, *Toutes* et *Quadrillage*.

3. Sélectionnez une ligne simple de 3/4 de point et cliquez sur l'option *Encadré*.
4. Cliquez sur *OK*.
5. Sélectionnez la première ligne et affichez la boîte de dialogue *Bordure et trame*.
6. Ajoutez une bordure en bas.
7. Cliquez sur l'onglet *Trame de fond*.
8. Choisissez un motif à 50 % et cliquez sur *OK*.
9. Refermez la boîte de dialogue en cliquant sur *OK*.
10. Sélectionnez la deuxième ligne du tableau en cliquant dans la barre de sélection et cliquez sur le bouton *Tableaux et bordures*. La barre d'outils *Bordures* est affichée sous la forme d'une palette flottante.
11. Cliquez sur le bouton *Bordure extérieure* et choisissez un trait en bas.

Cette ligne ne possède pas de bordure en haut, mais cela n'a pas d'importance, puisque la ligne précédente a une bordure en bas.

12. Utilisez la même méthode pour ajouter une bordure au-dessus de la dernière ligne.
13. Sélectionnez les lignes 2 à 15 et ajoutez une bordure entre les colonnes.

Si vous voulez pouvoir trier les lignes du tableau sans problème, il est important de donner une bordure en bas à la deuxième ligne et une bordure en haut à la dernière. En effet, si vous triez les lignes, il s'agira des lignes 3 à 14. Si la ligne 3 a une bordure en haut et la ligne 14 une bordure en bas, ces bordures seront déplacées lors du tri.

14. Désactivez l'affichage des caractères spéciaux. Le tableau est pratiquement terminé.

Si vous constatez que l'affichage est très ralenti, ou si vous voulez voir le tableau tel qu'il sera imprimé, vous pouvez supprimer l'affichage des lignes pointillées en déroulant le menu Tableau **et en sélectionnant** Masquer le quadrillage.

Mise en page du tableau

Jusqu'ici, nous avons modifié la mise en forme du contenu des cellules. Nous pouvons également appliquer au tableau lui-même un certain nombre de formats.

Nous allons simplement centrer le tableau entre les marges du paragraphe. Procédez de la façon suivante :

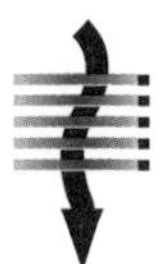

1. Sélectionnez la totalité du tableau.
2. Déroulez le menu *Tableau* et sélectionnez *Taille des cellules*.
3. Cliquez sur l'onglet *Ligne*.
4. Dans la rubrique *Alignement*, choisissez *Centre*.

Si vous appliquez ce format sans avoir sélectionné la totalité du tableau, la ligne du tableau contenant le point d'insertion sera décalée vers la droite pour être centrée entre les marges.

5. Cliquez sur *OK*.

Le tableau est maintenant centré entre les marges. Vous pouvez, de la même façon, lui attribuer un retrait à gauche. La Figure 6.9 montre le résultat obtenu.

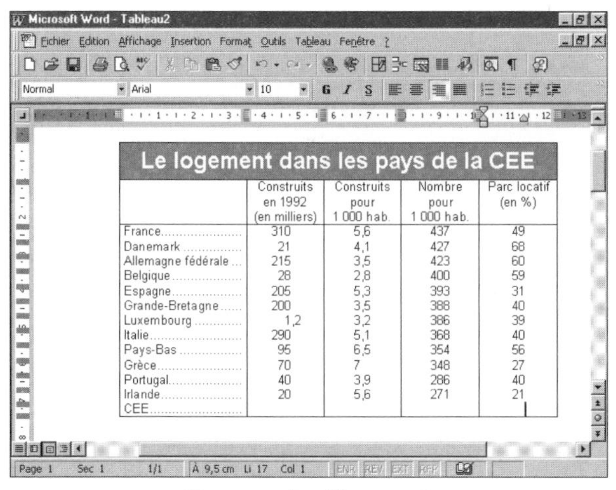

Le logement dans les pays de la CEE				
	Construits en 1992 (en milliers)	Construits pour 1 000 hab.	Nombre pour 1 000 hab.	Parc locatif (en %)
France	310	5,6	437	49
Danemark	21	4,1	427	68
Allemagne fédérale	215	3,5	423	60
Belgique	28	2,8	400	59
Espagne	205	5,3	393	31
Grande-Bretagne	200	3,5	388	40
Luxembourg	1,2	3,2	386	39
Italie	290	5,1	368	40
Pays-Bas	95	6,5	354	56
Grèce	70	7	348	27
Portugal	40	3,9	286	40
Irlande	20	5,6	271	21
CEE				

Figure 6.9 : Le tableau centré.

Insérer un paragraphe au-dessus ou à l'intérieur d'un tableau

Il peut être nécessaire d'insérer un paragraphe au-dessus d'un tableau, ou de couper un tableau en deux. Pour cela, procédez de la façon suivante :

1. Placez le point d'insertion dans la ligne du tableau au-dessus de laquelle vous voulez insérer un paragraphe.
2. Tapez CTRL+MAJ+ENTRÉE ou sélectionnez la commande *Fractionner le tableau* dans le menu *Tableau*.

Pour supprimer une marque de fin de paragraphe créée de cette façon, vous devez la sélectionner et la couper. Vous ne pouvez pas employer la touche ARRIÈRE.

Les calculs numériques

Il nous reste maintenant à remplir la dernière ligne du tableau. Ne sortez pas votre calculatrice ! Word est capable d'effectuer les calculs pour vous. Voici comment procéder :

1. Placez le point d'insertion dans la dernière ligne de la deuxième colonne.
2. Déroulez le menu *Tableau*.
3. Sélectionnez *Formule*. Une boîte de dialogue est affichée. Word vous propose la formule *=Somme(AUDESSUS)*, qui est exactement ce que nous souhaitons.
4. Cliquez sur *OK*.

Le résultat correct est affiché. Vous pouvez remarquer que Word utilise le même format que celui que vous avez employé pour les nombres de la colonne. Cependant, le résultat ayant quatre chiffres à gauche de la virgule, nous aimerions qu'un espace sépare le premier chiffre des suivants.

5. Sélectionnez le résultat.
6. Déroulez le menu *Tableau* et cliquez sur *Formule*.
7. Dans la zone de dialogue affichée, déroulez la liste de la zone *Format* et sélectionnez le format :

```
# ##0,00
```

Ce format indique que les nombres doivent comporter un espace pour séparer les groupes de trois chiffres, et deux chiffres après la virgule. Or, nous ne souhaitons avoir qu'un seul chiffre après la virgule.

8. Effacez un zéro pour obtenir :

```
# ##0,0
```

(Les # désignent les chiffres facultatifs et les 0 les chiffres obligatoire.)

9. Cliquez sur *OK*.
10. Placez le point d'insertion dans la dernière ligne de la troisième colonne et affichez la boîte de dialogue *Formule*.
11. Dans la zone *Expression*, tapez la formule :

```
=moyenne(c3:c14)
```

12. Sélectionnez le même format que précédemment.
13. Cliquez sur *OK*.

Vous pouvez également sélectionner la fonction Moyenne dans la liste déroulante Insérer une fonction. Cette formule fait référence aux valeurs comprises entre la cellule C3 (troisième colonne, troisième ligne) et la cellule C14 (troisième colonne, quatorzième ligne).

14. Procédez de la même façon pour calculer la moyenne de la troisième et de la quatrième colonne, en choisissant le format entier (# ##0).

Cette façon de calculer ne donne pas de résultats exacts, mais là n'est pas notre propos. De toute façon, les données choisies pour l'exemple sont fausses !

Désignation des titres

Lorsque les tableaux sont longs, ils sont susceptibles d'être coupés par un saut de page. Il est alors préférable de répéter les titres sur la deuxième page. Word est capable de le faire automatiquement à condition que vous lui indiquiez les lignes de titres, en procédant de la façon suivante :

1. Sélectionnez les lignes qui doivent être répétées. (Dans notre cas, il s'agit des deux premières lignes.)
2. Déroulez le menu *Tableau* et sélectionnez *Titres*.

La Figure 6.10 montre le résultat obtenu lorsque le tableau tombe à cheval sur deux pages.

Le logement dans les pays de la CEE				
	Construits en 1992 (en milliers)	Construits pour 1 000 hab.	Nombre pour 1 000 hab.	Parc locatif (en %)
France	310	5,6	437	49
Danemark	21	4,1	427	68
Allemagne fédérale ...	215	3,5	423	60
Belgique	28	2,8	400	59
Espagne	205	5,3	393	31

Le logement dans les pays de la CEE				
	Construits en 1992 (en milliers)	Construits pour 1 000 hab.	Nombre pour 1 000 hab.	Parc locatif (en %)
Grande-Bretagne	200	3,5	388	40
Luxembourg	1,2	3,2	386	39
Italie	290	5,1	368	40
Pays-Bas	95	6,5	354	56
Grèce	70	7	348	27
Portugal	40	3,9	286	40
Irlande	20	5,6	271	21
CEE	1495,2	4,7	373	44

Figure 6.10 : Les titres sont automatiquement répétés sur la deuxième page.

Mise en forme automatique d'un tableau

Le travail de mise en forme que nous avons effectué aurait été simplifié si nous avions employé la fonction de mise en forme automatique des tableaux. Cependant, cette fonction ne donne pas toujours un résultat satisfaisant. Pour mettre en forme un tableau automatiquement, procédez à présent de la façon suivante :

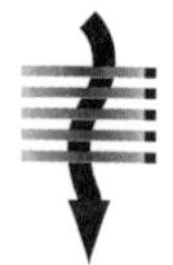

1. Placez le point d'insertion dans le tableau.
2. Déroulez le menu *Tableau* et cliquez sur *Format automatique*. La boîte de dialogue de la Figure 6.11 est affichée.

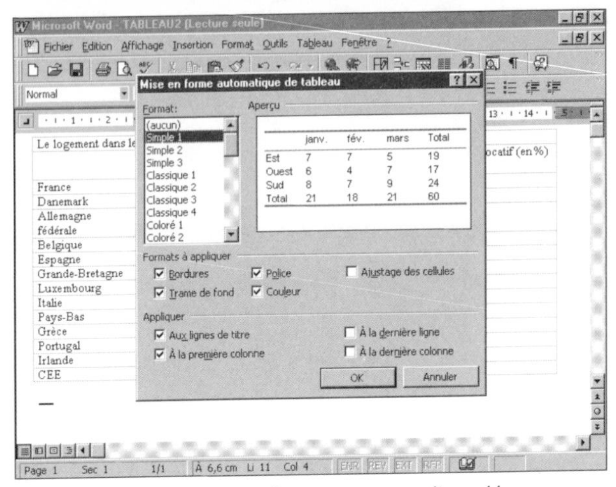

Figure 6.11 : Mise en forme automatique d'un tableau.

La zone *Format* de cette boîte de dialogue contient la liste des formats que vous pouvez choisir. La zone *Aperçu* montre un exemple du résultat obtenu.

3. Sélectionnez le format le plus proche du résultat que vous souhaitez obtenir. (Par exemple *Colonne 5*.)

La zone *Mise en forme à appliquer* permet de sélectionner les attributs qui seront appliqués au tableau.

4. Sélectionnez les attributs qui vous intéressent. Dans notre cas, nous choisirions tous les attributs sauf la couleur, car le tableau doit être imprimé sur une imprimante monochrome.
5. Dans la zone *Appliquer*, sélectionnez les éléments qui composent votre tableau. Nous avons des lignes de titres,

une première colonne comportant des titres et une dernière ligne comportant des totaux. Il nous faut donc cocher les cases *Aux lignes de titre*, *A la première colonne* et *A la dernière ligne*.

6. Cliquez sur *OK*. La Figure 6.12 montre le résultat obtenu.

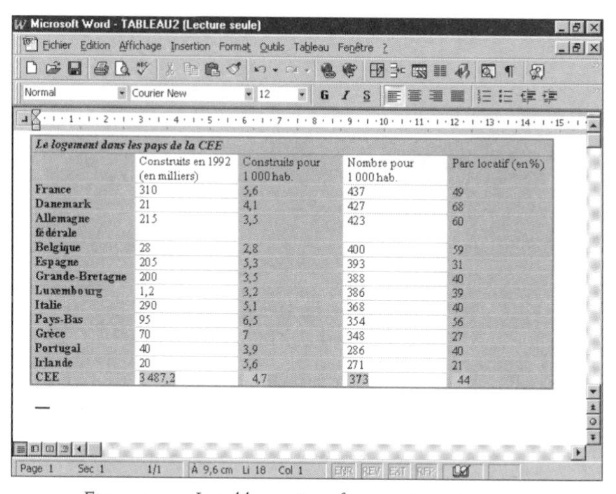

Le logement dans les pays de la CEE				
	Construits en 1992 (en milliers)	Construits pour 1 000 hab.	Nombre pour 1 000 hab.	Parc locatif (en %)
France	310	5,6	437	49
Danemark	21	4,1	427	68
Allemagne fédérale	215	3,5	423	60
Belgique	28	2,8	400	59
Espagne	205	5,3	393	31
Grande-Bretagne	200	3,5	388	40
Luxembourg	1,2	3,2	386	39
Italie	290	5,1	368	40
Pays-Bas	95	6,5	354	56
Grèce	70	7	348	27
Portugal	40	3,9	286	40
Irlande	20	5,6	271	21
CEE	3 487,2	4,7	373	44

Figure 6.12 : Le tableau mis en forme automatiquement.

7. Effectuez les quelques mises au point manuelles nécessaires : ajustage de la largeur des colonnes, alignements, insertion d'une ligne au-dessus du tableau pour le titre.

La mise en forme automatique des tableaux est une fonction très utile pour les tableaux simples. En revanche, si vos tableaux sortent un peu de l'ordinaire, il vous restera un certain nombre d'interventions manuelles à effectuer. La commande *Format automatique* permet également de supprimer la mise en forme d'un tableau. Il suffit pour cela de sélectionner le format *(Aucun)*.

CHAPITRE 7

Feuilles de styles, modèles et insertion automatique

Les fonctions de mise en forme des caractères, des paragraphes et des tableaux que vous avez étudiées jusqu'ici vous ont certainement paru très intéressantes, mais d'une utilisation un peu lourde. Bien sûr, il n'est pas obligatoire de spécifier un format de paragraphe pour chaque paragraphe saisi. Lorsque vous commencez un nouveau paragraphe, il hérite automatiquement des attributs du précédent. Le problème se complique si vous voulez attribuer à certains paragraphes un format différent. Par exemple, dans un rapport, vous emploierez pour le texte courant des paragraphes en caractère Times 11, avec un espace avant et un espace après de 6 pt. Si vous formatez le premier paragraphe, chaque nouveau paragraphe aura les mêmes attributs. Cependant, si vous saisissez un titre en Helvetica gras 14 avec un espace avant de 18 pt et un espace après de 12 pt, vous devrez modifier deux fois le format de paragraphe : une fois pour le titre, et une fois pour revenir au texte courant. Si les titres sont nombreux, cela peut vite devenir lassant.

Un autre problème, plus ennuyeux, peut se produire. Imaginez que vous avez saisi un long rapport de 300 pages en Courier 12, avec une ligne entre les paragraphes, un interligne d'une ligne et demie, et des titres en italique gras de taille 14. Pour améliorer la présentation, on vous suggère qu'il serait préférable d'utiliser du Times 10, un interligne simple, une demi-ligne entre les paragraphes et des titres en Helvetica gras de taille 11. En utilisant la méthode traditionnelle, vous devriez modifier le format de nombreux paragraphes. (La technique la plus rapide consisterait à sélectionner tout le document et à lui attribuer le format correspondant au texte, puis à formater un titre et à recopier le format sur chacun des autres.) Nous allons voir que l'utilisation des feuilles de styles permet d'effectuer cette opération en quelques minutes.

Qu'est-ce qu'une feuille de styles ?

Une feuille de styles est une liste de noms auxquels correspondent des formats de caractères et de paragraphes. Il suffit alors d'affecter un de ces noms à un paragraphe d'un document ou à des caractères pour qu'ils prennent automatiquement le format correspondant.

Par exemple, si nous considérons la lettre que nous avons créée au Chapitre 1, nous pouvons constater deux choses (Figure 7.1) :

- Elle comporte dix paragraphes.
- Six de ces paragraphes ont un format identique. Il existe donc cinq formats de paragraphes différents.

Pour comprendre ce qu'est une feuille de styles, imaginez simplement la liste des noms de paragraphes de notre document, avec les caractéristiques que nous leur avons attribuées, par exemple :

Adresse : Retrait à gauche de 8 cm, espacement après de 30 pt.

Date : Retrait à gauche de 8 cm, espacement avant et après de 30 pt.

Objet : Espacement avant et après de 30 pt.

Signature : Retrait à gauche de 8 cm, espacement avant et après de 114 pt.

Texte : Espacement avant et après de 6 pt.

Une fois cette feuille de styles établie, il nous suffit, pour créer une lettre, de taper le texte de chaque paragraphe et de lui attribuer un nom de style. Si nous voulons ensuite changer la présentation de la lettre, il nous suffira de modifier un style pour que tous les paragraphes de ce style soient modifiés automatiquement.

36, rue de la Victoire, 75006 PARIS — Tel : (1) 42 03 05 06 — Fax : (1) 42 03 05 07
S.A.R.L. au capital de 150 000 francs — R.C. Paris 345 567 874

Adresse → Garage moderne
Mme Renée Blutte
87, rue Cartier-Bresson
27000 EVREUX

Date → Paris, le 14 février 1997

Objet : Confirmation de commande ← **Objet**

Madame,

Nous accusons réception de votre commande de trois fauteuils visiteurs, référence 35-650, au prix de 1 550,00 francs HT. Le délai de livraison est de quatre semaines. Ces articles vous seront expédiés dès qu'ils seront disponibles, par transporteur spécialisé.

Nous vous rappelons que nos conditions de paiement sont les suivantes : 90 jours fin de mois par traite sur relevé.

Nous insistons sur le fait que vous devez faire toutes réserves auprès du transporteur en cas de marchandises défectueuses.

Nous ne pouvons prendre en compte aucune réclamation concernant des dégâts non signalés à la livraison.

Meilleures salutations

Texte

Signature → Paul Berger
Attaché commercial

Figure 7.1 : Les différents paragraphes de la lettre.

Création d'une feuille de styles

Pour créer une feuille de styles, il suffit de formater chaque style comme s'il s'agissait d'un paragraphe. Word nous permet d'ailleurs de formater d'abord un paragraphe, puis de recopier ses caractéristiques pour en faire un style.

Définir des styles à l'aide de la barre d'outils

Nous allons maintenant définir des styles à partir de la lettre du Chapitre 1. Procédez de la façon suivante :

1. Ouvrez le document *Lettre1*.
2. Placez le point d'insertion dans l'adresse.
3. Cliquez dans la zone de texte se trouvant à l'extrémité gauche de la barre d'outils *Mise en page*. Cette zone est une liste déroulante contenant les noms des styles du document. Pour l'instant, elle ne contient que les noms *Normal*, *Titre 1*, *Titre 2*, *Titre 3* et *Police par défaut*. La zone s'affiche en inverse.

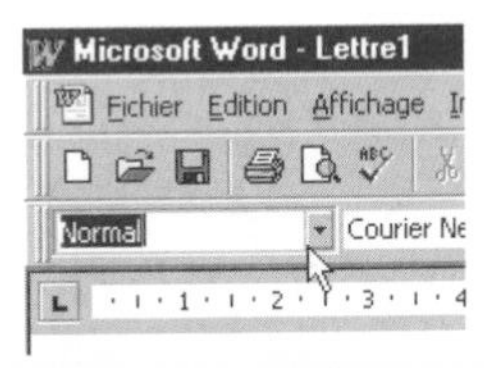

Vous pouvez obtenir le même résultat en tapant les touches CTRL+MAJ+S.

4. Tapez le nom que vous voulez donner au style, **Adresse**. Terminez en tapant la touche ENTRÉE.

5. Placez le pointeur dans le paragraphe contenant la date et définissez de la même façon un style *Date*.

Vous pourriez continuer ainsi pour les autres styles, car c'est la méthode la plus rapide pour définir des styles à partir de texte existant. Cependant, elle ne permet pas d'utiliser toutes les possibilités des feuilles de styles. Nous allons donc continuer à l'aide d'une autre méthode.

Définir des styles à l'aide de la boîte de dialogue

Pour accéder à toutes les caractéristiques des styles, nous pouvons employer la boîte de dialogue *Définir...* Procédez de la façon suivante :

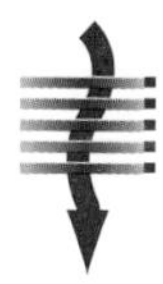

1. Placez le pointeur dans le paragraphe contenant l'objet de la lettre.
2. Déroulez le menu *Format* et sélectionnez *Styles*. Une boîte de dialogue est affichée. Elle comporte la liste des styles existant dans le document. Vous pouvez y voir les deux styles que vous venez de créer, ainsi que les styles *Normal* et *Police par défaut*.
3. Cliquez sur *Nouveau*. Une nouvelle boîte de dialogue est affichée, comme le montre la Figure 7.2.
4. Dans la zone *Nom*, tapez le nom que vous souhaitez donner au nouveau style : **Objet**.

La zone *Description* indique les caractéristiques du paragraphe sélectionné. Nous pouvons voir que le style *Objet* a le même format que le style *Normal*, plus un espace avant et après de 30 pt. Vous pouvez changer ces caractéristiques en cliquant sur le bouton *Format*. Vous avez alors accès aux mêmes options qu'avec le menu *Format* de la barre de menus.

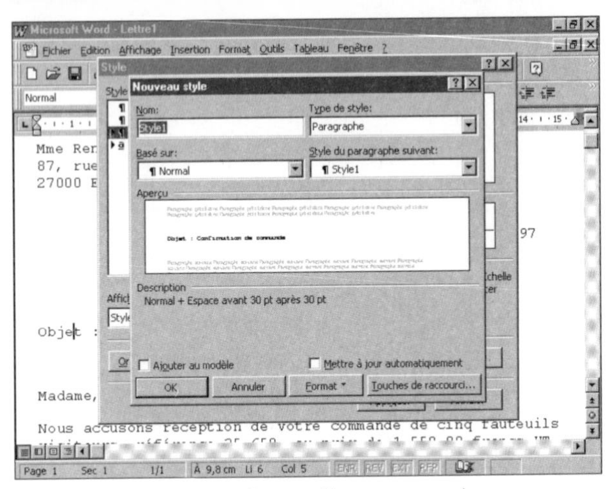

Figure 7.2 : Création d'un nouveau style.

5. Cliquez sur le bouton *Format* et sélectionnez *Police* dans la liste des formats. La boîte de dialogue *Police* est alors affichée. Choisissez *Normal* au lieu d'*Italique* et cliquez sur *OK*.
6. Cliquez sur *OK*. La boîte de dialogue *Styles* est de nouveau affichée. Vous pouvez maintenant cliquer sur *Nouveau* pour créer un nouveau style, sur *Modifier* pour modifier un style existant, sur *Supprimer* pour supprimer un style, sur *Appliquer* pour fermer la boîte de dialogue en appliquant le style au paragraphe sélectionné, ou sur *Fermer*.
7. Cliquez sur *Appliquer*. Notez que l'italique est automatiquement supprimé.

Tous nos paragraphes étant déjà formatés, il est plus simple de définir les styles "par l'exemple", de la façon décrite précédemment.

Créez le style *Texte* en employant la méthode de votre choix. (Avant de créer ce style, sélectionnez tous les paragraphes devant le recevoir.)

Créez ensuite le style *Signature* en employant la première méthode indiquée. Une surprise vous attend. En effet, lorsque vous pressez la touche ENTRÉE, après avoir placé le point d'insertion dans la signature et tapé le mot **Signature** dans la zone de styles de la barre d'outils, le format du paragraphe est modifié. (L'espace avant est supprimé.) La raison en est que le style *Signature* existe déjà, bien qu'il ne soit pas affiché. Pour vous en convaincre, annulez l'opération en tapant CTRL+Z et affichez de nouveau la boîte de dialogue *Styles*.

Au bas de la boîte de dialogue se trouve une liste déroulante nommée *Afficher*. Déroulez cette liste et sélectionnez *Tous les styles*.

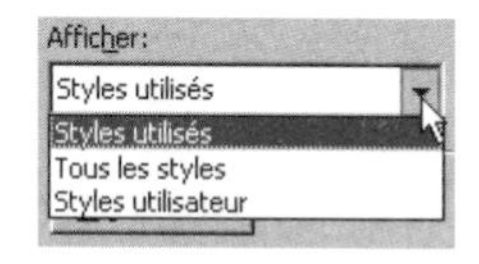

La zone *Styles* contient maintenant une longue liste de styles, qui sont les styles par défaut de Word. Vous pouvez constater que le style *Signature* en fait partie. Lorsque vous avez cru définir ce style, Word l'a en fait appliqué au paragraphe. Rien ne vous empêche d'utiliser et de modifier ce style pour votre lettre. Faites-le, en procédant de la façon suivante :

1. Sélectionnez *Signature* dans la zone *Styles*.
2. Cliquez sur *Modifier*.
3. Cliquez sur *Format* et sélectionnez *Paragraphes*.
4. Dans la boîte de dialogue *Paragraphes*, choisissez un retrait à gauche de 8 cm et un espace avant de 114 pt.

5. Cliquez sur *OK* pour refermer la boîte de dialogue *Paragraphes*.
6. Cliquez sur *OK* pour refermer la boîte de dialogue *Modifier le style*.
7. Cliquez sur *Appliquer*.

Une fois tous les styles créés, placez le point d'insertion dans un paragraphe quelconque et notez que le nom du style correspondant est affiché dans la barre d'outils :

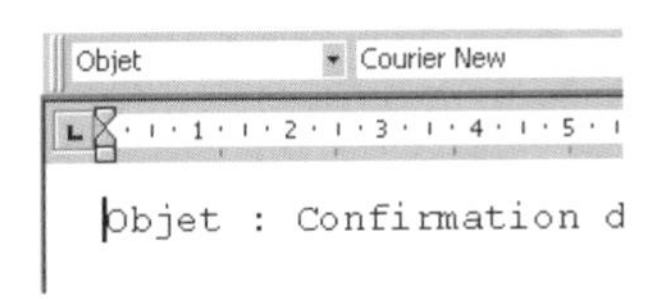

Si vous cliquez sur le bouton se trouvant à droite du nom de style dans la barre d'outils, vous obtenez la liste des styles de la feuille de styles. Vérifiez qu'elle contient bien tous les styles nécessaires.

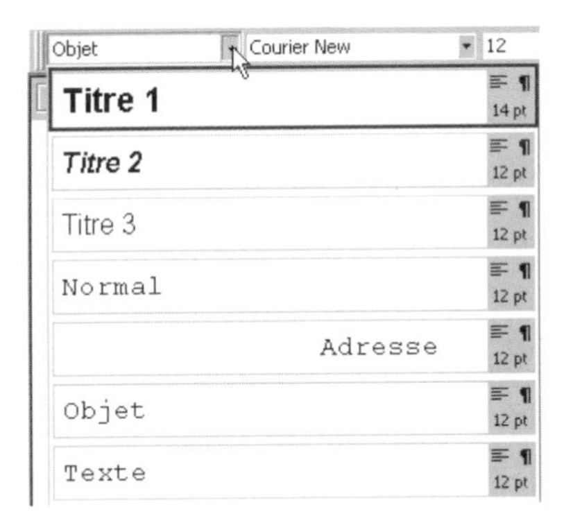

Les noms de styles

Les noms de styles peuvent comporter 253 caractères. Tous les caractères sont autorisés, sauf la barre oblique inverse (\) et les accolades {}. Word permet la création de 4 096 styles différents.

Dans les noms de styles, Word distingue les majuscules et les minuscules. Les noms Date et DATE peuvent donc désigner des styles différents. En revanche, si vous tapez dans la zone Style de la barre d'outils un nom de style existant sans respecter les majuscules, Word attribue le style correspondant et ne définit pas un nouveau style.

Appliquer un style

La feuille de styles que nous venons de créer n'apporte pas grand-chose à notre document, excepté la possibilité de modifier facilement le formatage de plusieurs paragraphes. Nous allons voir qu'elle simplifie beaucoup la création de nouveaux documents.

Pour créer une nouvelle lettre, procédez de la façon suivante :

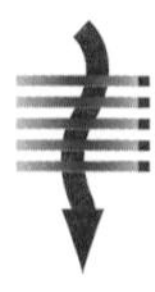

1. Enregistrez le document sous le nom *Lettre3*.
2. Sélectionnez tout le texte et supprimez-le. Vous êtes maintenant devant un document vide possédant la même feuille de styles. Seule une marque de fin de paragraphe est affichée, à droite du point d'insertion (si l'affichage des caractères spéciaux est actif).
3. Déroulez la liste des styles, dans la barre d'outils, et sélectionnez *Adresse*.

4. Tapez l'adresse de votre correspondant, en terminant les lignes par des fins de ligne (MAJ+ENTRÉE) et le paragraphe par une fin de paragraphe (ENTRÉE), par exemple :

```
Novex
Mr Jean Comte
67, rue Simon Dumartin
64009 PAU
```

L'adresse est automatiquement formatée correctement. Le point d'insertion se trouve maintenant sur un nouveau paragraphe. Notez que celui-ci possède également le style *Adresse*. En effet, de même qu'un nouveau paragraphe hérite du format du précédent, le style est également transmis de paragraphe en paragraphe, à moins que vous n'en sélectionniez un autre. Nous devons maintenant choisir le style *Date*.

5. Tapez CTRL+MAJ+S pour activer la liste des styles, dans la barre d'outils.

Vous pouvez à présent sélectionner un style en tapant son nom. Vous pouvez également le sélectionner dans la liste, de la façon suivante :

6. Tapez les touches ALT+BAS pour dérouler la liste des styles.
7. Tapez la touche BAS pour sélectionner le style *Date*.
8. Tapez la touche ENTRÉE.

L'option Style suivant

Dans un document, il est fréquent qu'un style soit toujours suivi d'un autre style. Par exemple, dans notre lettre, l'adresse est toujours suivie de la date, elle-même toujours suivie de l'objet, toujours suivi à son tour d'un paragraphe de texte. Un paragraphe de texte est le plus souvent suivi d'un autre paragraphe de texte, sauf s'il précède la signature. Nous pouvons demander à Word de choisir automatiquement le style correct. Pour cela, procédez de la façon suivante :

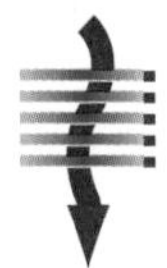

1. Tapez la touche ARRIÈRE. La marque de fin du paragraphe précédent est effacée.
2. Affichez la boîte de dialogue *Styles* (*Format* > *Styles*).
3. Dans la liste des styles, sélectionnez *Adresse*.
4. Cliquez sur *Modifier*. La boîte de dialogue *Modifier le style* est affichée.
5. Dans la zone *Style du paragraphe suivant*, le style *Adresse* est sélectionné. (Par défaut, un style est toujours suivi du même style, comme nous l'avons vu précédemment.) Sélectionnez *Date*.
6. Cliquez sur *OK*.
7. Dans la liste *Nom du style*, sélectionnez *Date*.
8. Cliquez sur *Modifier*.
9. Dans la rubrique *Style suivant*, sélectionnez *Objet*.
10. Cliquez sur *OK*.
11. Procédez de la même façon pour faire suivre le style *Objet* par le style *Texte*.
12. Cliquez sur *Fermer*.

Si vous appliquez ou définissez un style à l'aide de la boîte de dialogue, le bouton Annuler **est remplacé par** Fermer**. Pour annuler la modification d'un style, vous devez utiliser le bouton d'annulation de la barre d'outils.**

Les styles ayant été modifiés, vous allez pouvoir reprendre la saisie. Le pointeur se trouvant à la fin de l'adresse, tapez la touche ENTRÉE. Vous pouvez constater que Word a sélectionné automatiquement le style *Date*.

Une fois la date saisie, Word sélectionne automatiquement le style *Objet*, puis le style *Texte*. En fait, pour saisir la lettre, vous n'aurez à indiquer les styles que pour le premier et le dernier paragraphe. Le travail commence à être vraiment réduit ! Nous verrons à la fin de ce chapitre comment il est possible de le réduire encore pour n'avoir plus aucun style à indiquer.

Tapez une lettre complète. Si vous n'avez pas d'imagination, recopiez la lettre du premier chapitre.

Baser un style sur un autre

Nous avons vu que la feuille de styles contient un style *Normal*, sur lequel les autres styles sont basés. Le style *Normal* est toujours présent car il fait partie des styles par défaut, que nous étudierons plus loin. Cette façon de faire présente un avantage certain.

En effet, si nous modifions une caractéristique du style *Normal*, cette modification sera appliquée à tous les paragraphes dont le style est basé sur celui-ci. A titre d'exemple, effectuez les manipulations suivantes :

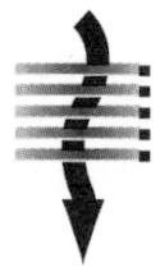

1. Si vous n'avez pas saisi la lettre complète, faites-le.
2. Affichez la boîte de dialogue *Styles* et sélectionnez *Normal*.
3. Cliquez sur *Modifier*.
4. Cliquez sur *Format* et sélectionnez *Paragraphes*.

5. Dans la zone *Alignement*, sélectionnez *Justifié* afin d'obtenir un alignement à gauche et à droite.
6. Fermez toutes les boîtes de dialogue. Tous les paragraphes de la lettre sont maintenant justifiés.

La justification ne convient pas à l'adresse et à la signature, qui comportent des ruptures de ligne. Nous allons donc modifier ces styles. Par ailleurs, nous avons donné à l'adresse, la date et la signature un retrait égal. Si nous voulons modifier ce retrait, il est probable que nous le ferons pour les trois paragraphes. Nous baserons donc les styles *Date* et *Signature* sur le style *Adresse*. Procédez de la façon suivante :

1. Affichez la boîte de dialogue *Styles*.
2. Sélectionnez le style *Adresse* et cliquez sur *Modifier*.
3. Attribuez-lui un alignement à gauche.
4. Revenez à la boîte de dialogue *Styles*.
5. Sélectionnez le style *Date* et cliquez sur *Modifier*.
6. Dans la rubrique *Basé sur*, choisissez *Adresse*. Notez, dans la zone *Aperçu*, que l'alignement est automatiquement modifié.
7. Cliquez sur *OK*.
8. Sélectionnez le style *Signature* et cliquez sur *Modifier*.
9. Dans la rubrique *Basé sur*, choisissez *Adresse*.
10. Cliquez sur *OK*, puis sur *Fermer*.

Si maintenant vous changez le retrait à gauche du style *Adresse*, les styles *Date* et *Signature* seront modifiés de la même façon.

Suppression d'un style

Pour supprimer un style, il suffit d'afficher la boîte de dialogue *Styles*, de sélectionner le style et de cliquer sur *Supprimer*. Word affiche un message de confirmation. Si vous cliquez sur *OK*, le style est supprimé. Les paragraphes dont le style est supprimé prennent le style *Normal*.

Affichage de la zone de styles

Word permet d'afficher à gauche du texte une zone de styles. Pour cela, procédez de la façon suivante :

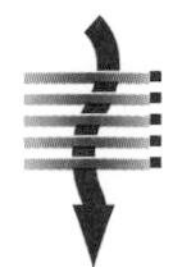

1. Déroulez le menu *Outils* et sélectionnez *Options*.
2. Dans la boîte de dialogue affichée, cliquez sur l'onglet *Affichage*.
3. L'option *Largeur de la zone de styles* indique pour l'instant 0. Choisissez une largeur de 1,5 cm.
4. Cliquez sur *OK*. Les noms des styles sont maintenant affichés à gauche des paragraphes, comme vous pouvez le voir sur la Figure 7.3.

Un double clic dans la zone de styles affiche la boîte de dialogue Styles.

Enregistrement d'une feuille de styles

Les feuilles de styles sont enregistrées avec les documents. Pour enregistrer une feuille de styles ou pour en faire une copie de sauvegarde, il faut donc enregistrer le document et faire une copie de celui-ci.

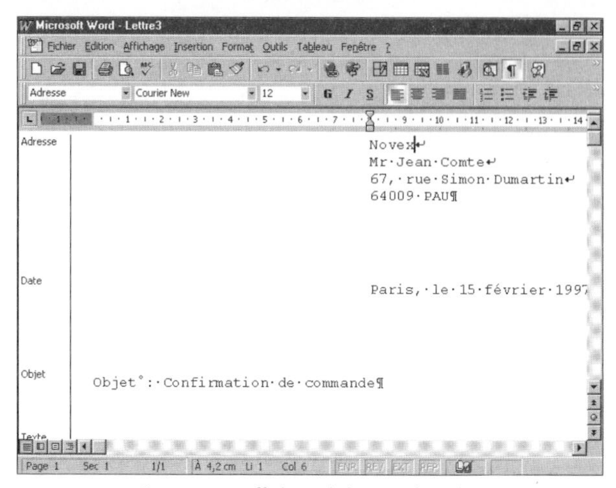

Figure 7.3 : Affichage de la zone de styles.

Les styles standard

Nous avons vu précédemment que tous les documents possèdent un style *Normal* et les styles *Titre1*, *Titre2* et *Titre3*. En fait, tout document créé se voit attribuer une feuille de styles correspondant à un modèle. Le modèle est normalement sélectionné au moment de la création du document, mais les documents créés en cliquant sur le premier bouton de la barre d'outils se conforment automatiquement au modèle NORMAL.DOT. (Les modèles seront étudiés à la fin de ce chapitre.) La feuille de styles de ce modèle contient de nombreux styles, mais ceux-ci ne sont affichés dans la barre d'outils que lorsqu'ils sont employés au moins une fois dans le document. Nous avons vu précédemment comment il était possible de visualiser tous les styles standard à l'aide de la boîte de dialogue *Styles*.

Les styles standard servent à formater de nombreux éléments comme les numéros de page et de ligne, les en-têtes et les pieds de page, les éléments d'index et de tables des matières, les notes de bas de page, ainsi que les titres. Notez un point important : si vous voulez pouvoir employer le mode *Plan*, vous devez utiliser pour vos titres les styles standard correspondants ou attribuer aux paragraphes des niveaux hiérarchiques.

Attribuer un style standard à un paragraphe

Pour attribuer un style standard à un paragraphe pour la première fois, vous devez ouvrir la boîte de dialogue, afficher les styles standard, sélectionner le type choisi et cliquer sur *Appliquer*. A partir de ce moment, le nom du style sera ajouté à la liste de la barre d'outils, et vous pourrez le sélectionner comme les autres styles.

Si vous attribuez ensuite un autre style au paragraphe, le nom reste dans la liste de la règle.

Les styles de caractères

Il est également possible de définir des styles de caractères. Ces styles peuvent comporter tous les attributs qui peuvent être affectés à des caractères. Par exemple, si vous utilisez souvent de l'Arial 11 en petites majuscules pour mettre en valeur certains mots dans un texte en Times 12, vous aurez tout intérêt à définir un style de caractères et à lui attribuer un raccourci clavier. Les styles de caractères se distinguent facilement des styles de paragraphes car leurs noms sont affichés en caractères maigres.

Lorsque vous créez un style de caractères, vous ne devez spécifier que le strict nécessaire. Si vous créez, par exemple, un style gras italique, n'indiquez aucune police, aucune taille ni aucun autre enrichissement. De cette façon, le gras et l'italique s'appliqueront sans modifier les autres attributs des caractères.

Fusionner des feuilles de styles

Nous avons dit précédemment que la feuille de styles était enregistrée avec le document. Il n'est donc pas possible d'affecter simplement une feuille de styles existante à un document. Pour utiliser une feuille de styles existante, il faut la fusionner avec celle du document, ou baser le document sur un modèle comportant cette feuille. La méthode est très simple, et nous allons l'employer pour affecter notre feuille de styles au document *Lettre2*. Procédez de la façon suivante :

1. Ouvrez le document *Lettre2*.
2. Affichez la boîte de dialogue *Styles*. Vous pouvez constater que le document ne contient que le style *Normal* et le style *Police par défaut*.
3. Cliquez sur le bouton *Organiser*. Word affiche la boîte de dialogue de la Figure 7.4. (Au besoin, cliquez sur l'onglet *Styles*.)
4. Dans la colonne de droite, cliquez sur *Fermer fichier*. (Par défaut, Word propose de copier les styles vers le modèle de document.)
5. Cliquez sur le même bouton, qui affiche maintenant *Ouvrir fichier*.

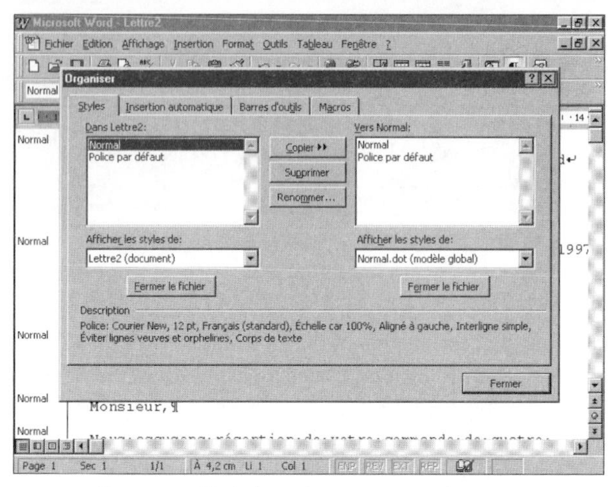

Figure 7.4 : Copie des styles vers un autre document.

6. Dans la zone *Type de fichier*, sélectionnez *Document Word*.
7. Dans la liste *Nom du fichier*, sélectionnez *Lettre2.doc* et cliquez sur *OK*.
8. Dans la colonne de gauche, sélectionnez les styles que vous voulez copier, en cliquant dessus tout en maintenant la touche MAJ enfoncée.
9. Une fois les styles sélectionnés, cliquez sur *Copier*.
10. Confirmez le remplacement des styles existants.
11. Fermez la boîte de dialogue.

Une autre façon de copier des styles d'un document à un autre consiste à copier du texte contenant les styles. Les styles du texte copié sont automatiquement ajoutés au document destination. S'il existe des styles de même nom, ils ne sont pas modifiés, contrairement à ce qui se passe avec la méthode précédente.

Ajouter des formats locaux

Un paragraphe ayant reçu un style peut être modifié localement à l'aide d'attributs de formats, comme nous l'avons fait dans les chapitres précédents. La feuille de styles représente la couche profonde de la mise en forme. Les modifications locales représentent la couche superficielle. Malheureusement, l'interaction entre ces deux couches est assez complexe. De plus, elle diffère selon les types de formats appliqués.

Si vous appliquez un format de paragraphe à un paragraphe possédant un style, rien ne l'indique. Vous pouvez ainsi modifier complètement le format d'un paragraphe. Pour supprimer tous les formats locaux d'un paragraphe, vous pouvez lui attribuer de nouveau son style. Dans ce cas, vous obtenez le message de la Figure 7.5.

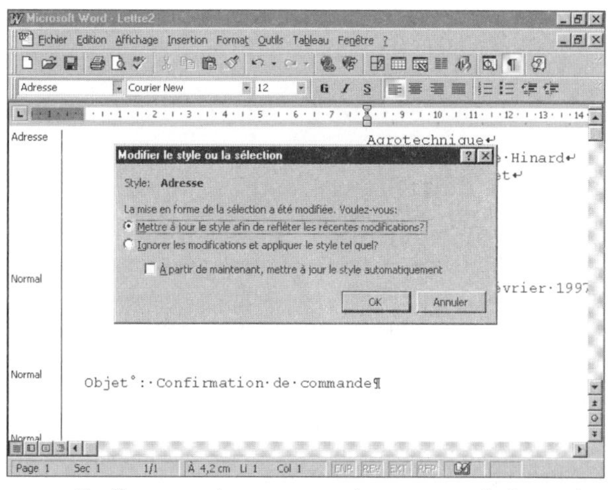

Figure 7.5 : Réaffecter un style à un paragraphe comportant des formats locaux.

Si vous cliquez sur *Ignorer les modifications et appliquer le style tel quel*, tous les formats de paragraphes locaux sont supprimés. Si vous cliquez sur *Mettre à jour le style afin de refléter les récentes modifications*, Word modifie le style en lui affectant les formats locaux du paragraphe. Tous les autres paragraphes du même style reçoivent donc les mêmes modifications.

Cette possibilité n'existe que lors de l'affectation à un paragraphe du style qu'il possède déjà. Si vous lui affectez un autre style, les modifications locales sont perdues. Le fait de lui attribuer de nouveau son style d'origine ne lui rend pas les modifications locales.

Revenir au style standard

Word possède deux commandes permettant de supprimer tous les enrichissements locaux et de revenir au format standard correspondant au style du paragraphe. Il s'agit des séquences de touches CTRL+Q pour supprimer les formats de paragraphes, et CTRL+ESPACE pour les formats de caractères.

Les modèles

Les feuilles de styles permettent de simplifier la création des documents en établissant leur mise en forme une fois pour toutes et en l'appliquant de façon simple et pratique. Cependant, avec ce que nous avons appris jusqu'ici, pour créer un document utilisant une feuille de styles, il nous faut copier les styles. Une autre solution serait de créer un document vierge que nous pourrions ouvrir pour y saisir le texte et l'enregistrer sous un autre nom. Les modèles permettent de simplifier cette procédure. Ils sont le complément idéal des feuilles de styles.

Qu'est-ce qu'un modèle ?

Un modèle est un document enregistré dans un format particulier. Lorsque vous créez un document, Word ouvre en fait une copie d'un modèle en lui donnant le nom *Document* suivi d'un numéro, comme si vous aviez créé un nouveau document.

Création d'un modèle

Nous allons créer un modèle à partir de notre document *Lettre3*. Procédez de la façon suivante :

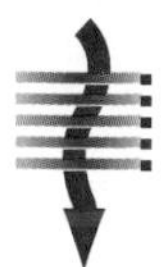

1. Ouvrez le document *Lettre3*.
2. Effacez tout le texte qu'il contient. Il reste en fait un paragraphe vide.
3. Appliquez à ce paragraphe le style *Adresse*.
4. Déroulez le menu *Fichier* et sélectionnez *Enregistrer sous*. Une boîte de dialogue est affichée.
5. Dans la zone *Nom du fichier,* tapez **Lettre**.
6. Déroulez la liste de la rubrique *Type du fichier* et sélectionnez *Modèle de document.* Word sélectionne automatiquement un dossier spécial pour enregistrer les modèles.
7. Cliquez sur *Enregistrer*.
8. Fermez le document.

Utilisation d'un modèle

Pour utiliser un modèle, il suffit de créer un document en utilisant l'article *Nouveau document* du menu *Fichier*. Procédez de la façon suivante :

1. Déroulez le menu *Fichier* et sélectionnez *Nouveau*. La boîte de dialogue suivante est affichée.

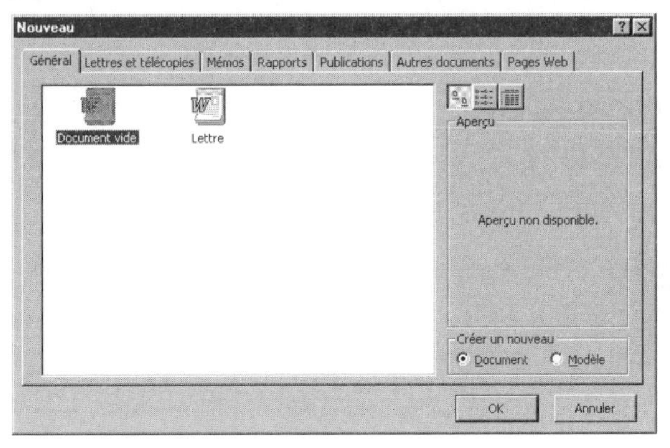

2. Sélectionnez le modèle *Lettre*.
3. Cliquez sur *OK*. Un nouveau document est affiché. Il contient la feuille de styles que nous avons créée, et son premier paragraphe a déjà le style *Adresse*. (Nous vous avions promis que vous pourriez saisir une lettre sans affecter aucun style. La moitié du travail est fait !)

Saisissez votre lettre comme vous avez appris à le faire. Le seul style que vous devrez spécifier est celui de la signature. Une fois la lettre terminée, enregistrez-la sous le nom que vous voulez.

Modifier un modèle

Pour modifier un modèle, il vous suffit de l'ouvrir en spécifiant *Modèle de document* dans la zone *Type de fichiers*. Cependant, cette méthode vous oblige à indiquer vous-même le dossier contenant les modèles. Il existe une autre façon de procéder, plus agréable :

- Créez un document en utilisant l'article *Nouveau* du menu *Fichier*.
- Dans la boîte de dialogue vous proposant un modèle, sélectionnez celui que vous voulez modifier, puis cliquez sur *Modèle* (dans la zone *Nouveau*) et sur *OK*. Word ouvre un nouveau modèle, identique à celui que vous voulez modifier et appelé *Modèle1*.
- Effectuez les modifications.
- Enregistrez le document sous le nom du modèle original. L'option *Modèle de document* est automatiquement proposée dans la liste des formats.
- Lorsque Word vous demande de confirmer le remplacement du document, cliquez sur *Oui*. (Si Word ne vous demande pas de confirmation, c'est que vous n'avez pas tapé le nom correctement ou que vous n'avez pas sélectionné le bon format.)

L'insertion automatique

Nous vous avons promis de vous donner un moyen pour ne pas avoir à affecter le dernier style de la lettre, correspondant à la signature. En fait, nous allons faire beaucoup mieux : vous n'aurez bientôt plus à saisir ni le style, ni la signature elle-même. Nous utiliserons pour cela la fonction d'insertion automatique. Cette fonction correspond à ce qui est appelé (à tort) *glossaire* dans les autres traitements de texte (et dans la version précédente de Word).

Créer une insertion automatique

Vous pouvez créer une insertion automatique avec ce que vous voulez. A titre d'exemple, nous allons en créer une pour le paragraphe contenant la signature de la lettre. En effet, celle-ci ne change jamais. De cette façon, il nous suffira de taper une séquence de touches pour insérer la signature avec son style. Procédez de la façon suivante :

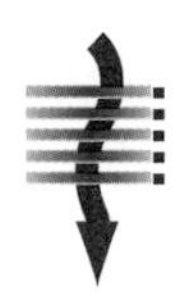

1. Ouvrez le document *Lettre3*.
2. Sélectionnez le paragraphe contenant la signature.
3. Déroulez le menu *Insertion* et sélectionnez *Insertion automatique*.
4. Dans le sous-menu affiché, cliquez sur *Nouveau*.La boîte de dialogue de la Figure 7.6 est affichée.

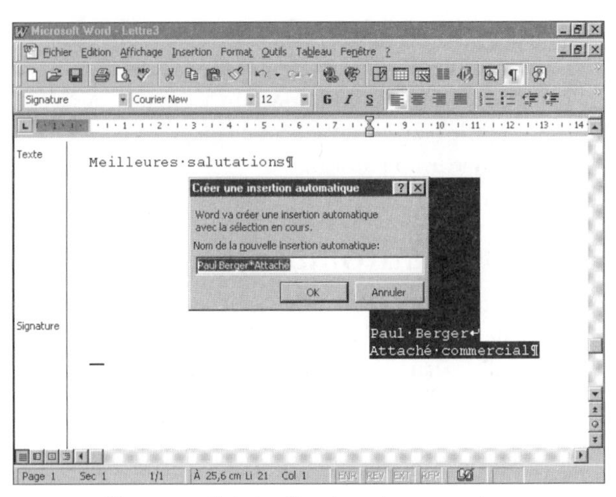

Figure 7.6 : Création d'une insertion automatique.

5. Tapez le nom que vous voulez donner à l'insertion automatique, par exemple vos initiales. Nous utiliserons les lettres **pb**.
6. Cliquez sur *OK*.
7. Effacez tout le texte du document.
8. Donnez au paragraphe restant le style *Adresse*.
9. Enregistrez le document comme modèle en lui donnant le nom *Lettre*, comme indiqué à la section précédente.

Utilisation d'une insertion automatique

Pour utiliser l'insertion automatique que nous venons de créer, procédez de la façon suivante :

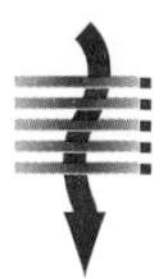

1. Créez une lettre à l'aide du modèle *Lettre*..
2. Tapez le texte de la lettre jusqu'au dernier paragraphe de texte et terminez-le en tapant la touche ENTRÉE.
3. Tapez les lettres **pb**.
4. Cliquez sur le bouton d'insertion automatique, ou tapez la touche F3.

La signature est automatiquement insérée à la fin de la lettre.

Si vous ne vous souvenez plus de l'abréviation à utiliser, vous pouvez employer une autre méthode. Remplacez les étapes 3 et 4 par les suivantes :

5. Déroulez le menu *Insertion* et cliquez sur *Insertion automatique*.

6. Dans la liste affichée, cliquez sur *Signature*.
7. Sélectionnez *pb*..

Modifier une insertion automatique

Pour modifier une insertion automatique, il faut l'insérer, faire les modifications nécessaires, puis l'enregistrer de nouveau sous le même nom.

Pour supprimer une insertion automatique, il suffit d'afficher la boîte de dialogue *Insertion automatique*, de sélectionner son nom et de cliquer sur *Supprimer*.

Il n'est pas possible d'annuler la suppression d'une insertion automatique.

CHAPITRE 8

Les graphiques

Les documents imprimés ne contiennent pas seulement du texte. L'image est un élément essentiel de la communication. Word permet d'insérer facilement dans un texte des images provenant de sources diverses : programmes de dessin vectoriel ou bitmap, photographies scannées, graphiques réalisés à partir de données numériques, captures d'écran, etc. Word est même livré avec un programme de dessin vectoriel, ainsi que l'application *Microsoft Graph* permettant de transformer vos données numériques en superbes graphiques. Il s'agit pratiquement de deux applications à part entière que nous n'avons pas la place de décrire ici.

Importer un graphique

Word peut lire les graphiques aux formats les plus courants, parmi lesquels les formats EPS, TIFF, PCX et BMP. La plupart des applications qui produisent des graphiques permettent de le faire dans un de ces quatre formats. (Word peut également importer de nombreux autres formats.)

A titre d'exemple, nous allons importer un fichier TIFF et un fichier EPS. Ces fichiers se trouvent sur la disquette d'accompagnement que vous pouvez vous procurer séparément. Le fichier TIFF comporte une signature scannée, et le fichier EPS un logo réalisé à l'aide d'Illustrator. Procédez de la façon suivante :

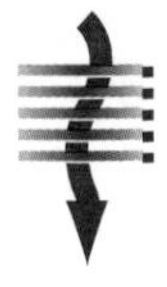

1. Ouvrez le document *Lettre 3*.
2. Placez le point d'insertion devant le premier caractère de la signature et tapez les touches MAJ+ENTRÉE pour insérer une ligne vide.
3. Placez le point d'insertion dans cette ligne vide (en tapant la touche HAUT).

4. Déroulez le menu *Insertion* et sélectionnez *Image*.
5. Dans le sous-menu *Affiché*, cliquez sur *A partir du fichier*. Une boîte de dialogue ressemblant à celle utilisée pour l'ouverture d'un document est affichée.
6. Dans la rubrique *Type de fichier*, vérifiez que l'option *Toutes les images* est sélectionnée. Vous pouvez également sélectionner *Tagged Image File Format*.
7. Sélectionnez le fichier à insérer, *Signatur.tif*, se trouvant sur la disquette d'accompagnement (disponible séparément).
8. Cochez la case *Lier au fichier*. Cette option crée un lien permanent entre le fichier contenant l'image (la signature) et le document dans lequel elle est insérée. Cela présente deux avantages. Le premier est que si vous modifiez l'image, la modification est automatiquement répercutée dans tous les documents dans lesquels elle est incluse. Cela peut paraître sans importance ici (on modifie rarement sa signature), mais être utile dans d'autres cas. Le second avantage est que cela vous permet de ne pas enregistrer l'image dans votre document, ce qui vous fait économiser la taille de celle-ci. Votre document fait normalement environ 10 000 octets. Si l'image est incluse, sa taille triple. En supposant que vous tapiez une dizaine de lettres par jour, vous économisez quotidiennement 200 Ko d'espace disque en n'incluant pas les images dans les documents.
9. Décochez la case *Enregistrer avec le document*.
10. Décochez la case *Dissocier du texte*.

L'image n'étant pas enregistrée dans le document, vous ne devez ni l'effacer, ni même la déplacer. Si vous ne respectez pas cette règle, Word ne sera pas en mesure de retrouver l'image pour l'imprimer.

11. Cliquez sur *Insérer*.
12. Cliquez sur l'image insérée pour la sélectionner.
13. Déroulez le menu *Format* et sélectionnez *Image*.
14. Dans la boîte de dialogue affichée, cliquez sur l'onglet *Taille*.
15. Indiquez une largeur de 5 cm.
16. Cliquez sur *OK*.

La signature scannée est maintenant insérée dans la lettre. Cependant, l'espace de 114 points avant le paragraphe, qui était prévu pour une signature manuscrite, est maintenant trop important. Modifiez le style *Signature* et remplacez-le par un espace de 30 points. Par la même occasion, supprimez l'espace après. La Figure 8.1 montre le résultat obtenu.

Si vous voulez mettre à jour l'insertion automatique contenant la signature, vous devez procéder de la façon suivante :

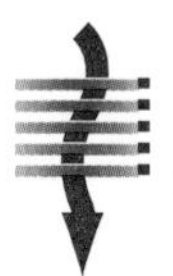

1. Sélectionnez le paragraphe contenant la signature.
2. Déroulez le menu *Edition* et sélectionnez *Insertion automatique*.
3. Cliquez sur *Nouveau*.
4. Dans la boîte de dialogue affichée, tapez **pb**.
5. Cliquez sur *OK*.

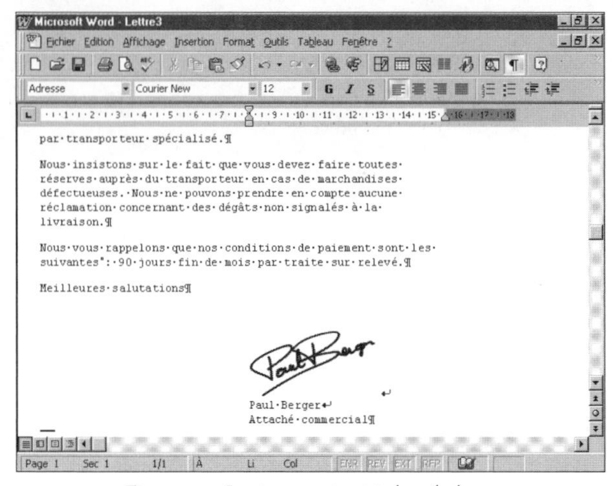

Figure 8.1 : La signature insérée dans la lettre.

6. Lorsque Word vous demande de confirmer le remplacement de l'entrée, cliquez sur *Oui*.

Vous pourrez désormais insérer le paragraphe avec la signature scannée à l'aide de la fonction d'insertion automatique.

Recadrer un graphique

Un graphique inséré de cette façon peut être redimensionné en y cliquant pour faire apparaître ses poignées et en faisant glisser celles-ci à l'aide de la souris. Vous pouvez également le recadrer en effectuant la même avec l'outil de rognage, se trouvant dans la barre d'outils *Image* :

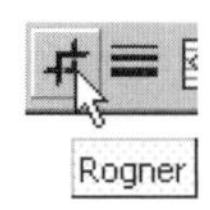

Le pointeur prend alors une forme particulière :

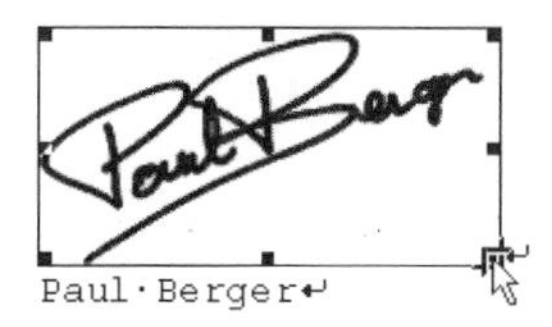

Dans ce cas, les dimensions du graphique ne sont pas modifiées. Seul l'espace qui lui est alloué l'est. Si vous choisissez un espace plus grand que le graphique, celui-ci est cadré dans l'angle supérieur gauche. Si vous choisissez un espace plus petit, le graphique est tronqué.

Modifier un graphique importé

Vous pouvez modifier une image importée en y faisant un double clic. Elle est alors chargée dans l'environnement de création d'image de Word. Celui-ci permet d'ajouter des éléments à l'image ou de la recadrer, mais pas de la modifier vraiment.

Pour modifier plus profondément l'image, procédez de la façon suivante :

1. Coupez l'image pour la placer dans le presse-papiers.
2. Déroulez le menu *Insertion* et sélectionnez *Objet*. La boîte de dialogue de la Figure 8.2 est affichée.
3. Choisissez dans la liste un objet compatible avec votre image, par exemple *Microsoft Photo Editor*.
4. Cliquez sur *OK*.
5. Collez le contenu du presse-papiers dans la fenêtre de *Photo Editor*.
6. Modifiez l'image, puis refermez l'application.

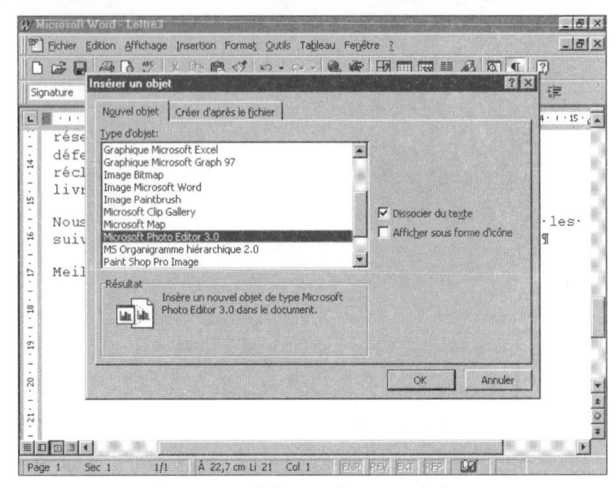

Figure 8.2 : Sélection d'un type d'objet.

Si l'image a été créée par une application qui peut tenir le rôle de serveur d'objet, vous pouvez l'importer directement à l'aide de l'option Objet **du menu** Insertion**, en cliquant sur l'onglet** Objet **existant dans la boîte de dialogue affichée.**

Les modifications que Word peut apporter aux fichiers TIFF et aux autres fichiers en mode points, ainsi qu'aux fichiers EPS, sont limitées. Vous pouvez modifier leur taille et leur couleur et leur ajouter des éléments, mais vous ne pouvez pas modifier les éléments existants.

Copier un graphique à l'aide du presse-papiers

Vous pouvez également copier un graphique dans le presse-papiers à partir de l'application qui l'a créé, et le coller dans Word, en procédant comme pour une copie normale.

Importer un fichier EPS

L'importation d'un fichier EPS ne pose en principe pas plus de problèmes que celle d'un fichier TIFF.

1. Placez le point d'insertion au début de l'adresse.
2. Procédez comme précédemment pour importer le document *Logo.eps*.

Positionner les graphiques

Le logo que nous avons inséré n'est pas bien positionné. En effet, nous voudrions le placer à 5 mm du bord supérieur de la feuille, et à 13 mm du bord gauche. Pour cela, nous pouvons évidemment modifier les marges du document. Cette solution n'est cependant pas satisfaisante, car les marges ainsi modifiées ne conviennent pas au reste du document. En fait, ce qu'il nous faut faire, c'est placer le logo dans la marge. Pour cela, nous devons dissocier l'image du texte.

Dissocier l'image du texte

Word a une façon très particulière de considérer les cadres. En effet, tout se passe comme si vous deviez insérer un cadre autour d'un élément à l'aide du menu *Insertion*. Cette façon de voir est fortement biaisée. En fait, les cadres ne sont rien d'autre qu'un format de paragraphe qui ne peut être modifié tant que vous n'avez pas utilisé la commande *Cadre* du menu *Insertion*. Cela est d'ailleurs confirmé par le fait que l'attribut *Cadre* des paragraphes est immédiatement disponible lors de la définition des styles. Persuadez-vous donc que le cadre d'un paragraphe est un attribut tout comme l'espace avant ou l'alignement.

En fait, la commande *Cadre* du menu *Insertion* fait une chose supplémentaire. Si l'élément sélectionné est une partie de paragraphe, il est placé dans un paragraphe séparé, en insérant une fin de paragraphe avant et après. (Avant seulement si l'élément est en fin de paragraphe et après seulement s'il est en début de paragraphe.)

Pour dissocier l'image du texte, procédez de la façon suivante :

1. Sélectionnez le logo en cliquant dessus.
2. Déroulez le menu *Format* et sélectionnez *Image*.
3. Dans la boîte de dialogue affichée, cliquez sur l'onglet *Position*. Vous obtenez l'affichage de la Figure 8.3.

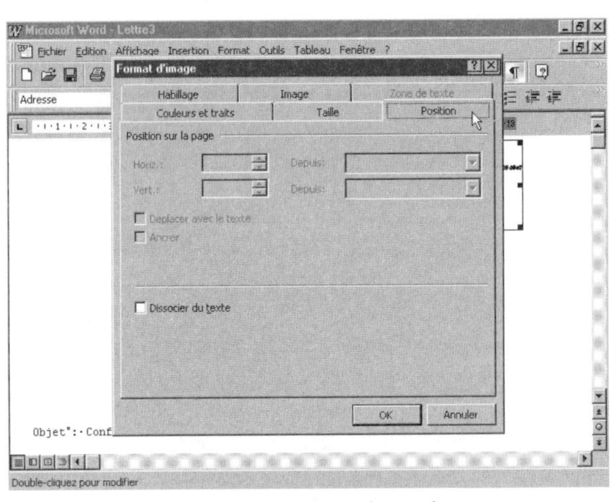

Figure 8.3 : "Insertion" d'un cadre.

4. Cochez la case *Dissocier du texte*. Vous pouvez maintenant contrôler précisément la position du logo.

Les rubriques *Horiz.* et *Vert.* permettent de spécifier la position horizontale et la position verticale du cadre, ainsi que le point de référence. La position peut être déterminée par rapport à la page, à la marge ou à la colonne pour la position horizontale, et par rapport à la page, à la marge et au paragraphe pour la position verticale. Si vous voulez que le cadre se déplace verticalement avec le texte en cas de modification de celui-ci ou de la mise en page, il vous suffit de cocher la case *Déplacer avec le texte*. L'option *Ancrer* verrouille le point d'ancrage par rapport au texte.

5. Pour la position horizontale, indiquez 1,3 et sélectionnez *Page*. De cette façon, le graphique se trouvera à 1,3 cm du bord gauche de la page.
6. Pour la position verticale, indiquez 0,7 et sélectionnez *Page*. Le graphique se trouvera ainsi à 0,7 cm du haut de la page.
7. Cliquez sur *OK*. La Figure 8.4 montre le résultat obtenu.

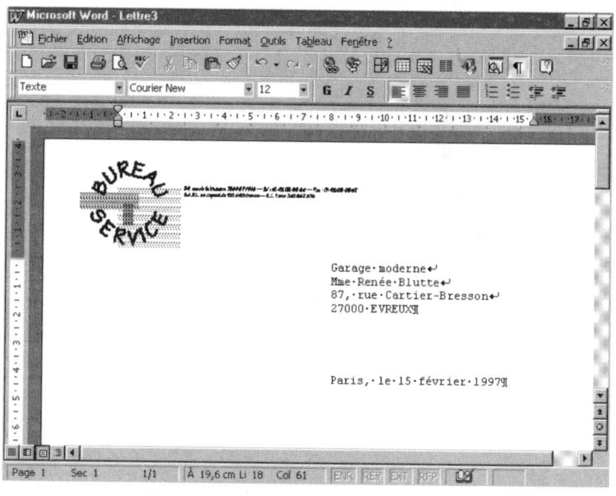

Figure 8.4 : Le logo correctement placé.

Vous pouvez constater que Word est passé automatiquement en mode page. En effet, les images dissociées du texte ne sont pas visibles en mode normal.

Création d'une zone de texte dissociée avec des paragraphes de texte

Il est possible de dissocier également une zone de texte afin de contrôler précisément sa position sur la page. Pour cela, il suffit de procéder de la façon suivante :

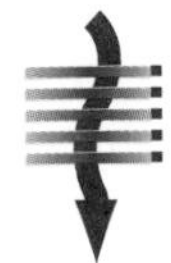

1. Placez le point d'insertion à l'endroit où vous souhaitez ancrer la zone de texte.
2. Déroulez le menu *Insertion* et sélectionnez *Zone de texte*. Le pointeur prend la forme d'une croix.
3. Tracez la zone de texte où vous voulez sur la page. Le contour de la zone est indiqué par un rectangle hachuré (Figure 8.5.).
4. Tapez le texte souhaité dans la zone de texte et mettez-le en forme en utilisant les commandes habituelles de Word.

Vous pouvez modifier la position de la zone de texte comme celle d'une image, en la faisant glisser ou en utilisant la commande *Zone de texte* du menu *Format*.

Supprimez ensuite la zone de texte en la sélectionnant et en tapant la touche SUPPR, ou en utilisant la commande d'annulation autant de fois que nécessaire.

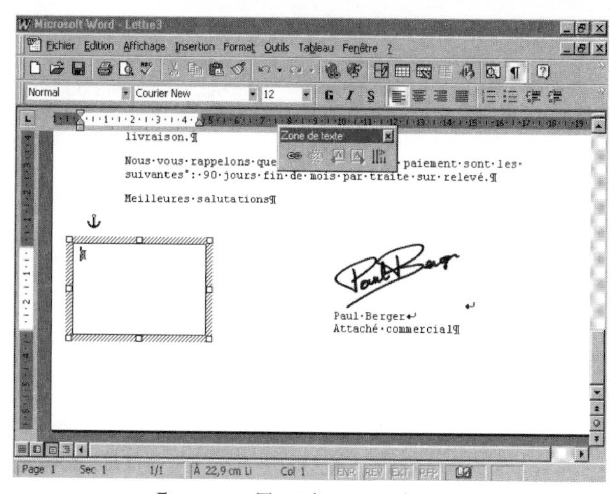

Figure 8.5 : Tracé d'une zone de texte.

Mise à jour du modèle

Après ces modifications, il vous faut mettre à jour le modèle de lettre en procédant de la façon suivante :

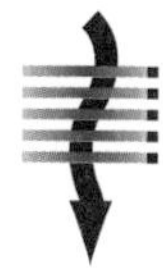

1. Enregistrez le document *Lettre3*.
2. Sélectionnez le paragraphe contenant le logo.
3. Copiez-le dans le presse-papiers.
4. Fermez le document
5. Ouvrez le modèle *Lettre*.
6. Collez le contenu du presse-papiers.
7. Enregistrez le modèle.

Vous pouvez maintenant créer sans effort une lettre entièrement formatée, avec son en-tête et sa signature.

CHAPITRE 9

Mise en page des documents

Nous avons déjà utilisé certaines fonctions de mise en forme des documents, principalement en ce qui concerne les marges et le positionnement des éléments dans les pages. Dans ce chapitre, nous étudierons plus particulièrement les fonctions liées à l'organisation des documents de plusieurs pages : numérotation des pages, titres courants, notes de bas de page, texte multicolonne, pagination automatique et manuelle, etc.

Insérer des changements de section et des changements de page

Word effectue automatiquement la pagination des documents. Vous pouvez cependant insérer des sauts de page où vous le souhaitez en tapant les touches CTRL+ENTRÉE. Les sauts de page insérés automatiquement par Word sont affichés sous la forme d'un trait pointillé horizontal :

....

Les sauts de page manuels insérés à l'aide des touches CTRL+ENTRÉE sont affichés sous la forme suivante :

.... Saut de page ....

Le saut de page manuel est un caractère comme les autres et peut être saisi n'importe où dans un paragraphe. Il cause évidemment un passage à la ligne. En mode page, un saut de page manuel est affiché à la fin de la page sur laquelle il a été saisi (et non au début de la nouvelle page).

La rupture de page au milieu d'un paragraphe n'est généralement pas une bonne solution. En effet, le saut de page a une position fixe dans la ligne et se comporte donc aussi comme un saut de ligne. Si le texte est remanié, on peut obtenir un effet désastreux comme dans l'exemple suivant. Dans l'exemple du quatrième paragraphe, si l'on ajoute un mot dans la première ligne, l'effet peut être désastreux :

```
Ce·paragraphe·comporte·un·saut·de·page·manuel·entre·la·¶
.............................Saut de page.............................
première·et·la·deuxième·ligne.¶

Ce·paragraphe·modifié·comporte·un·saut·de·page·manuel·entre·
la·¶
.............................Saut de page.............................
première·et·la·deuxième·ligne.¶
```

Ce type de saut de page manuel étant le plus souvent employé pour empêcher un saut de page automatique ailleurs, il est préférable d'utiliser une fonction telle que *Lignes solidaires* ou *Paragraphes solidaires* (dans la boîte de dialogue *Paragraphe*). Par exemple, si vous voulez empêcher un saut de page entre un titre et le texte suivant, il vaut mieux attribuer le format *Paragraphes solidaires* au titre plutôt que d'introduire un saut de page manuel dans le paragraphe précédent. (On applique ici la même technique qu'en ce qui concerne les fins de ligne. Il faut toujours préférer l'interdiction de couper à un endroit plutôt que l'obligation de couper à un autre.)

Les espaces en haut de page

Word annule les espaces avant les paragraphes s'ils se trouvent en haut de page, et les espaces après s'ils se trouvent en bas de page. C'est la raison pour laquelle il ne faut pas espacer les paragraphes en tapant des paragraphes vides. En effet, ceux-ci risqueraient de tomber en haut de page, créant un blanc inesthétique. Il existe cependant une exception importante. L'espace avant les paragraphes est conservé après un saut de page manuel. Cependant, cette particularité (souvent gênante) peut être modifiée en utilisant l'onglet *Compatibilité* de la boîte de dialogue *Options* (menu *Outils*).

Insertion d'un changement de section

Word divise les documents en sections. Nous en avons déjà rencontré un exemple au Chapitre 3. Tous les documents comportent au moins une section. Un certain nombre d'options de formatage sont attachées aux sections. Pour insérer un changement de section, il faut sélectionner l'article *Saut* du menu *Insertion*. La boîte de dialogue affichée permet de sélectionner un saut de page ou de colonne, ainsi qu'un saut de section en indiquant si la nouvelle section doit commencer à la suite de la précédente (*Continu*), sur une nouvelle page, sur une page paire ou sur une page impaire :

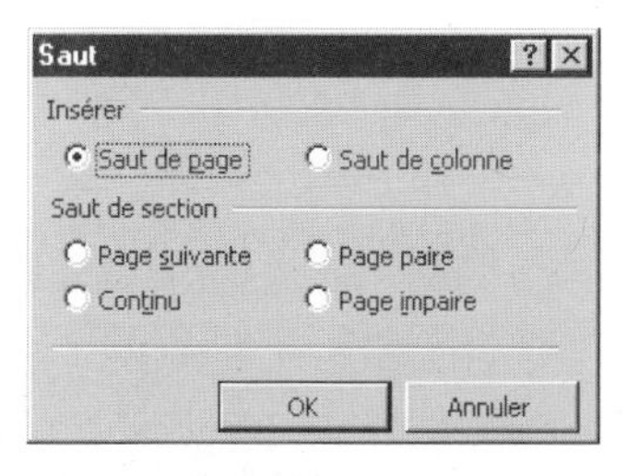

Le saut de section est signalé par une marque de fin de section, représentée par une double ligne pointillée.

Saut de section (continu)

La marque de fin de section se comporte de façon différente de la marque de saut de page. En effet, tout se passe comme si elle incluait une marque de fin de paragraphe. Ainsi, un paragraphe se terminant par une fin de section peut ne pas avoir de marque de fin de paragraphe.

Les formats de section sont stockés dans les marques de fin de section et peuvent donc être recopiés. Cependant, vous ne pouvez pas les copier à l'aide du bouton de la barre d'outils ou des touches

CTRL+MAJ+C. Pour copier le format d'une section, procédez de la façon suivante :

1. Sélectionnez la marque de fin de section dont vous voulez copier le format, en cliquant dans la barre de sélection.

Saut de section (page impaire)

2. Copiez-la dans le presse-papiers.
3. Sélectionnez la marque de fin de section à laquelle vous voulez attribuer le format.
4. Collez le contenu du presse-papiers. La marque sélectionnée est remplacée par celle que vous avez copiée.

La dernière section du document ne comporte pas de marque de fin de section. Il n'est donc pas possible de copier son format sans une astuce. Celle-ci consiste à y insérer un saut de section. Elle est alors divisée en deux sections identiques. Vous pouvez copier le format du saut de section, puis l'effacer. Si vous voulez attribuer à la dernière section d'un document un format copié sur une autre section, vous pouvez ajouter un paragraphe vide à la fin du document et y insérer la marque de fin de section.

Si une marque séparant deux sections est effacée, l'ensemble prend le format de la deuxième. Si vous commencez une nouvelle section, elle prend par défaut le format de la précédente.

Sélection et effacement des marques de fin de section et des sauts de page

Les marques de fin de section et les sauts de page peuvent être sélectionnés, coupés, copiés et collés comme des caractères normaux.

Mise en forme des sections

Comme nous l'avons dit précédemment, un certain nombre d'options de mise en page peuvent concerner une section particulière, plusieurs sections ou la totalité d'un document. Ces options sont configurables au moyen de la boîte de dialogue *Mise en page*. Pour modifier la mise en page d'une ou de plusieurs sections, procédez de la façon suivante :

1. Déroulez le menu *Fichier*.
2. Sélectionnez *Mise en page*. La boîte de dialogue de la Figure 9.1 est affichée. (La figure montre l'onglet *Marges*.)

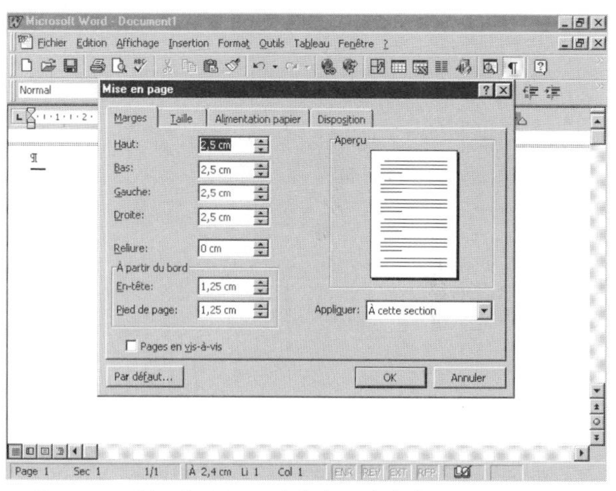

Figure 9.1 : L'onglet Marges de la boîte de dialogue Mise en page.

Vous pouvez également faire un double clic sur une marque de fin de section ou dans la partie supérieure de la règle.

Les marges

La boîte de dialogue *Mise en page* contrôle essentiellement les marges du document. Celles-ci sont de cinq types différents, comme on peut le voir sur la Figure 9.2 : *marge haute, marge basse, marge gauche* ou *intérieure, marge droite* ou *extérieure, marge de reliure.*

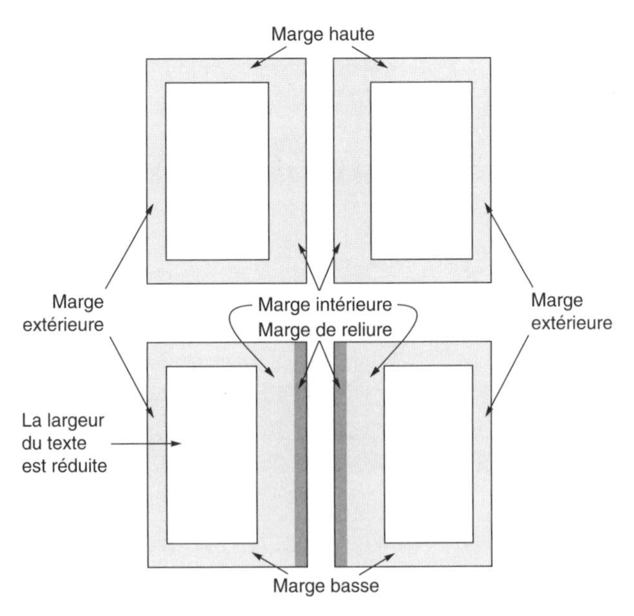

Figure 9.2 : Les marges d'un document.

Les marges gauche et droite sont respectivement appelées *intérieure* et *extérieure* si l'option *Pages en vis-à-vis* est cochée. Dans un document imprimé recto verso, il est fréquent que les marges soient symétriques sur les pages gauche et droite (paire et impaire). Word permet d'obtenir ce résultat de deux façons. La première consiste à cocher l'option *Pages en vis-à-vis* et à saisir des valeurs différentes pour les marges intérieure et extérieure. La seconde méthode consiste à donner une valeur à la marge de reliure. Cette marge s'ajoute à la marge intérieure.

Il est également possible de modifier les marges du document de façon interactive, en mode *Aperçu avant impression*, comme nous l'avons vu au Chapitre 1.

La zone *Appliquer* permet d'indiquer si la mise en page doit s'appliquer à la section contenant le point d'insertion, à tout le document ou à partir du point d'insertion. Dans ce dernier cas, un saut de section est automatiquement inséré.

Le bouton *Par défaut* permet de faire des options choisies les options par défaut qui seront automatiquement appliquées à tous les nouveaux documents créés à l'aide du modèle *Normal*.

Les options Taille et Orientation

Si vous cliquez sur l'onglet *Taille et orientation*, une nouvelle série d'options est affichée. Ces options permettent de choisir la taille du papier dans la liste des formats disponibles sur votre imprimante, ou d'indiquer les dimensions d'un format personnalisé. Vous pouvez également sélectionner l'orientation verticale ou horizontale du papier. L'orientation du papier défini ici a priorité sur celle choisie dans le pilote d'imprimante de Windows. En revanche, l'interaction entre les tailles de papier sélectionnées dans Word et dans le pilote d'imprimante est plus complexe. Il est préférable de toujours choisir la même taille.

Sélection d'un dispositif d'alimentation

L'onglet *Alimentation papier* permet de choisir un dispositif d'alimentation de papier, si votre imprimante en comporte plusieurs. Il est ainsi possible d'imprimer la première page d'un courrier sur du papier à en-tête et le reste sur du papier vierge. Vous pouvez attribuer un dispositif d'alimentation différent pour la première page et pour les suivantes, et cela pour chaque section du document. Nous verrons, au Chapitre 11, comment cela peut être mis à profit pour imprimer à l'aide d'un seul document une enveloppe et un courrier de plusieurs pages avec du papier différent pour la première page.

Les options de disposition

L'onglet *Disposition* affiche une série d'options supplémentaires concernant la présentation du document. Elles sont décrites succinctement ici. Elles sont traitées avec plus de détails un peu plus loin.

- L'option *Début de la section* permet de déterminer si la section commence à la suite de la précédente (*Continu*), dans une nouvelle colonne, sur une nouvelle page, sur une nouvelle page paire ou sur une nouvelle page impaire.
- L'option *Supprimer les notes de fin* permet de reporter les notes de fin de section à une section ultérieure (voir plus loin).
- La zone *Alignement vertical* permet d'indiquer si le contenu des pages doit être aligné sur la marge haute, centré entre les marges, ou aligné sur les marges haute et basse. Si cette dernière option est choisie, de l'espace est ajouté entre les paragraphes pour obtenir l'alignement adéquat. Cette option ne fonctionne que pour une section composée d'une seule page et ne doit pas être employée pour des sections de plusieurs pages. (Dans ce cas, le résultat est aléatoire.)

- Le bouton *Numérotation des lignes* affiche une boîte de dialogue permettant de configurer les options de numérotation des lignes :

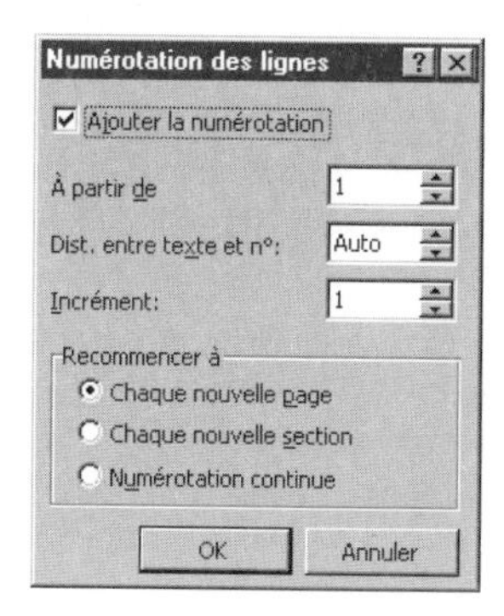

Les lignes peuvent être numérotées par page, par section ou en continu. Vous pouvez indiquer le numéro de départ et l'incrément. (Pour numéroter les lignes de cinq en cinq, par exemple, choisissez 5 pour la valeur de l'incrément.) Vous pouvez également fixer la distance séparant les numéros du texte, ou sélectionner *Auto*. Les numéros de lignes ne sont pas des caractères insérés dans le document. Ils ne sont visibles qu'en mode *Page* et en mode *Aperçu avant impression*, ainsi qu'à l'impression. Vous pouvez les supprimer à tout moment en désélectionnant l'option *Ajouter numérotation*. Vous pouvez également supprimer la numérotation dans certains paragraphes en utilisant l'option correspondante de la boîte de dialogue *Paragraphes*.

- La zone *En-têtes et pieds de page* permet d'indiquer si ces éléments doivent être différents sur les pages paires et impaires, ainsi que sur la première page de chaque section.

Les sections peuvent être utilisées pour contrôler les différentes parties d'un document, comme les chapitres d'un livre ou les éléments d'un rapport. Il est ainsi possible de modifier le nombre de colonnes, les titres courants (en-têtes et pieds de page), ou la numérotation des pages. Les notes de bas de page peuvent être rassemblées à la fin de chaque section, ou dans la dernière section du document.

Numérotation des pages

Word est capable de numéroter automatiquement les pages d'un document. Vous pouvez définir la position et le format des numéros de page à l'aide de la boîte de dialogue *Numéros de page*, ou placer dans le document un marqueur spécial, mis en forme comme du texte normal, et qui sera remplacé par le numéro de page. Ce type de numérotation s'utilise dans les titres courants, comme nous le verrons plus loin.

Pour expérimenter les fonctions de numérotation de page, vous avez besoin d'un document de plusieurs pages. Si vous possédez la disquette d'accompagnement (disponible séparément), chargez le document *Echanges*. Dans le cas contraire, chargez un document quelconque.

Pour placer des numéros de page dans le document, procédez de la façon suivante :

1. Déroulez le menu *Insertion* et sélectionnez *Numéros de page*. La boîte de dialogue de la Figure 9.3 est affichée.
2. Dans la zone *Position*, sélectionnez *Bas de page (pied de page)*.
3. Dans la zone *Alignement*, sélectionnez *Droite*.
4. Cochez la case *Commencer la numérotation à la première page*. Dans le cas contraire, la numérotation commence à la deuxième page.

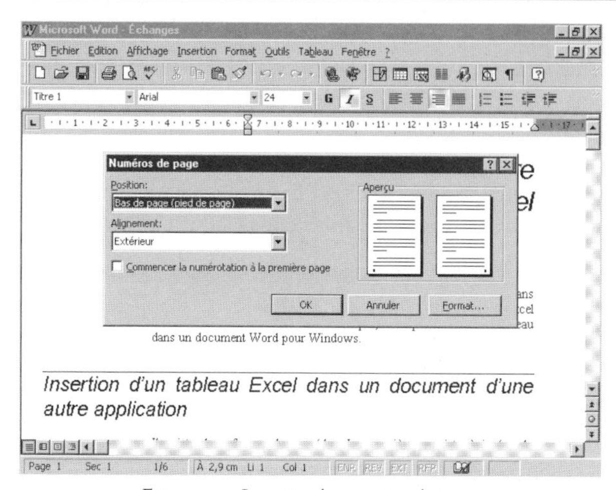

Figure 9.3 : Insertion des numéros de page.

5. Si vous voulez un format de numérotation particulier, cliquez sur le bouton *Format*. Une nouvelle boîte de dialogue est affichée.

L'option *Format* permet de choisir un des formats suivants : chiffres arabes, chiffres romains majuscules, chiffres romains minuscules, lettres majuscules ou lettres minuscules

L'option *A la suite de la section précédente* permet d'obtenir une numérotation continue d'une section à l'autre. L'option *A partir de* sert à réinitialiser la numérotation en indiquant le numéro de départ.

L'option *Inclure le numéro de chapitre* permet de faire précéder le numéro de page du numéro de chapitre. Le style par défaut pour le numéro de chapitre est *Titre 1*, mais vous pouvez également indiquer un autre style. (Cela peut être utile si vous avez des styles différents pour le numéro de chapitre et pour le titre.) Vous pouvez également choisir un séparateur qui sera placé entre le numéro de page et le numéro de chapitre.

Pour constater la présence des numéros de page, affichez le document en mode *Aperçu avant impression* en sélectionnant cette option dans le menu *Fichier*. La Figure 9.4 montre la première page du document. Les numéros de page sont également visibles en mode *Page*.

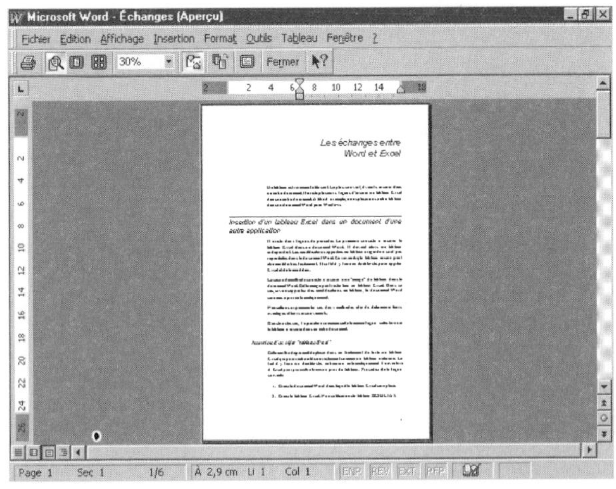

Figure 9.4 : Les pages numérotées.

Lorsque vous commencez une nouvelle section, elle hérite du format de la précédente. Il est donc utile de configurer la première section avant de créer les suivantes. Si vous voulez modifier plusieurs sections à la fois, vous pouvez le faire en sélectionnant du texte couvrant toutes les sections concernées, ou en indiquant dans la boîte de dialogue de mise en page que la modification concerne la totalité du document.

Mise en forme des numéros de page

Lorsque vous placez des numéros de page à l'aide de la méthode précédente, Word ajoute automatiquement le style standard *Pied de page* à la liste déroulante de la règle. Pour mettre en forme les numéros de page, il vous suffit de modifier ce style à l'aide de l'article *Styles* du menu *Format*. Si vous aviez choisi la position *Haut de page (en-tête)*, Word aurait ajouté le style *En-tête*. En effet, la méthode que nous venons de décrire n'est qu'un raccourci pour la création d'en-têtes et de pieds de page, comme nous le verrons plus loin.

Les titres courants

Les *titres courants* sont des éléments qui sont répétés sur toutes les pages d'un document, à l'exception, parfois, des première et dernière pages. Word permet de définir un titre courant haut, appelé *en-tête*, et un titre courant bas, appelé *pied de page*. Nous allons définir un en-tête contenant, sur les pages paires, les mots :

```
Word et Excel
```

et, sur les pages impaires, les mots :

```
Echanges de données
```

Nous définirons également un pied de page contenant, à l'extérieur, le mot *Page* suivi du numéro de page, et, à l'intérieur, la date. La première page de texte n'aura pas d'en-tête. Procédez de la façon suivante :

1. Affichez la boîte de dialogue *Mise en page* (menu *Fichier*).
2. Cliquez sur l'onglet *Disposition*.

3. Cochez les cases Paires et impaires différentes et Première page différente.

L'option *Première page différente* permet traiter différemment les zones d'en-tête et de pied de page de la première page d'une section. Il est en effet d'usage de ne pas placer d'en-tête sur la première page d'un document.

4. Cliquez sur *OK*.
5. Déroulez le menu *Affichage* et sélectionnez *En-tête et pied de page*. Vous obtenez l'affichage de la Figure 9.5. La zone encadrée de pointillé, en haut de l'écran, représente l'espace réservé à l'en-tête.

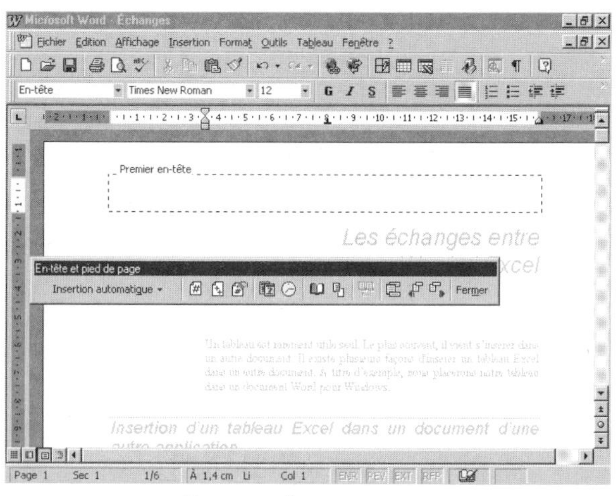

Figure 9.5 : Le premier en-tête.

6. Nous ne voulons pas d'en-tête sur la première page. Cliquez donc sur le quatrième bouton à partir de la droite

dans la palette flottante. Ce bouton alterne entre les en-têtes et les pieds de page.

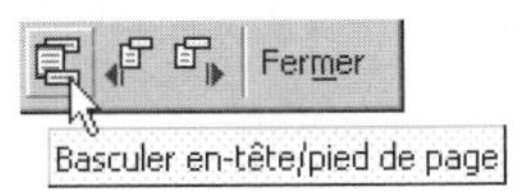

Vous obtenez l'affichage du premier pied de page.

7. La première page étant une page impaire, nous placerons la date du côté intérieur (à gauche) et le numéro de page à l'extérieur. Cliquez sur le bouton représentant un calendrier :

La date est insérée dans le pied de page.

8. Tapez deux fois la touche TAB.
9. Tapez le mot **Page** suivi d'un espace.
10. Cliquez sur le bouton représentant le signe # :

Le numéro de page est inséré dans le pied de page.

11. Ajustez le retrait à gauche du paragraphe en faisant glisser les marques des retraits vers la gauche (donnez-lui une valeur nulle), puis définissez le style du paragraphe en sélectionnant *Premier pied de page* dans la zone de styles de la barre d'outils et en confirmant la modification. Le pied de première page est maintenant terminé.

Nous avons tapé deux tabulations, car le style standard de pied de page comporte une tabulation au milieu du paragraphe et une à l'extrémité droite. Nous aurions pu supprimer la tabulation centrée et ne taper qu'une fois la touche TAB.

12. Cliquez sur le quatrième bouton à partir de la droite dans la palette d'outils pour passer de nouveau à l'en-tête, puis sur le deuxième pour passer à la page suivante :

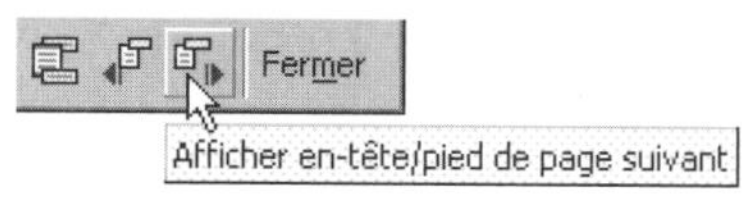

13. Cliquez dans la zone d'en-tête de page paire pour y placer le point d'insertion.
14. Tapez **Word et Excel**.
15. Mettez le texte en italique et donnez un retrait à gauche de zéro au paragraphe.
16. Définissez le style *En-tête pair*.
17. Passez au pied de page.
18. Tapez **Page**, suivi d'un espace.
19. Cliquez sur le bouton #.
20. Tapez deux fois la touche TAB.
21. Cliquez sur le bouton comportant un calendrier.
22. Donnez un retrait nul au paragraphe.
23. Définissez le style *Pied de page pair*.
24. Continuez de la même façon pour les éléments des pages impaires, en tapant *Echanges de données* en italique et aligné à droite pour l'en-tête. Le pied de page est identique à celui de la première page.

Nous venons de configurer les en-têtes et pieds de page pour le document. Lorsque le document doit comporter plusieurs sections, il est utile de définir les en-têtes et pieds de page de la première section avant de créer les suivantes, car chaque nouvelle section hérite du format de la précédente.

Cependant, si vous avez créé plusieurs sections avant de définir les en-têtes et pieds de page, vous pouvez utiliser ces deux boutons pour passer directement à la section précédente ou à la section suivante :

Si une section doit comporter les mêmes éléments que la section précédente, vous pouvez les copier facilement en cliquant sur ce bouton :

25. Affichez le document en mode *Aperçu* pour vérifier le résultat obtenu.

Position des titres courants

La position horizontale des titres courants est déterminée par les retraits à gauche et à droite de leurs paragraphes. Des retraits nuls alignent les titres courants sur les marges du document. Si les titres courants doivent dépasser dans les marges, vous devez indiquer des retraits négatifs. Si vous voulez modifier la position verticale, vous devez changer les valeurs de l'option *A partir du bord* dans l'onglet *Marges* de la boîte de dialogue *Mise en page*. Cette boîte de dialogue peut être affichée en cliquant sur le bouton *Mise en page* de la palette d'outils. Les positions sont déterminées à partir du bord du papier.

Les notes de bas de page

Word vous permet de saisir des notes qui seront rassemblées au bas de la page ou à la fin d'une section. Nous allons placer quelques notes de bas de page dans notre document. Procédez de la façon suivante :

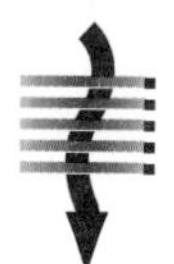

1. Affichez le document en mode normal.
2. Affichez la première page de texte et placez le point d'insertion à la fin du premier paragraphe.
3. Déroulez le menu *Insertion* et sélectionnez *Note*. Word affiche une boîte de dialogue. Vous avez le choix entre une note de bas de page et une note de fin. Vous pouvez également sélectionner la numérotation automatique, ou taper un numéro ou un symbole.
4. Ne modifiez rien et cliquez sur *OK*. La fenêtre du document est divisée en deux. Au point où vous avez inséré la note, Word a placé un 1 en exposant (l'appel de note). Dans la partie inférieure (la fenêtre de notes), l'appel de note est répété.
5. Vérifiez que le point d'insertion se trouve juste après le 1, dans la fenêtre de note (pas dans le texte).
6. Tapez le texte de la note :

```
Ceci est la première note de la page et
du document.
```

La Figure 9.6 montre le résultat que vous devez obtenir.

7. Refermez la fenêtre de note en cliquant sur *Fermer* ou en tapant ALT+MAJ+F.

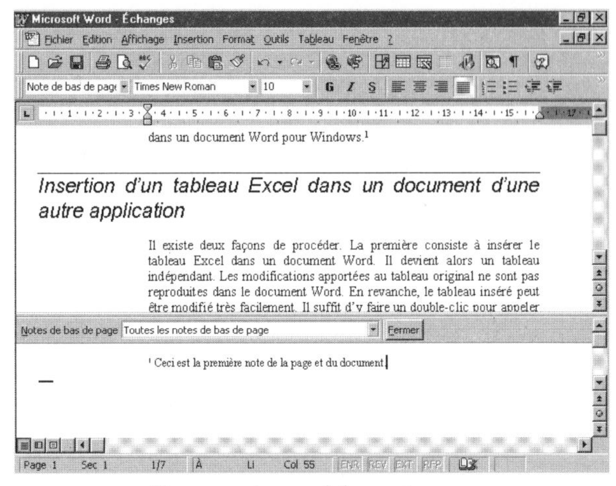

Figure 9.6 : Le texte de la première note.

8. Affichez le document en mode *Aperçu* pour observer le résultat. Vous pouvez constater que la note est imprimée en bas de la page, séparée du reste du texte par un court filet horizontal.

9. Cliquez sur *Fermer*.

Nous allons ajouter deux autres notes afin d'expérimenter diverses options :

1. Localisez le titre *Insertion d'un objet "tableau Excel"* .
2. Sélectionnez le texte du paragraphe suivant ce titre, à l'exception de la dernière phrase, et copiez-le dans le presse-papiers.
3. Placez le point d'insertion dans le paragraphe, juste après le mot " ordinaire ", et insérez une note.

4. Collez deux fois le contenu du presse-papiers dans la note.
5. Placez le point d'insertion à la fin du dernier paragraphe de la liste numérotée se trouvant immédiatement après et insérez une note.
6. Pour le texte de cette note, tapez :

```
Ceci est la première note de la deuxième
page de texte et la troisième du document.
```

7. Affichez le document en mode *Aperçu*.

Vous pouvez constater que la deuxième note ne tient pas sur la première page. Elle continue donc sur la page suivante. La continuation d'une note de la page précédente est indiquée par le fait qu'elle est séparée du texte par un trait plus long (Figure 9.7).

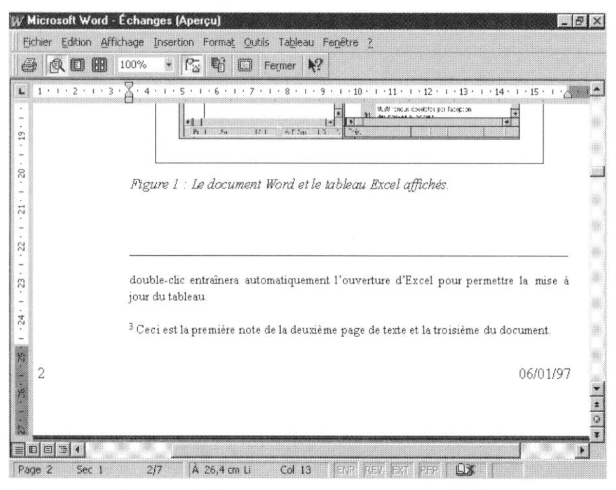

Figure 9.7 : La note de la première page continue sur la deuxième page.

Affichage des notes en mode Page

En mode *Page*, les notes sont affichées au bas de chaque page. Vous pouvez alors en modifier le texte tout à fait normalement.

Manipuler les notes

Vous pouvez manipuler les notes de diverses façons. Pour manipuler une note globalement, par exemple pour la supprimer ou pour la déplacer, supprimez ou déplacez l'appel de note en le coupant, puis en le collant à l'aide du presse-papiers. Word renumérote automatiquement les notes après chaque modification. Il en est de même si vous ajoutez une note entre des notes existantes.

Pour modifier le texte des notes en mode normal, vous devez afficher la fenêtre de notes. Vous pouvez employer diverses méthodes :

- Maintenez la touche MAJ enfoncée et faites glisser la barre de fractionnement, comme pour diviser la fenêtre.
- Faites un double clic sur un appel de note.
- Sélectionnez *Notes* dans le menu *Affichage*.
- Tapez ALT+A, N.

Lorsque vous faites défiler une des fenêtres, l'autre défile automatiquement de façon à toujours afficher les notes et le texte correspondant.

Si vous souhaitez seulement consulter une note, il vous suffit de laisser le pointeur quelques instants sur l'appel de note. Word affiche alors le texte de la note dans une info-bulle.

Configurer les notes

Il existe plusieurs façons de configurer les notes. Vous pouvez agir sur leur présentation, leur position, leur numérotation et leurs séparateurs.

Modifier la présentation des notes

Pour modifier la présentation des notes et des appels de notes, il vous suffit de configurer les styles standard *Note de bas de page* et *Appel de note de bas de p.* Vous pouvez également modifier les notes localement comme du texte ordinaire. Remarquez qu'une note peut contenir plusieurs paragraphes et que vous pouvez définir un style différent pour les paragraphes suivants.

Modifier la position des notes

Pour modifier la position des notes, affichez la boîte de dialogue *Note de fin ou de bas de page* (menu *Insertion*) et cliquez sur *Options*. Une boîte de est affichée.

Vous pouvez choisir la position des notes de bas de page (en bas de page ou sous le texte). *Sous le texte* signifie que les notes sont imprimées immédiatement sous le texte, c'est-à-dire en bas de la page, mais en supprimant le blanc. Avec l'option *Bas de page*, un espace est ajouté entre le texte et les notes afin d'aligner le bas des notes avec la marge.

L'onglet *Toutes les notes de fin* permet de configurer de la même façon les notes de fin de document. Avec *Fin de section*, les notes sont regroupées à la fin de la section si l'option *Supprimer notes de bas de page* n'a pas été sélectionnée dans le format de cette section (boîte de dialogue *Section*). Dans le cas contraire, les notes sont reportées à la prochaine section pour laquelle cette option n'est pas active.

Le bouton *Convertir* sert à convertir les notes de bas de page en notes de fin, et inversement.

Modifier la numérotation des notes

L'option *Recommencer à chaque section* permet de recommencer la numérotation des notes à chaque section. Vous pouvez également reprendre la numérotation à chaque page (pour les notes de bas de page seulement). L'option *A partir de* permet d'indiquer le numéro de la première note du document.

La pagination

Word peut effectuer la pagination automatiquement ou manuellement. Par défaut, la pagination est automatique et s'opère en tâche de fond, pendant que vous travaillez. De ce fait, lorsque vous venez de modifier un document, il peut arriver que les ruptures de page ne soient pas à jour. Il suffit alors d'attendre un peu ou de passer en mode *Page*. Si vous préférez supprimer la pagination automatique, vous pouvez le faire grâce à l'article *Options* du menu *Outils*. Il vous suffit de désélectionner la case *Repagination en arrière-plan* dans la boîte de dialogue affichée, après avoir sélectionné l'onglet *Général*.

Lorsque la pagination automatique est désactivée, Word fonctionne plus rapidement. Vous devez cependant garder à l'esprit que les marques de rupture de page ne sont pas à jour. Word effectue une repagination lors de l'impression, de l'affichage en mode *Aperçu* ou en mode *Page*, ou de la réalisation d'un index ou d'une table des matières. Vous pouvez forcer une repagination quand vous le souhaitez en passant en mode *Page*.

Lorsque la pagination automatique n'est pas active, les numéros des notes peuvent être faux. Ils sont mis à jour lors de la repagination.

Atteindre une page donnée

Dans un document comportant un grand nombre de pages, il peut être difficile de trouver un endroit précis. Pour atteindre une page dont vous connaissez le numéro, procédez de la façon suivante :

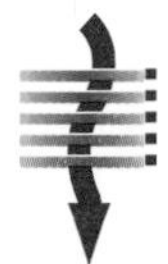

1. Sélectionnez *Atteindre* dans le menu *Edition*. Vous pouvez également taper la touche F5. Une boîte de dialogue est affichée :

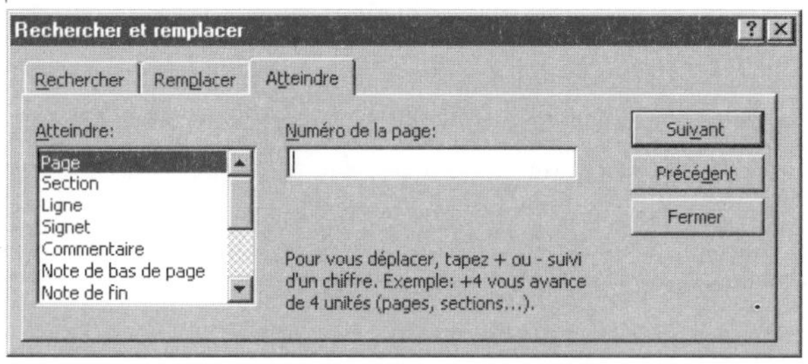

2. Tapez le numéro de la page à atteindre.
3. Cliquez sur *OK*.

Vous pouvez également afficher cette boîte de dialogue en faisant un double clic dans la partie gauche de la barre d'état.

Pour que cette commande produise l'effet escompté, il faut que les ruptures de page soient correctes. Si la repagination automatique n'est pas active et que vous avez modifié le document depuis la dernière pagination, le point d'insertion

sera placé en haut de la page recherchée en tenant compte de l'ancienne pagination. Si vous voulez obtenir le résultat correct, passez en mode Page avant d'exécuter la commande.

Insertion de signets

Les signets sont des marqueurs permettant d'identifier par un nom un point ou une partie d'un document. Pour insérer un signet, procédez de la façon suivante :

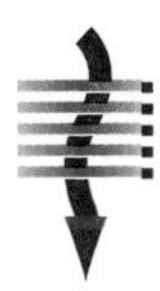

1. Placez le point d'insertion à l'emplacement voulu ou sélectionnez le texte à identifier.
2. Sélectionnez *Signet* dans le menu *Insertion* ou tapez CTRL+MAJ+F5.
3. Tapez le nom du signet dans la boîte de dialogue affichée.
4. Cliquez sur *OK*.

Pour supprimer un signet, affichez la boîte de dialogue *Signet*, sélectionnez son nom et cliquez sur *Supprimer*. Si vous insérez un signet avec un nom déjà utilisé, le signet existant est automatiquement supprimé.

Un signet ne sert pas seulement à se déplacer dans le texte. Il est possible d'y faire des références automatiques, comme nous le verrons au chapitre suivant.

Le texte multicolonne

Avec Word, il est très facile de créer des documents multicolonnes, ce qui était encore impossible à la plupart des traitements de texte il n'y a pas si longtemps. Pour créer un texte multicolonne, procédez de la façon suivante :

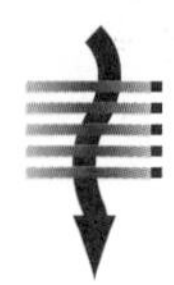

1. Fermez le document *Echanges*.
2. Ouvrez le document *Tableurs* se trouvant sur la disquette d'accompagnement (disponible séparément) ou utilisez un texte quelconque d'au moins une page.
3. Cliquez sur le bouton *Colonne* de la barre d'outils et maintenez le bouton de la souris enfoncé. Sélectionnez deux colonnes.

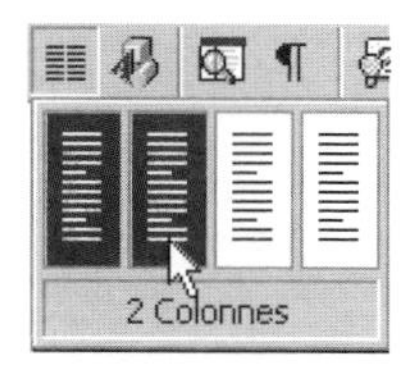

Le texte est maintenant affiché sur une colonne étroite.

4. Passez en mode *Page*. La Figure 9.8 montre le résultat obtenu.

Le résultat n'est pas satisfaisant, car nous aimerions que le titre du document s'étale sur toute la largeur, au-dessus des colonnes. Cela est très facile à obtenir. Procédez de la façon suivante :

1. Placez le point d'insertion au début du premier paragraphe de texte (après le titre).
2. Sélectionnez *Saut* dans le menu *Insertion*, cliquez sur *Continu*, puis sur *OK*. Un saut de section est inséré avant le paragraphe. Il est représenté par une double ligne pointillée.

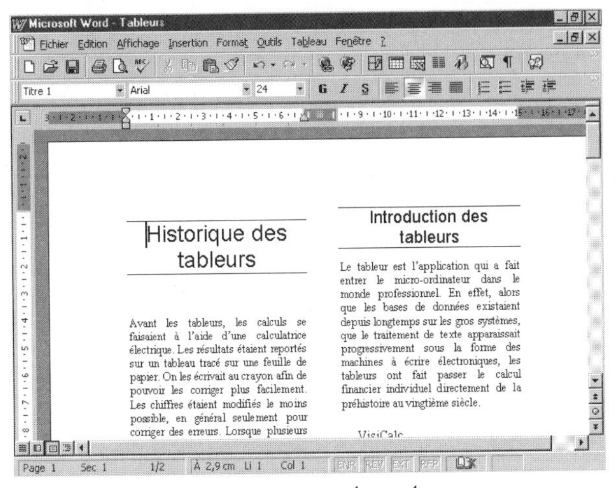

Figure 9.8 : Le texte sur deux colonnes.

3. Placez le point d'insertion dans le titre.
4. Sélectionnez *Colonnes* dans le menu *Format*. Une boîte de dialogue est affichée.
5. Dans la zone *Nombre de colonnes*, tapez **1**.
6. Dans la zone *Appliquer*, sélectionnez *A cette section*.
7. Cliquez sur *OK*.
8. Passez en mode *Aperçu*. Le titre est affiché sur la largeur de la page.

Vous pouvez constater que le titre se trouvant en haut de la deuxième colonne n'est pas aligné avec le texte de la première. Cela est dû au fait que Word affiche l'espace avant les paragraphes lorsqu'ils se trouvent en haut de colonne. La solution à ce problème est peu élégante. Elle consiste à n'employer que des espaces après. Dans ce cas, vous devez créer un style spécial pour les paragraphes précédant chaque niveau de titre et lui attribuer un espace après correspondant à l'espace avant qui devrait normalement appartenir au titre suivant.

Cela fait déjà autant de styles en plus qu'il y a de niveaux de titres. Mais les choses se compliquent si plusieurs styles de paragraphes peuvent être suivis d'un titre. Dans notre document, par exemple, le style *Liste* peut être suivi d'un titre de niveau 2 ou 3. Il nous faudrait donc créer deux variantes pour le cas où ce style précéderait un titre. (Nous pouvons simplifier en adoptant toujours le même espace avant pour les titres, mais cela n'est guère satisfaisant.)

Indépendamment du problème évoqué ci-avant, il n'est pas très esthétique d'avoir une colonne commençant par du texte à côté d'une colonne commençant par un titre. Nous allons résoudre ce problème en choisissant une autre disposition. Procédez de la façon suivante :

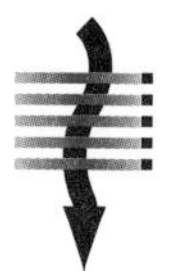

1. Placez le point d'insertion devant le titre *Introduction des tableurs*.
2. Insérez un saut de section continu.
3. Placez le point d'insertion au début du paragraphe suivant.
4. Insérez un saut de section continu.
5. Placez le point d'insertion dans le titre.
6. Formatez cette section sur une seule colonne, en utilisant le bouton de la barre d'outils ou l'option *Colonnes* du menu *Format*. Vous pouvez également afficher la boîte de dialogue *Colonnes* en cliquant deux fois, dans la règle, sur la partie grise séparant deux colonnes :

Le titre s'étend maintenant sur deux colonnes.

Modifier l'espace entre les colonnes

Pour modifier l'espace entre les colonnes, vous devez faire glisser les marges de colonnes, dans la règle, ou afficher la boîte de dialogue *Colonnes* (menu *Format*). La rubrique *Largeur et espacement* permet d'indiquer la largeur de chaque colonne et l'espace qui la sépare de la suivante. L'option *Ligne séparatrice* sert à tracer un filet vertical centré dans cet espace.

Vous pouvez également modifier l'espace entre les colonnes de manière interactive à l'aide de la règle, comme nous l'avons indiqué plus haut.

Insérer un saut de colonne

Pour forcer un saut de colonne, il suffit d'utiliser l'option *Saut* du menu *Insertion* et de sélectionner l'option *Colonne* dans la boîte de dialogue affichée, après avoir placé le point d'insertion à l'emplacement voulu.

Réalisation d'une lettrine

Une *lettrine* est un traitement particulier de la première lettre d'un paragraphe (en général, le premier paragraphe d'un article ou d'un chapitre). Cette lettre est composée dans un corps plus gros que le reste du texte et placée en marge ou habillée par le texte suivant. Word permet de créer automatiquement des lettrines en procédant de la façon suivante :

1. Sélectionnez la première lettre du paragraphe.
2. Déroulez le menu *Format* et sélectionnez *Lettrine*. La boîte de dialogue *Lettrine* est affichée.
3. Sélectionnez un type de lettrine et une police.
4. Indiquez le nombre de lignes correspondant à la hauteur souhaitée, ainsi que la distance devant séparer la lettrine du reste du texte.
5. Cliquez sur *OK*. L'illustration ci-dessous montre un exemple de lettrine

Avant les tableurs, les calculs se faisaient à l'aide d'une calculatrice électrique. Les résultats étaient reportés sur un tableau tracé sur une feuille de papier. On les écrivait au crayon afin de pouvoir les corriger plus facilement. Les chiffres étaient modifiés le moins possible, en général seulement pour corriger des erreurs. Lorsque plusieurs calculs s'enchaînaient, la modification d'une seule valeur pouvait entraîner des heures de calcul, ce qui impliquait des risques d'erreurs supplémentaires. Aussi demandait-on aux personnes chargées de ce travail la plus grande méticulosité, au détriment de l'imagination et de la créativité. Il n'était bien sûr pas question d'examiner différentes hypothèses en faisant varier une ou plusieurs données afin de constater leur influence sur le résultat.

CHAPITRE 10

Améliorer vos documents

Word possède un certain nombre de fonctions permettant d'améliorer la présentation, la cohérence, l'organisation, l'orthographe, la grammaire et le style de vos documents. Nous allons les étudier dans ce chapitre.

Trouver un texte

Trouver un texte donné est extrêmement simple. Nous allons en montrer des exemples à l'aide du document *Echanges2* se trouvant sur la disquette d'accompagnement (disponible séparément). Si vous ne disposez pas de cette disquette, vous pouvez effectuer les mêmes manipulations sur un autre texte, en modifiant le texte cherché. Procédez de la façon suivante :

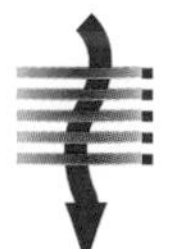

1. Chargez le document *Echanges2*.
2. Déroulez le menu *Edition* et sélectionnez *Rechercher*. La boîte de dialogue suivante est affichée.

3. Dans la zone *Rechercher*, tapez **Excel**.
4. Cliquez sur *Suivant*. Word sélectionne la première occurrence trouvée.
5. Cliquez sur *Suivant*. Word sélectionne l'occurrence suivante.
6. Cliquez sur *Annuler* pour refermer la boîte de dialogue.

Répétition de la recherche

Word permet de répéter la dernière recherche effectuée sans afficher la boîte de dialogue :

1. Tapez les touches MAJ+F4. Word sélectionne l'occurrence suivante du dernier mot recherché.

Direction de la recherche

Vous pouvez rechercher un texte vers l'avant, vers l'arrière, dans tout le document ou dans une sélection :

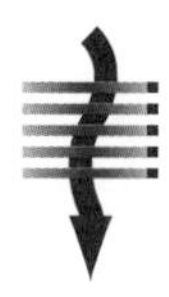

1. Affichez de nouveau la boîte de dialogue *Rechercher*. Vous pouvez constater que le dernier mot cherché est mémorisé.
2. Cliquez sur le bouton *Plus* pour afficher les paramètres de recherche.
3. Dans la rubrique *Sens*, sélectionnez *Vers le haut*.
4. Cliquez sur *Suivant*. Word sélectionne l'occurrence *précédente* du mot recherché.
5. Refermez la boîte de dialogue.

Recherche de mots entiers

Avec la méthode utilisée précédemment, Word trouve le texte cherché, même s'il s'agit d'une partie de mot. Vérifiez-le en effectuant la manipulation suivante :

1. Placez le point d'insertion au début du document.
2. Affichez la boîte de dialogue *Rechercher*.

3. Dans la rubrique *Sens*, sélectionnez *Vers le bas*.
4. Cliquez sept fois sur *Suivant*. Word trouve la septième occurrence du mot cherché, mais il s'agit d'une partie du mot *excellente* (Figure 10.1).

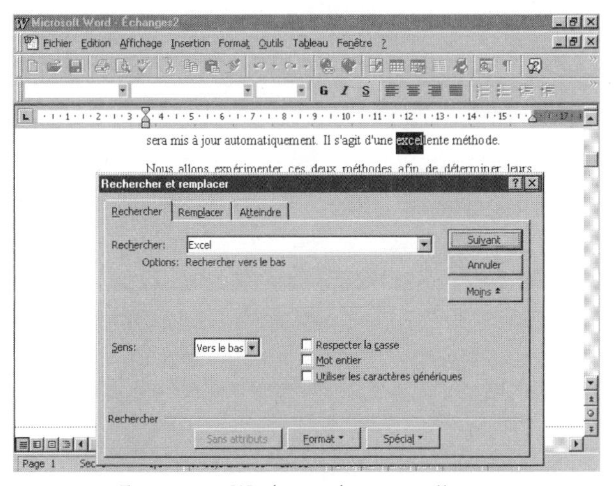

Figure 10.1 : Word trouve le mot excellente.

5. Refermez la boîte de dialogue et placez le point d'insertion au début du texte.
6. Affichez la boîte de dialogue *Recherche*.
7. Cochez la case *Mot entier*.
8. Cliquez sept fois sur *Suivant*. Cette fois, Word ignore le mot *excellente* et ne trouve que les occurrences constituant des mots entiers.

Respect des majuscules et des minuscules

Le mot que Word vient de trouver n'est pas identique à celui que nous venons de taper. En effet, il est en minuscules alors que nous l'avions saisi avec une majuscule (Figure 10.2).

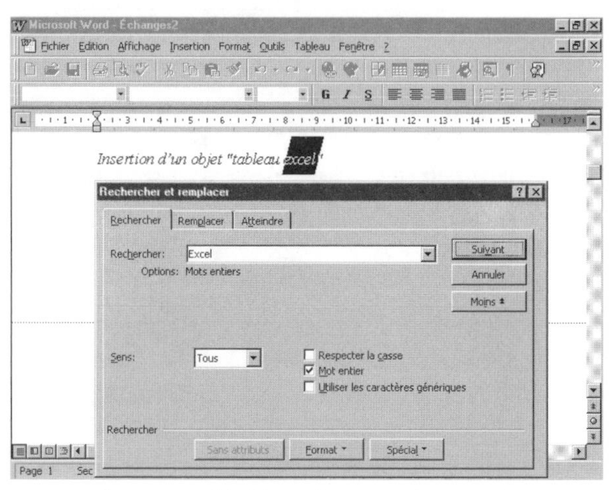

Figure 10.2 : Word trouve le mot sans la majuscule.

Pour éviter cela, il suffit de cocher la case *Respecter la casse*. De cette façon, Word ne trouvera que les mots saisis exactement de la même façon.

Rechercher un texte formaté

Word permet de rechercher un texte possédant un format donné. Ainsi, pour rechercher uniquement les occurrences du mot *Excel* figurant en italique, procédez de la façon suivante :

1. Affichez la boîte de dialogue *Rechercher*.
2. Tapez le mot à rechercher.
3. Cliquez sur le bouton *Format* et sélectionnez *Police*. La boîte de dialogue *Police* est affichée. Les rubriques pouvant contenir plusieurs valeurs sont blanches. Les cases à cocher sont grises. Cela indique qu'aucune sélection ne sera faite sur ces formats lors de la recherche.
4. Cliquez sur *Italique*. Word cherchera ainsi uniquement les occurrences du mot en italique. Si vous cliquez sur *Normal*, Word cherchera uniquement les occurrences qui ne sont ni en italique ni en gras. Pour rechercher de nouveau toutes les occurrences, vous devez effacer le contenu de la zone *Style*.

Vous pouvez également rechercher un texte en spécifiant le format du paragraphe dans lequel il se trouve. De la même façon, vous pouvez spécifier le nom du style du paragraphe. Les spécifications de format sont rappelées au-dessous de la rubrique *Rechercher*. Pour supprimer toutes les spécifications de format, cliquez sur *Sans attributs*.

Recherche de formats seulement

Vous pouvez rechercher un texte quelconque dans un format donné en spécifiant le format sans taper de texte. Dans ce cas, vous pouvez obtenir deux résultats différents :

- Si la case *Mot entier* est cochée, Word sélectionne le premier mot dans ce format.
- Si la case *Mot entier* n'est pas cochée, Word sélectionne le premier texte dans ce format. Il peut s'agir de quelques mots, de quelques lignes ou de plusieurs paragraphes.

Le remplacement de texte

Une fois que vous savez rechercher du texte, vous savez pratiquement tout du remplacement. Pour remplacer, dans notre document, *Word* par *Microsoft Word*, il vous suffit de procéder de la façon suivante :

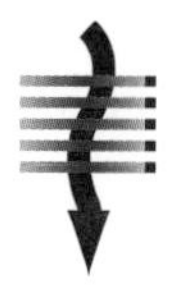

1. Placez le point d'insertion au début du document, déroulez le menu *Edition* et sélectionnez *Remplacer*. La boîte de dialogue de remplacement est affichée. Vous pouvez également obtenir cette boîte de dialogue en tapant CTRL+H ou, à partir de la boîte de dialogue *Rechercher*, en cliquant sur l'onglet *Remplacer*. Vous pouvez constater que Word a mémorisé le dernier mot recherché.
2. Dans la zone *Rechercher*, tapez **Word**.
3. Dans la zone *Remplacer par*, tapez **Microsoft Word**.
4. Désélectionnez les options *Mot entier* et *Respecter la casse*, et cliquez sur *Sans attributs*.
5. Cliquez sur *Suivant*. Word trouve la première occurrence du mot cherché.
6. Si vous ne voulez pas effectuer le remplacement pour ce mot, cliquez sur *Suivant*. Si vous voulez effectuer le remplacement, cliquez sur *Remplacer*. Word effectue le remplacement et trouve automatiquement l'occurrence suivante.
7. Cliquez sur *Remplacer tout*. Word remplace automatiquement toutes les occurrences trouvées dans le document et affiche un message indiquant le nombre de remplacements effectués. Cliquez sur *OK*.

Vous pouvez annuler tous les remplacements en refermant la boîte de dialogue et en tapant CTRL+Z, en sélectionnant Annuler **dans le menu** Edition**, ou en cliquant sur le bouton d'annulation de la barre d'outils.**

Remplacement avec les options Mot entier et Respecter la casse

Pour expérimenter ces options, nous remplacerons, dans le texte sélectionné de l'exemple de la Figure 10.3, le mot *Excel* par *Microsoft Excel*.

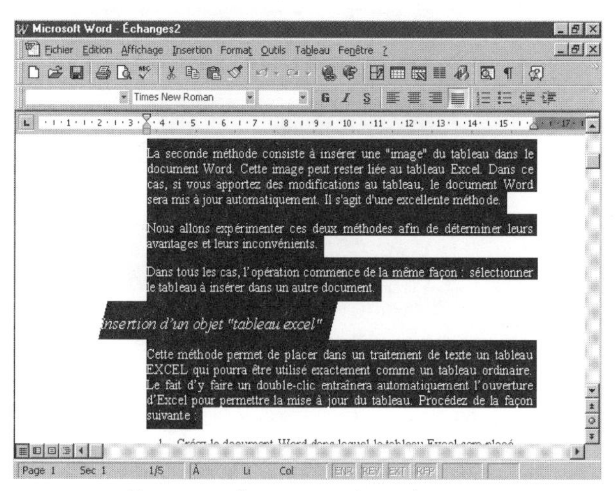

Figure 10.3 : Le texte avant le remplacement.

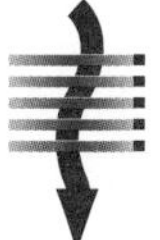

1. Sélectionnez le texte.
2. Affichez la boîte de dialogue *Remplacer*.
3. Dans la zone *Rechercher*, tapez **Excel**.

4. Dans la zone *Remplacer par*, tapez **Microsoft Excel**.
5. Cliquez sur *Remplacer tout*. Word affiche un message vous proposant de continuer le remplacement dans le reste du document.
6. Cliquez sur *Non* puis fermez la boîte de dialogue. La Figure 10.4 montre le résultat obtenu.

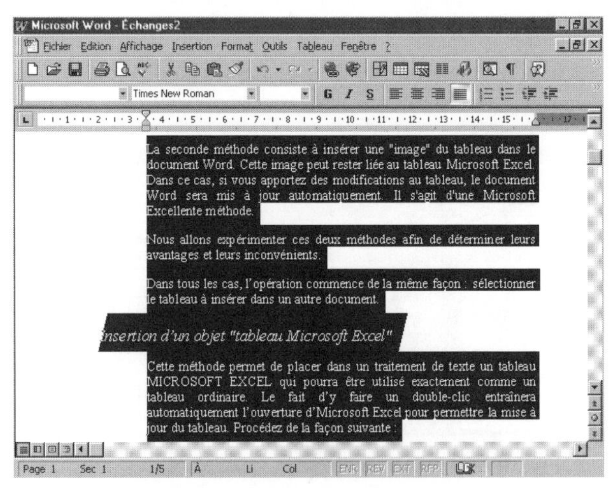

Figure 10.4 : Le texte après le remplacement.

La première occurrence a été convenablement remplacée. En revanche, à la fin du premier paragraphe, Word a remplacé le mot *excellente* par *Microsoft Excellente*. Cela aurait pu être évité en cochant la case *Mot entier*.

Dans le titre, le mot *excel* a été remplacé par *Microsoft Excel*. Si nous avions coché la case *Respecter la casse*, ce remplacement n'aurait pas eu lieu. Il semble donc que l'on puisse utiliser cette particularité pour corriger ce type de faute. Il n'en est rien, comme le montre l'exemple suivant. Le mot *EXCEL* a été remplacé par *MICROSOFT EXCEL*. En effet, lorsque l'option *Respecter la casse* n'est pas sélectionnée, Word a un comportement un peu particulier, comme nous l'expliquons dans la section suivante.

Le quatrième exemple, à la fin du même paragraphe, montre un piège plus subtil. Word a effectué la transformation de *d'Excel* en *d'Microsoft Excel*. Une solution à ce problème consiste à effectuer deux remplacements distincts.

La correction automatique

Word possède une fonction de correction automatique extrêmement pratique. Il s'agit d'un mélange de vérification d'orthographe, de recherche et remplacement et d'insertion automatique. Elle vous permet de définir des mots qui seront remplacés automatiquement par d'autres pendant que vous tapez. Les applications de cette fonction sont multiples. Les deux plus importantes sont l'insertion automatique de texte à partir d'abréviations et la correction des fautes de frappe et d'orthographe répétitives. Nous allons en voir deux exemples. Nous supposerons que vous devez écrire un document dans lequel revient cinquante fois le texte *Société Internationale des Comptoirs Maritimes de France et d'Outre-mer*. De plus, vous avez la fâcheuse habitude de taper *vosu* au lieu de *vous*. Voici la procédure à suivre :

1. Créez un nouveau document.
2. Tapez le texte Société Internationale des Comptoirs Maritimes de France et d'Outre-mer (en italique).
3. Sélectionnez le texte que vous venez de taper (en prenant garde de ne pas sélectionner la marque de fin de paragraphe).

4. Déroulez le menu *Outils* et sélectionnez *Correction automatique*. La boîte de dialogue de la Figure 10.5 est affichée. Au bas de cette boîte de dialogue, vous pouvez voir une liste comportant deux colonnes. Dans la colonne de gauche figurent les mots ou abréviations qui doivent être remplacés, et dans la colonne de droite les mots de remplacement. Vous pouvez voir que le remplacement de *vosu* par *vous* est déjà prévu.

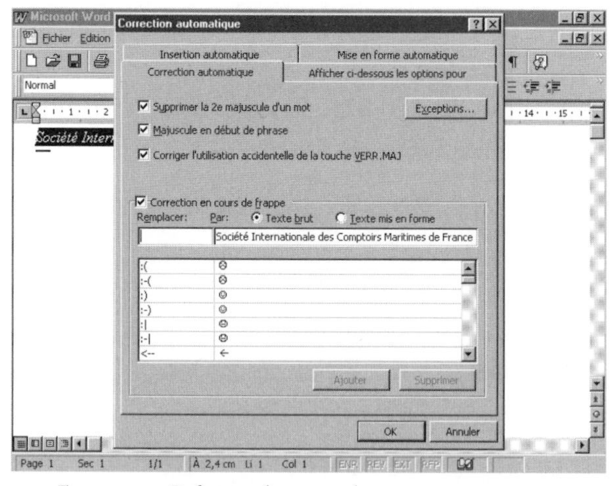

Figure 10.5 : Définition des entrées de correction automatique.

5. Dans la zone *Remplacer*, tapez **sic**.
6. Cliquez sur *Texte mis en forme*.
7. Cliquez sur *OK*.
8. Effacez le texte du document.

9. Tapez :

```
La sic vosu présente ses meilleurs voeux
pour 1994.
```

Vous pouvez constater que le mot *sic* est automatiquement remplacé par le nom de la société, et que la faute de frappe est corrigée sans que vous ayez à vous en préoccuper.

Comme vous pouvez le voir en ouvrant la boîte de dialogue *Correction automatique*, Word est également capable d'effectuer des modifications contextuelles, comme le remplacement des guillemets ou la vérification des majuscules.

Vous devez faire attention au format du texte de remplacement. Si vous voulez définir un texte en italique, attribuez-lui le style italique à l'aide du bouton de la barre d'outils ou des touches CTRL+I, et non en employant la boîte de dialogue Police. **De cette façon, le format du texte sera** format du paragraphe + italique. **En revanche, l'utilisation de la boîte de dialogue** Police **déterminera également la taille, la police et tous les attributs.**

La coupure de mots

Comme vous l'avez remarqué au chapitre précédent, lorsque les paragraphes sont justifiés, Word a parfois du mal à disposer le texte sans laisser des espaces importants entre les mots. Ce problème est d'autant plus aigu que la taille des caractères est importante et que la longueur des lignes est faible. La solution consiste à couper les mots à l'aide de traits d'union. Cependant, si vous tapez les traits d'union ordinaires pour couper les mots et que vous modifiez ensuite le texte, il est possible qu'ils ne se trouvent plus en fin de ligne, et qu'il faille donc les supprimer. Pour résoudre ce problème, Word dispose de traits d'union *optionnels*. Ces traits d'union ne sont imprimés que s'ils se trouvent en fin de ligne. Par ailleurs, Word dispose égalementd'une fonction de coupure de mots automatique et dynamique.

La coupure de mots manuelle

Pour placer un trait d'union optionnel dans un mot, il suffit de taper les touches CTRL+TIRET. Le mot est coupé par un trait d'union. Si vous modifiez le texte et que le mot ne se trouve plus en fin de ligne, le trait d'union disparaît. En revanche, si vous activez l'affichage des caractères spéciaux, le trait d'union est affiché. Le point blanc situé au milieu permet de le distinguer d'un trait d'union normal :

créativité.· Il· était· rarement· possible·
d'examiner· différentes· hypo¬thèses· en·
faisant·varier·une·ou·plusieurs·données·
afin·de·constater·leur·influence·sur·le·
résultat.¶

Coupure de mots automatique

Word permet de placer automatiquement des traits d'union optionnels là où cela est nécessaire. Il s'agit d'une fonction *dynamique*, c'est-à-dire que si vous modifiez le texte ou la mise en page, Word supprime les traits d'union optionnels placés automatiquement (mais pas ceux que vous avez entrés manuellement) et en insère de nouveaux là où cela est nécessaire. Pour placer automatiquement des tirets conditionnels, procédez de la façon suivante :

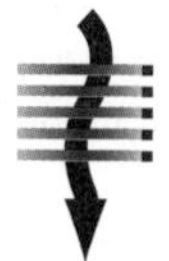

1. Déroulez le menu *Outils*.
2. Sélectionnez *Langue* puis *Coupure de mots*. La boîte de dialogue de la Figure 10.6 est affichée.

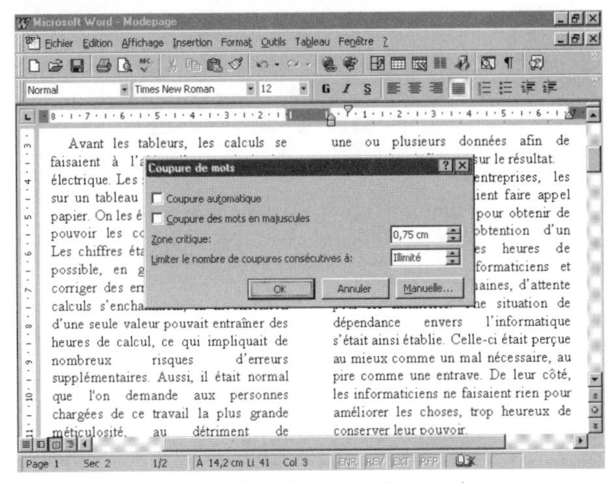

Figure 10.6 : La boîte de dialogue Coupure de mots.

L'option *Coupure automatique* doit être cochée pour pouvoir employer la coupure automatique dynamique. Si cette option est désactivée, Word utilise la coupure manuelle.

L'option *Couper les mots en majuscules* permet d'indiquer si les mots en majuscules doivent être coupés. Ainsi, si votre texte contient des sigles, vous pouvez forcer Word à les ignorer.

L'option *Zone critique* indique de combien la longueur d'une ligne peut être inférieure à la largeur du paragraphe sans que Word essaie de couper le premier mot de la ligne suivante. Plus cette valeur est importante, moins il y aura de traits d'union. Lorsque le texte est justifié, la valeur de la zone critique représente la quantité maximale d'espace qui peut être ajoutée entre les mots avant que Word essaie de couper le premier mot de la ligne suivante.

L'option *Limiter le nombre de coupures consécutives à* sert à indiquer le nombre maximal de lignes consécutives qui peuvent se terminer par un trait d'union. L'usage typographique est de ne pas dépasser deux.

Annuler la coupure de mots

Vous pouvez annuler la coupure de mots automatique en ouvrant la boîte de dialogue et en cliquant dans la case *Coupure automatique* pour la désactiver.

Les traits d'union insécables

Il est parfois important d'interdire la coupure sur un trait d'union, par exemple dans un nom composé. Utilisez alors un trait d'union insécable, obtenu en tapant les touches CTRL+_ (trait de soulignement).

Le résumé

Word offre une fonction *Propriétés* permettant d'attacher à un document un certain nombre de renseignements et donnant accès à différentes statistiques. Pour prendre connaissance de ces données, il vous suffit de dérouler le menu *Fichier* et de sélectionner *Propriétés*. Une boîte de dialogue est affichée.

Dans cette boîte de dialogue, vous pouvez taper divers renseignements concernant le titre du document, son sujet, son auteur, les mots clés et divers commentaires.

En cliquant sur l'onglet *Statistiques* de la boîte de dialogue affichée, vous obtenez l'affichage des statistiques concernant le document.

CHAPITRE 11

Impression et publipostage

L'impression d'un document avec Word est une opération extrêmement simple si votre ordinateur est correctement configuré et qu'une imprimante a été sélectionnée. Ces opérations ne sont pas particulières à Word. Si vous pouvez imprimer avec une autre application ou sous Windows, vous pouvez imprimer un document Word en cliquant simplement sur un bouton, comme nous l'avons indiqué au Chapitre 1. Dans ce chapitre, nous étudierons plus en détail l'impression, y compris la sélection d'une imprimante. Nous aborderons également certains cas particuliers, comme l'impression des enveloppes.

La seconde partie de ce chapitre sera consacrée au *publipostage* ou *mailing*. Nous verrons comment Word peut produire automatiquement des documents personnalisés et comment il peut vous aider à créer un petit fichier de données.

Sélection d'une imprimante

Pour sélectionner une imprimante, vous devez employer l'article *Imprimer* du menu *Fichier*. La boîte de dialogue de la Figure 11.1 est alors affichée.

Cliquez alors sur le triangle situé à droite de la zone *Nom*. Vous obtenez la liste des imprimantes installées sur votre ordinateur (Figure 11.2).

Pour sélectionner une imprimante, il suffit de cliquer sur son nom.

Impression d'un document

Pour imprimer un document, procédez de la façon suivante :

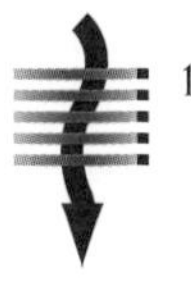

1. Si vous n'avez pas ouvert la boîte de dialogue d'impression comme indiqué précédemment, déroulez le menu *Fichier* et sélectionnez *Imprimer* ou tapez les touches CTRL+P ou CTRL+MAJ+F12. La boîte de dialogue de la Figure 11.1 est affichée.

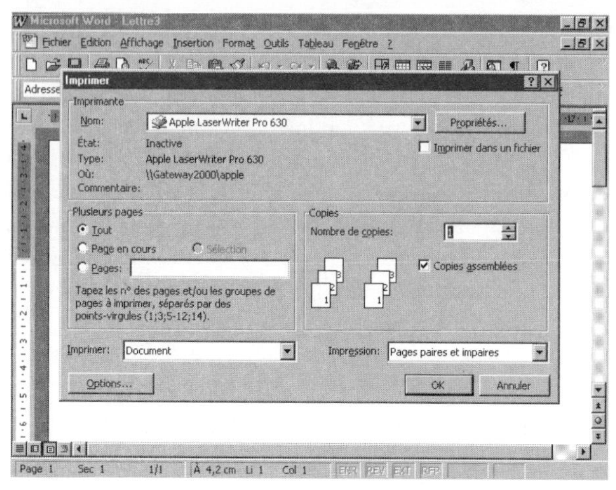

Figure 11.1 : La boîte de dialogue d'impression.

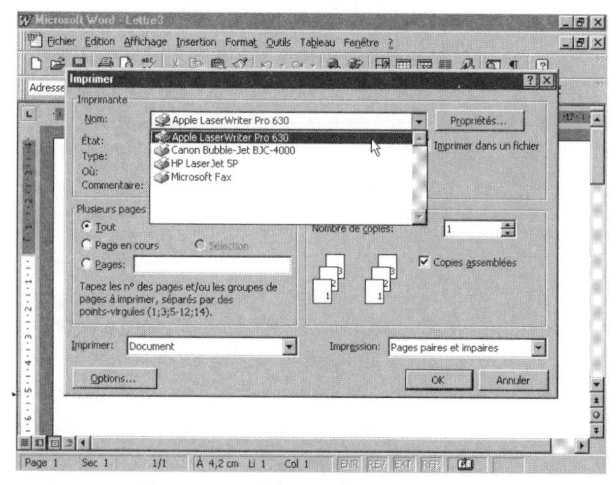

Figure 11.2 : Sélection d'une imprimante.

2. Vérifiez que le nom indiqué en haut de la boîte de dialogue est bien celui de l'imprimante sélectionnée.
3. Dans la zone *Imprimer*, sélectionnez ce que vous souhaitez imprimer (le plus souvent, le document).
4. Dans la zone *Copie*, indiquez le nombre de copies que vous souhaitez obtenir.
5. Dans la zone *Plusieurs pages*, cliquez sur *Tout* pour imprimer la totalité du document, sur *Page courante* pour imprimer uniquement la page contenant le point d'insertion, sur *Sélection* pour imprimer un texte préalablement sélectionné ou sur *Pages* pour imprimer seulement certaines pages. Dans ce cas, indiquez les pages à imprimer de la façon suivante :

- 1;5;7 pour imprimer les pages 1, 5 et 7.
- 12-24 pour imprimer les pages 12 à 24.
- Toute combinaison des deux méthodes précédentes, par exemple 1;5-15;25 pour imprimer les pages 1, 5 à 15, et 25.

L'option *Imprimer dans un fichier* sert à diriger l'impression vers un fichier pour l'envoyer ultérieurement à l'imprimante.

Si l'option *Copies assemblées* est active et que vous imprimez plusieurs copies du document, Word imprime d'abord une copie complète avant de commencer l'impression de la seconde. Dans le cas contraire, il imprime toutes les copies de la page 1, puis toutes les copies de la page 2, etc. La première méthode est plus lente mais permet d'obtenir plus rapidement une version complète du document et évite d'avoir à reclasser les pages.

Le bouton *Propriétés* donne accès à une boîte de dialogue contenant les options spécifiques à l'imprimante sélectionnée. Le bouton *Options* affiche les options d'impression, tout comme l'article *Options* du menu *Outils* (Figure 11.3).

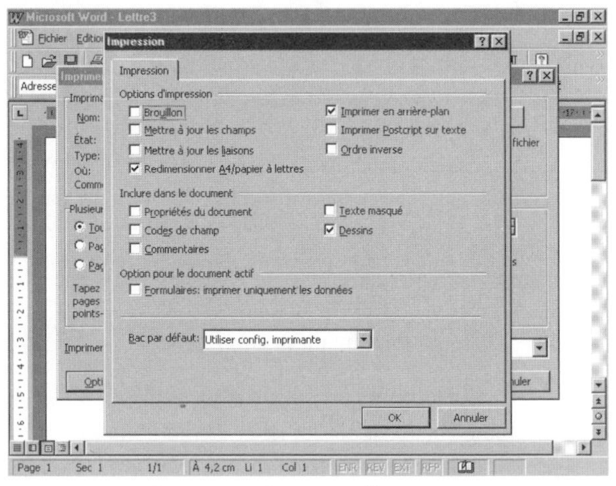

Figure 11.3 : Les options d'impression.

- L'option *Brouillon* imprime le texte sans mise en forme. Les enrichissements sont représentés par un soulignement. Les graphiques sont remplacés par un cadre gris. (En fait, le résultat obtenu dépend de l'imprimante employée.)
- L'option *Mettre à jour les champs* commande la mise à jour de la valeur des champs juste avant l'impression.
- L'option *Mettre à jour les liaisons* fait de même pour les liaisons.
- L'option *Redimensionner A4/Papier à lettre* permet à Word de modifier automatiquement les marges pour passer du for-

mat *A4* au format américain *Letter* (ou inversement) sans changer la présentation du document.

- L'option *Imprimer en arrière-plan* vous permet de continuer à travailler pendant l'impression de vos documents.
- L'option *Ordre inverse* permet d'imprimer le document à partir de la dernière page. Cela peut être utile avec les imprimantes (de plus en plus rares) qui empilent les pages face en haut.
- La zone *Inclure dans le document* permet d'imprimer le résumé, les codes de champs (au lieu de leurs valeurs), les annotations, le texte masqué et les dessins avec le document. Le résumé et les annotations sont imprimés sur des pages séparées du document. Par défaut, seuls les dessins sont imprimés.
- La liste *Bac par défaut* permet de sélectionner une source d'alimentation en papier si votre imprimante en possède plusieurs. La valeur par défaut est *Utiliser config. imprimante*, c'est-à-dire la valeur sélectionnée à l'aide du *Panneau de configuration* de Windows.

  Toutes les options précédentes sont valables pour tous les documents. Vous pouvez cependant modifier le bac d'alimentation pour un document ou même une section d'un document à l'aide de la boîte de dialogue *Mise en page* (menu *Fichier*).
- L'option *Formulaires : imprimer uniquement les données* n'est valable que pour le document en cours.

6. Une fois les options configurées, cliquez sur *OK* pour refermer la boîte de dialogue *Options*.

7. Cliquez sur *OK* dans la boîte de dialogue *Impression* pour lancer l'impression.

Word commence l'impression. Si vous avez sélectionné l'impression en arrière-plan, une petite icône est affichée dans la barre d'état pour indiquer la page en cours d'impression. Dans le cas contraire, une boîte de dialogue indique la progression des opérations. Un bouton vous permet alors d'annuler l'impression.

Vous pouvez imprimer un document sans passer par la boîte de dialogue d'impression en cliquant sur le quatrième bouton de la barre d'outils à partir de la droite. Dans ce cas, Word utilise les options par défaut.

Imprimer des enveloppes

Un programme de traitement de texte permet d'obtenir un courrier de très belle présentation, mais que faire pour les enveloppes ? Depuis l'apparition des premiers ordinateurs, l'impression des enveloppes est le cauchemar des utilisateurs de traitement de texte, à tel point que certains préfèrent se servir pour cette tâche d'une machine à écrire. Heureusement, Word apporte un réel progrès dans ce domaine. Il n'en reste pas moins que la façon la plus simple de traiter ce problème est d'employer des enveloppes à fenêtre. Si vous ne pouvez pas le faire, voici comment imprimer des enveloppes :

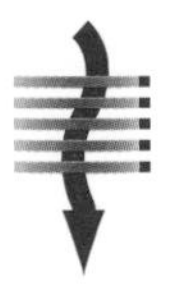

1. Si le document que vous souhaitez expédier est une lettre sur laquelle vous avez saisi l'adresse du destinataire, ouvrez-le, sélectionnez l'adresse et copiez-la dans le presse-papiers. Nous utiliserons le document *Lettre3*.

2. Sélectionnez *Enveloppes et étiquettes* dans le menu *Outils*. La fenêtre de la Figure 11.4 est affichée.

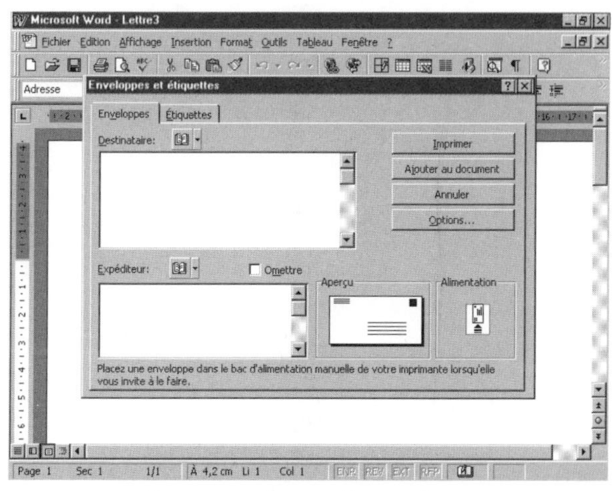

Figure 11.4 : Création d'une enveloppe.

3. Dans la zone *Destinataire*, collez l'adresse du destinataire en tapant les touches CTRL+V.
4. Si vous souhaitez imprimer votre adresse sur l'enveloppe, saisissez-la dans la zone *Expéditeur*. Si vous avez saisi votre adresse dans les options de Word, elle est indiquée par défaut.
5. Si une adresse d'expéditeur est indiquée et que vous ne voulez pas l'imprimer (par exemple, si vous utilisez des enveloppes préimprimées), cochez la case *Omettre*.
6. Pour sélectionner une taille d'enveloppe, cliquez sur le bouton *Options*, puis sur l'onglet *Options d'enveloppe*. Vous obtenez la boîte de dialogue de la Figure 11.5.

Figure 11.5 : Les options d'enveloppe.

Vous pouvez obtenir directement cet onglet en cliquant sur la zone Aperçu.

7. Dans la zone *Taille de l'enveloppe*, sélectionnez une taille d'enveloppe. L'option correspondant à une enveloppe standard est *DL (110 x 220 mm)*.
8. Ajustez les marges si nécessaire, et sélectionnez une police pour les adresses.
9. Cliquez sur l'onglet *Options d'impression*. Vous obtenez la boîte de dialogue de la Figure 11.6.

Vous pouvez obtenir directement cet onglet en cliquant sur Alimentation dans la boîte de dialogue Enveloppes et étiquettes.

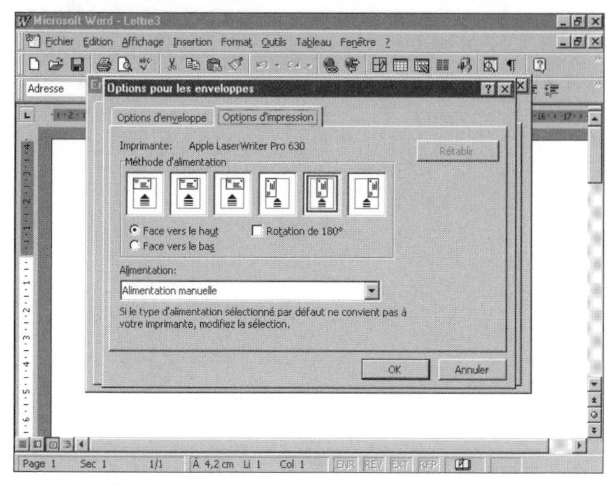

Figure 11.6 : Les options d'impression d'enveloppe.

10. Sélectionnez les options d'impression correspondant à votre imprimante. Un certain nombre d'essais peuvent être nécessaires. De plus, certaines imprimantes vous obligent à introduire les enveloppes d'une manière particulière. C'est toujours le cas, par exemple, si vous disposez d'un bac d'alimentation d'enveloppes. En revanche, avec une alimentation manuelle, vous avez parfois le choix de l'orientation et de la position de l'enveloppe.
11. Une fois les options configurées, cliquez sur *OK*.
12. Cliquez sur *Imprimer* si vous voulez imprimer l'enveloppe immédiatement. Si vous voulez imprimer l'enveloppe en même temps que le document, cliquez sur *Ajouter au document*. La Figure 11.7 montre le résultat obtenu (en mode *Page*, réduit à 70 %).

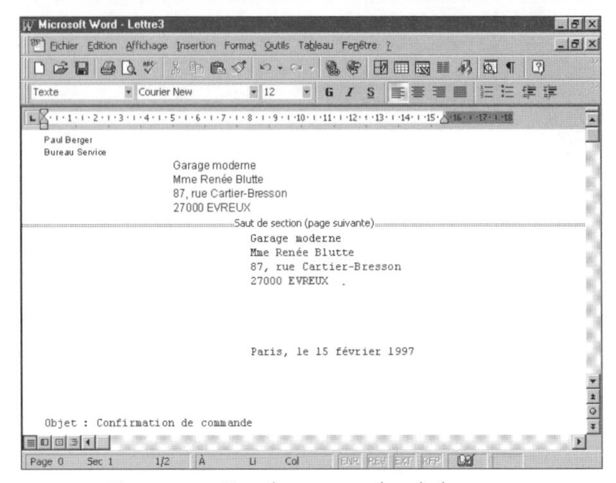

Figure 11.7 : L'enveloppe insérée dans le document.

Si vous avez modifié l'adresse d'expéditeur, Word vous propose de l'enregistrer comme adresse d'expéditeur par défaut.

Vous pouvez modifier le format de l'adresse d'expéditeur et de l'adresse du destinataire à l'aide des styles standard *Adresse expéditeur* et *Adresse destinataire*.

Le publipostage

Le *publipostage*, ou *mailing*, consiste à créer des documents personnalisés à partir d'un document type et d'une liste de données. Par exemple, si vous devez envoyer deux cents confirmations de commandes tous les jours, vous ne les traiterez pas manuellement à partir de Word. Il est probable que vous utiliserez un système de gestion de données, qui vous fournira, chaque jour, une liste des commandes avec tous les renseignements nécessaires. Word permet d'effectuer un publipostage à partir d'un tel fichier de données. Il peut aussi vous aider à créer ce fichier.

A titre d'exemple, nous allons effectuer un publipostage pour envoyer à une liste de clients une lettre indiquant les dates de fermeture de l'entreprise.

Création du fichier de données

Word dispose d'une fonction d'aide pour la création de fichiers de données. Pour créer un tel fichier, procédez de la façon suivante :

1. Créez un nouveau document en sélectionnant *Nouveau* dans le menu *Fichier* et en choisissant le modèle *Lettre*.
2. Sélectionnez *Fusion et publipostage* dans le menu *Outils*. Word affiche la boîte de dialogue de la Figure 11.8.

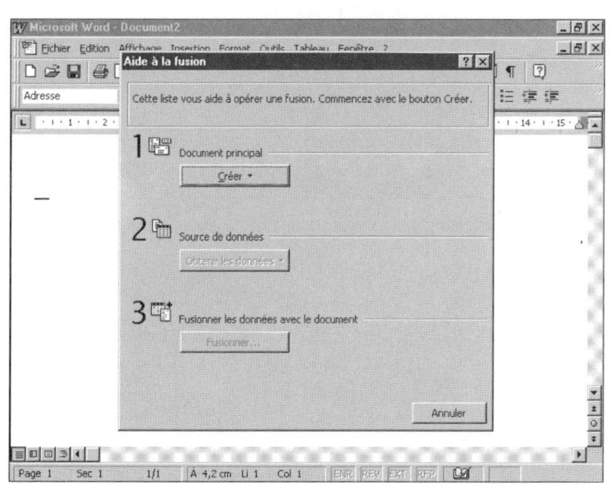

Figure 11.8 : La boîte de dialogue Aide à la fusion.

3. Cliquez sur *Créer* et sélectionnez *Lettres types* dans la liste affichée. Word vous propose de créer une lettre type à partir du document affiché ou d'un nouveau document.
4. Cliquez sur *Fenêtre active*.
5. Cliquez sur *Obtenir les données* et sélectionnez *Créer la source de données* dans la liste affichée. La boîte de dialogue de la Figure 11.9 est affichée.

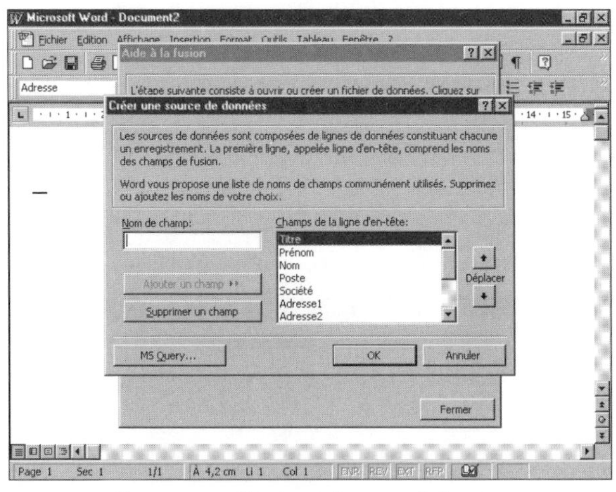

Figure 11.9 : Création de la source de données.

Word vous propose une liste de champs. Vous pouvez en ajouter en tapant leurs noms dans la zone *Nom de champ* puis en cliquant sur *Ajouter un champ*. Vous pouvez supprimer des champs en les sélectionnant dans la liste *Champs de la ligne d'en-tête* puis en cliquant sur *Supprimer un champ*.

6. Supprimez les champs Poste, Adresse2, Département, Pays, TéléphoneDomicile et TéléphoneBureau.

Les noms des champs de données peuvent être longs de 40 caractères. Ils ne doivent comporter que des lettres, des chiffres et le trait de soulignement. Ils doivent être tous différents. Vous pouvez saisir jusqu'à 31 champs.

7. Cliquez sur *OK*. Word vous demande alors d'indiquer le nom du document.
8. Donnez au document le nom *Clients* et enregistrez-le dans le dossier *Exemple*. Word vous demande alors si vous voulez modifier le document principal ou la source de données.
9. Cliquez sur *Modifier source de données*. La boîte de dialogue de la Figure 11.10 est affichée.

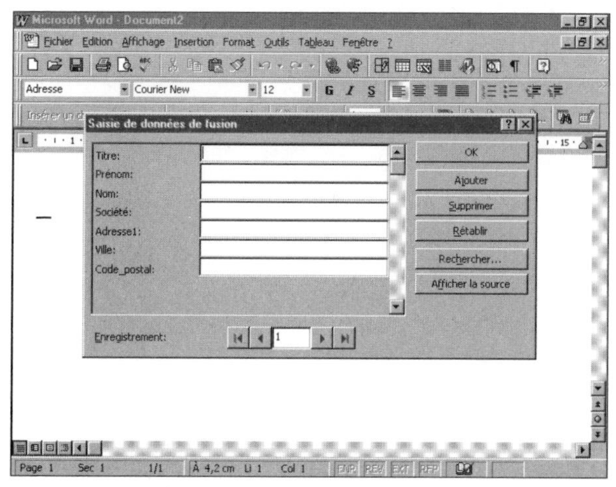

Figure 11.10 : La saisie des données.

10. Saisissez les données concernant le premier client. Tapez la touche ENTRÉE (ou TAB) pour passer d'un champ à l'autre. Voici les données à saisir :

```
Monsieur
Paul
Fournier
Editions Black Jack
47, rue du Bouloi
75001
PARIS
```

11. Tapez la touche ENTRÉE pour terminer la première fiche.
12. Saisissez les deux fiches suivantes de la même façon :

```
Madame
Mauricette
Leblanc
Kao Tech
18, place Saint-Sulpice
75006
PARIS

Mademoiselle
Pauline
Farges
Assurauto
21, rue d'Uzès
95330
DOMONT
```

13. Terminez la dernière fiche en tapant la touche ENTRÉE.

La boîte de dialogue *Saisie de données de fusion* vous permet d'ajouter ou de supprimer des fiches. Vous pouvez également rechercher une fiche en cliquant sur le bouton *Rechercher*. Vous obtenez la boîte de dialogue suivante :

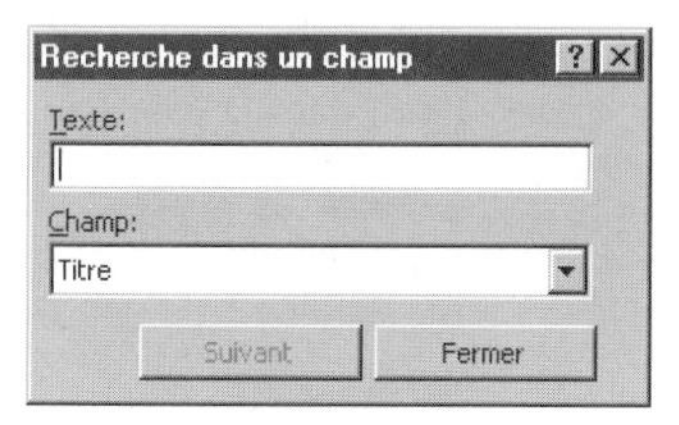

Tapez alors le texte recherché et indiquez le champ dans lequel il doit être trouvé.

14. Une fois la saisie des fiches terminée, cliquez sur *OK*. Word affiche le document principal. Une barre d'outils supplémentaire a été ajoutée au-dessus de la règle (Figure 11.11).

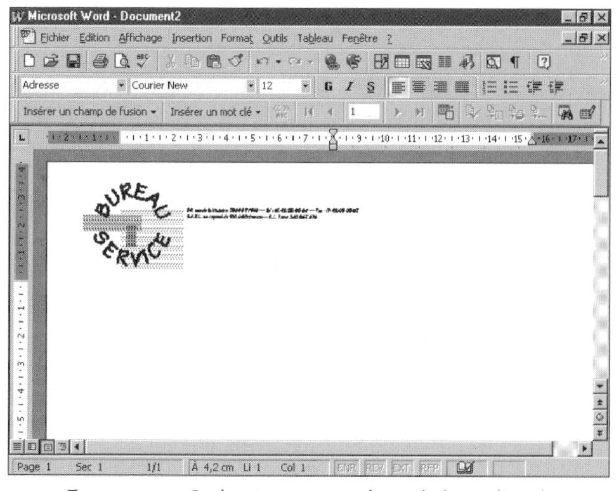

Figure 11.11 : Le document principal avec la barre d'outils de fusion et publipostage.

15. Placez le point d'insertion dans le paragraphe devant recevoir l'adresse.
16. Cliquez sur le bouton *Insérer champ de fusion* et sélectionnez le champ *Société* dans la liste affichée.

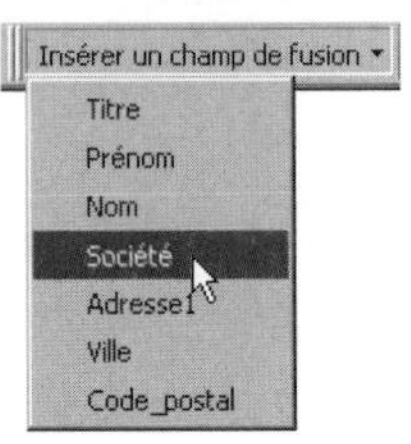

17. Tapez les touches MAJ+ENTRÉE pour passer à la ligne suivante.
18. Insérez le champ *Titre*.
19. Tapez un espace.
20. Insérez le champ *Prénom*.
21. Tapez un espace, insérez le champ *Nom* et passez à la ligne suivante.
22. Insérez le champ *Adresse1*, passez à la ligne puis insérez les champs *CodePostal* et *Ville* séparés par un espace. La Figure 11.12 montre le résultat obtenu.
23. Tapez la touche ENTRÉE. Le nouveau paragraphe créé prend automatiquement le style *Date*.
24. Tapez : **Paris, le**
25. Déroulez le menu *Insertion* et sélectionnez *Date et Heure*.
26. Sélectionnez un format de date.
27. Cochez la case *Mettre à jour automatiquement* et cliquez sur *OK*.

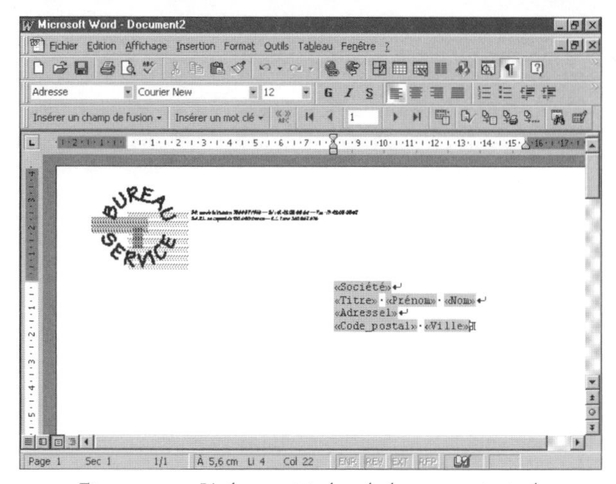

Figure 11.12 : L'adresse saisie dans le document principal.

La date étant insérée en tant que champ, elle sera automatiquement mise à jour lors de l'impression.

28. Tapez la touche ENTRÉE.
29. Tapez l'objet de la lettre :

    ```
    Objet : Fermeture annuelle
    ```

    et terminez par la touche ENTRÉE.
30. Sélectionnez le champ *Titre* à l'aide du bouton *Insérer champ de fusion* et tapez une virgule, puis la touche ENTRÉE.
31. Tapez le texte suivant :

    ```
    Nous avons le plaisir de vous informer
    qu'en raison des congés de fin d'année,
    ```

```
notre établissement sera fermé du 15 dé-
cembre au 15 janvier.

Nous espérons que cela ne vous causera
aucun désagrément. Nous serons prêts, dès
le début de l'année prochaine, à vous
servir avec notre célérité et notre pro-
fessionnalisme habituels.

Veuillez agréer,
```

32. Insérez le champ *Titre*.
33. Tapez le texte suivant :

```
, l'expression de nos salutations les plus
distinguées.
```

34. Tapez la touche ENTRÉE.
35. Insérez la *signature* en tapant **pb** puis la touche F3. Le document est maintenant terminé.
36. Enregistrez le document sous le nom *Lett_typ*. La Figure 11.13 montre le début du document terminé, réduit à 80 %.

Affichage des documents personnalisés

Pour afficher le résultat de la fusion, cliquez sur l'icône indiquée ci-après :

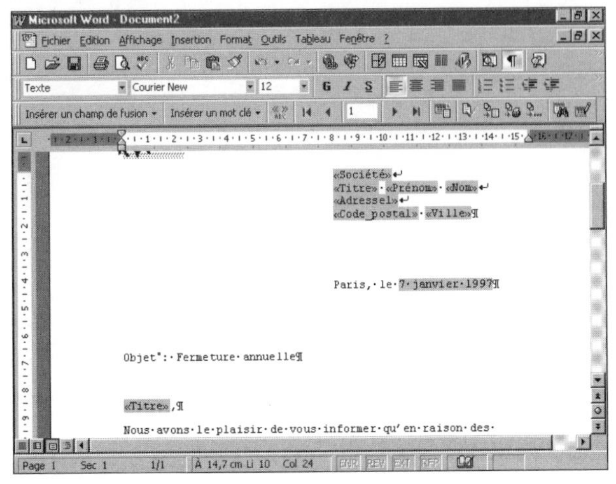

Figure 11.13 : La lettre type.

Word effectue la fusion de la lettre type et du document de données, et place les lettres personnalisées dans un nouveau document. La Figure 11.14 montre la première de ces lettres.

Vous pouvez faire défiler le document pour voir les autres lettres. Vous pouvez l'imprimer ou l'enregistrer.

Impression directe des lettres personnalisées

Vous pouvez imprimer directement les lettres fusionnées en cliquant sur l'icône suivante :

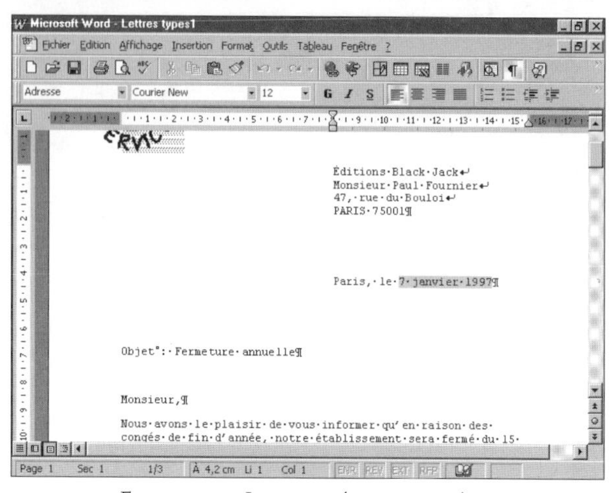

Figure 11.14 : La première lettre personnalisée.

Configuration de la fusion

Si aucun des deux cas précédents ne correspond à ce que vous voulez faire, modifiez les options de configuration de la fusion en cliquant sur le bouton ci-dessous :

Vous obtenez la boîte de dialogue de la Figure 11.15.

Grâce à cette boîte de dialogue, vous pouvez effectuer la fusion pour tous les enregistrements ou indiquer le premier et le dernier enregistrement à prendre en compte. La liste *Fusionner vers* permet d'envoyer le résultat de la fusion vers un document, l'imprimante, un système de messagerie électronique ou un fax. Dans les deux derniers cas, les adresses de courrier électronique ou les numéros de fax doivent figurer dans le fichier de données. (Vous devez également disposer du matériel et du logiciel nécessaire : modem fax, logiciel de messagerie, etc.). Les deux dernières options permettent de déterminer si les lignes vides doivent être imprimées ou non.

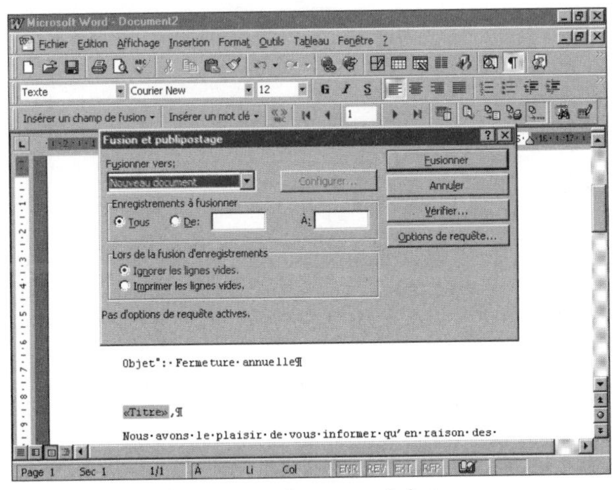

Figure 11.15 : Les options de fusion.

Le bouton *Options de requête* permet d'afficher la boîte de dialogue de la Figure 11.16. Pour effectuer une sélection, par exemple pour n'envoyer une lettre qu'aux femmes habitant dans la banlieue parisienne (mais pas à Paris), procédez de la façon suivante :

1. Dans la première ligne de la zone *Champs*, sélectionnez *Titre*.
2. Dans la première ligne de la colonne *Éléments de comparaison*, sélectionnez *est différent de*.

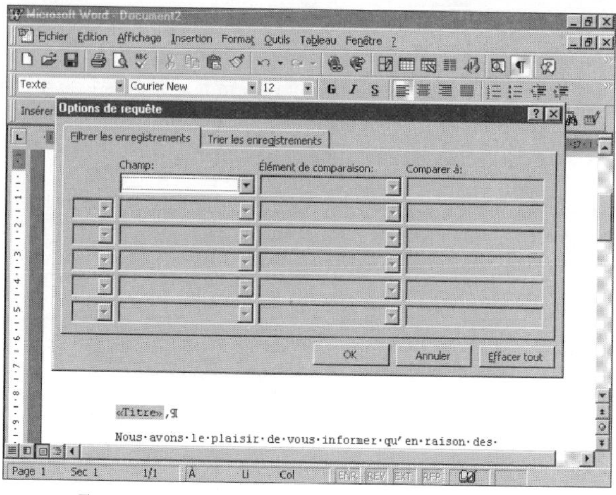

Figure 11.16 : La boîte de dialogue Options de requête.

3. Dans la première ligne de la colonne *Comparer à*, tapez **Monsieur**.
4. Dans la première colonne de la deuxième ligne, sélectionnez *Et*.
5. Dans la colonne *Champ*, sélectionnez *CodePostal*.
6. Dans la colonne *Éléments de comparaison*, sélectionnez *est supérieur à*.
7. Dans la colonne *Comparer à*, tapez **90000**. La Figure 11.17 montre le résultat à obtenir. (Vous pouvez aussi trier les enregistrements en cliquant sur l'onglet correspondant.)
8. Cliquez sur *OK* puis sur *Fusionner* pour déclencher la fusion.

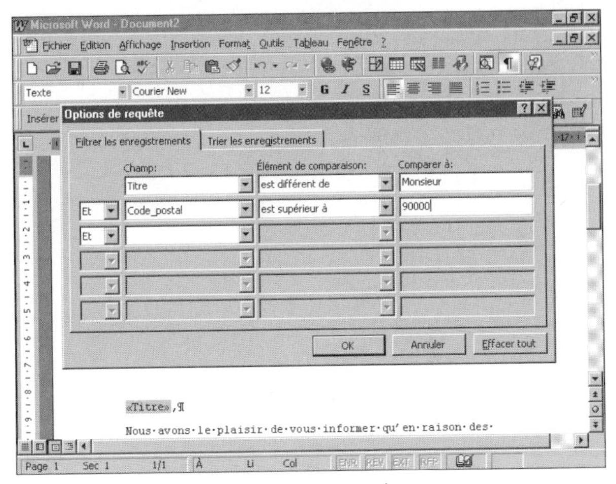

Figure 11.17 : Les options de requête.

Word sélectionne les enregistrements correspondant aux critères de sélection (il n'y en a qu'un) et effectue la fusion.

Word permet d'utiliser d'autres types de champs lors de la fusion. Il est ainsi possible de créer des structures conditionnelles, d'afficher un message et de demander des données à l'opérateur, d'effectuer des calculs, etc. Nous n'avons pas la place ici pour développer ces exemples. Pour plus de détails, reportez-vous à la documentation de Word.

CHAPITRE 12

Les échanges de données

Il est de plus en plus rare de pouvoir se limiter à une seule application. Les documents produits à l'aide d'un traitement de texte doivent incorporer des tableaux créés dans des tableurs, des graphiques ou des photographies scannées et retouchées par des programmes spécialisés. Par ailleurs, un traitement de texte sert souvent à saisir un texte destiné à être importé dans un programme de mise en page.

Il existe plusieurs méthodes pour échanger des données entre applications.

Echange de données statique à l'aide du presse-papiers

Pour échanger des données de façon statique entre deux applications au moyen du presse-papiers, il suffit de copier les données dans l'application d'origine et de les coller dans l'application de destination. Une fois les éléments collés, il n'y a plus aucun lien avec les éléments d'origine. Si vous modifiez les chiffres d'un tableau Excel collé de cette manière dans Word, les changements ne seront pas reportés dans le tableau d'origine. De même, si vous modifiez le tableau d'origine dans Excel, les éléments collés dans Word resteront inchangés.

Echange de données statique au moyen d'un fichier

Vous pouvez également échanger des données entre applications en utilisant un fichier intermédiaire. C'est ce que vous avez fait lorsque vous avez inséré le logo et la signature du document *Lettre3*. Dans ce type d'échange, le fichier intermédiaire peut être le fichier d'origine de l'application qui l'a créé (c'est le cas du logo, qui est un fichier

Illustrator), un fichier au format de l'application de destination ou un fichier dans un format intermédiaire (fichier TIFF ou EPS pour Photoshop, fichier RTF pour le texte enrichi, etc.). Cette méthode est utilisée, par exemple, pour échanger du texte entre Word pour Windows et Word Macintosh, ou entre Word et PageMaker.

Les applications possèdent parfois une commande permettant de mettre à jour les données. Ainsi, si vous créez un document avec Word, que vous l'importez dans PageMaker et que vous modifiez ensuite le document avec Word, vous pourrez le mettre à jour en utilisant une commande spéciale de PageMaker. Mais, dans ce cas, les modifications qui auront été apportées au texte dans PageMaker seront perdues.

Echange de données dynamique au moyen d'un fichier

Ce type d'échange est semblable au précédent, à une différence près, mais elle est de taille. L'application qui reçoit les données ne les stocke pas dans son propre fichier, mais crée un lien avec le fichier d'échange lui-même. Si ce fichier n'est pas celui de l'application d'origine, il n'y a guère de différence avec la méthode précédente. En revanche, si l'application de destination est capable d'utiliser directement le format de l'application d'origine et de modifier les données, les modifications faites par l'une et l'autre application peuvent être cumulées.

Avec ce type d'échange, les données sont constamment à jour sans avoir besoin d'utiliser une commande spéciale.

Echanges de données par enchâssement d'objets

Cette technique n'est pas à proprement parler un échange de données. Elle consiste en fait à placer un objet créé par une application à l'intérieur d'un objet appartenant à une autre application. Par exemple, si un document Word doit contenir un tableau créé dans Excel, vous pouvez copier le tableau dans Excel et le coller dans le document Word. Vous pouvez aussi placer directement le document Excel dans le document Word. Cette façon de procéder utilise la technologie OLE.

Pour effectuer l'exercice suivant, vous devez posséder Excel et suffisamment de mémoire pour l'utiliser en même temps que Word.

1. Chargez Word et ouvrez le document dans lequel vous voulez placer le tableau Excel, par exemple le document *Memo* se trouvant sur la disquette d'accompagnement (disponible séparément).
2. Placez le point d'insertion à la fin du document.
3. Déroulez le menu *Insertion* et sélectionnez *Objet*. La fenêtre de la Figure 12.1 est affichée. Cette fenêtre contient la liste des objets pouvant être insérés. Ces objets sont fournis par les *serveurs d'objets* connus de Word.
4. Sélectionnez *Feuille Excel* et cliquez sur *OK*. Excel est automatiquement chargé en mémoire et une feuille de calcul vierge est affichée à l'intérieur du document Word. La barre de titre est toujours celle de Word, mais la barre de

menus et les barres d'outils sont maintenant celles d'Excel. Vous pouvez à présent créer votre tableau tout à fait normalement. Cependant, plutôt que de procéder ainsi, nous allons insérer un tableau existant.

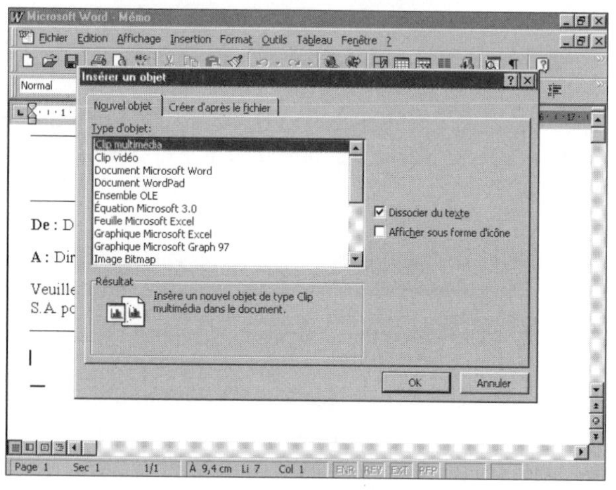

Figure 12.1 : Insertion d'un objet.

5. Annulez l'opération précédente.
6. Sélectionnez de nouveau *Objet* dans le menu *Insertion* et cliquez sur l'onglet *Créer d'après le fichier*.
7. Sélectionnez le fichier *Cotation* se trouvant sur la disquette d'accompagnement (si vous en disposez), ou tout autre document Excel.
8. Décochez la case *Dissocier du texte*.
9. Cliquez sur *OK*. La Figure 12.2 montre le résultat obtenu.

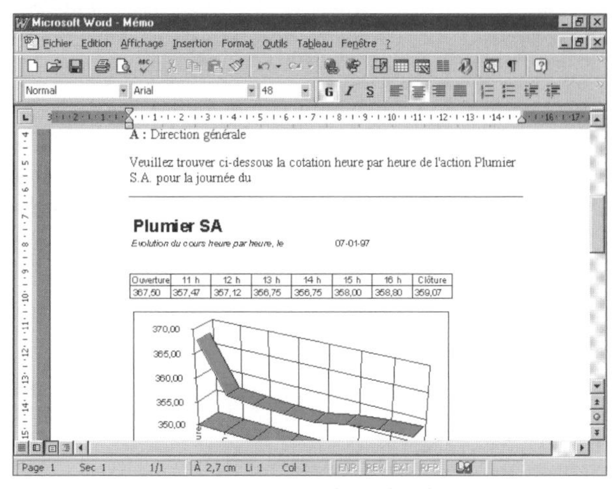

Figure 12.2 : Le document Excel enchâssé dans le document Word.

Vous pouvez également insérer un objet Excel en le copiant dans Excel et en le collant dans le document Word de la façon suivante :

- **Dans Excel, sélectionnez la zone de la feuille de calcul qui vous intéresse et copiez-la dans le presse-papiers.**
- **Affichez le document Word et placez le point d'insertion à l'endroit où vous voulez insérer la feuille de calcul.**
- **Sélectionnez** Collage spécial **dans le menu Edition.**
- **Dans la boîte de dialogue affichée, sélectionnez** Objet Feuille Microsoft Excel **et cliquez sur OK.**

Mise à jour d'un objet Excel enchâssé

Pour mettre à jour un objet Excel enchâssé dans un document Word, il vous suffit de faire un double clic sur l'objet. Excel est automatiquement chargé en mémoire et une feuille de calcul vierge est affichée à l'intérieur du document Word. La barre de titre est toujours celle de Word, mais la barre de menu et les barres d'outils sont maintenant celles d'Excel (Figure 12.3). Vous pouvez alors modifier le tableau comme si vous travailliez avec Excel.

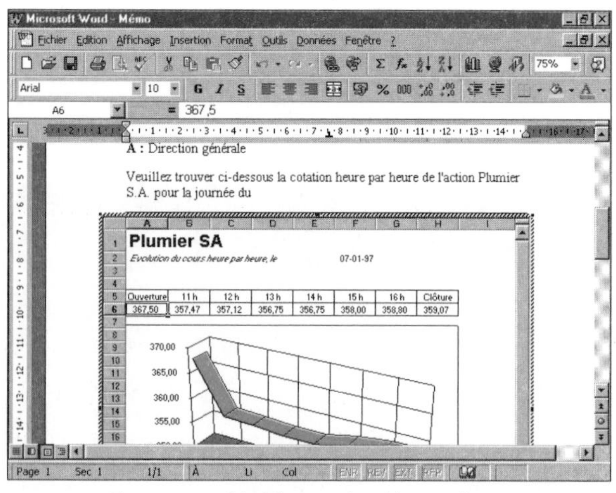

Figure 12.3 : Modification du tableau enchâssé.

Echange de données par collage avec liaison

L'échange de données par collage avec liaison ressemble beaucoup à l'échange statique pratiqué à l'aide du presse-papiers. Il existe cependant une différence majeure. Un lien dynamique est en effet conservé entre la copie et l'original. Chaque fois que l'original est modifié, la copie l'est également. A titre d'exemple, nous copierons de nouveau le graphique et la date du tableau Excel *Cotation* dans le document *Memo*. Ces deux documents se trouvent sur la disquette d'accompagnement (disponible séparément). Procédez de la façon suivante :

1. Dans Word, ouvrez le document *Memo*.
2. Dans Excel, ouvrez le document *Cotation*.
3. Sélectionnez la date (cellule F2).
4. Copiez-la dans le presse-papiers.
5. Affichez Word.
6. Placez le point d'insertion à la fin du dernier paragraphe de texte (se terminant par *pour la journée du*).
7. Dans le menu *Edition*, sélectionnez *Collage spécial*. La boîte de dialogue de la Figure 12.4 est affichée.
8. Sélectionnez *Texte mis en forme (RTF)*.
9. Cliquez sur *Coller avec liaison*.
10. Cliquez sur *OK*. La date est placée dans le document Word.

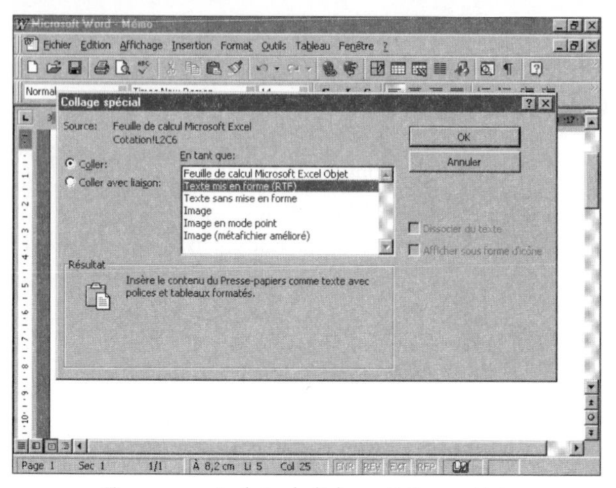

Figure 12.4 : La boîte de dialogue Collage spécial.

11. Affichez Excel, sélectionnez le graphique et placez-le dans le presse-papiers.
12. Affichez Word et placez le point d'insertion à la fin du document.
13. Déroulez le menu *Edition* et sélectionnez *Collage spécial*.
14. Sélectionnez *Coller avec liaison*.
15. Décochez la case *Dissocier du texte*.
16. Cliquez sur *OK*.

Mise à jour des liaisons

Pour expérimenter la mise à jour des liaisons, qui est la partie la plus spectaculaire de l'opération, procédez de la façon suivante :

1. Affichez le document Excel et le document Word côte à côte (en redimensionnant leurs fenêtres).
2. Activez le document Excel.
3. La cellule F2 contient la formule *AUJOURDHUI()*, qui donne la date du jour. Remplacez-la par **AUJOURDUI()+1** (qui vous donnera la date du lendemain). Lorsque vous validez la modification, la date est modifiée dans Excel et, quelques secondes après, dans le document Word ! (Voilà ce que signifie *échange en temps réel*. Il existe un délai entre la modification dans Excel et la mise à jour dans Word, mais il n'est pas significatif.)
4. Remplacez la valeur 367,50 du cours d'ouverture (cellule A6) par **359,50**. Le graphique est mis à jour dans Excel en quelques secondes, puis c'est le tour de la copie collée dans Word (Figure 12.5).

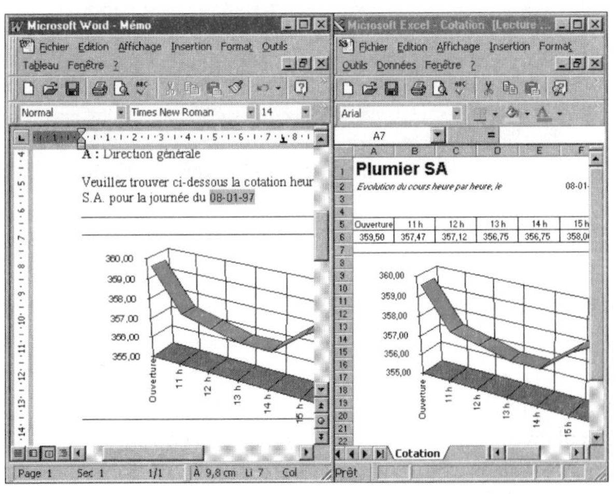

Figure 12.5 : Mise à jour des éléments copiés avec liaison.

Fermeture d'un document source d'une liaison

Lorsque vous fermez le document source d'une liaison, un message vous informe qu'un lien dynamique est actif. En effet, une fois le document fermé, le lien est désactivé. Vous pouvez le réactiver en ouvrant le document.

Ouverture d'un document destination

Lorsque vous ouvrez un document contenant des éléments collés avec liaison et que le document source n'est pas ouvert, Word met à jour les liens automatiquement. En revanche, si le document source est ouvert, la mise à jour est automatique.

Si l'application qui a créé le document source n'est pas chargée, Word vous propose de le faire. Le document contenant les éléments copiés est ensuite mis à jour.

Si vous établissez ce type de liaison en copiant des éléments dans un document source (Excel, par exemple), Word enregistre le nom du document source et son emplacement sur le disque. Si vous enregistrez ensuite le document sous un autre nom, la liaison sera conservée avec le document d'origine, et non avec le document enregistré sous un nouveau nom.

Les options de liaison

Vous pouvez configurer les options de liaison en sélectionnant *Liaisons* dans le menu *Edition*. La boîte de dialogue de la Figure 12.6 est affichée. Pour modifier une liaison, sélectionnez-la dans la liste.

- La rubrique *Mise à jour* permet de choisir une mise à jour automatique ou manuelle. Une mise à jour manuelle s'effectue à l'aide du bouton *Mettre à jour*.

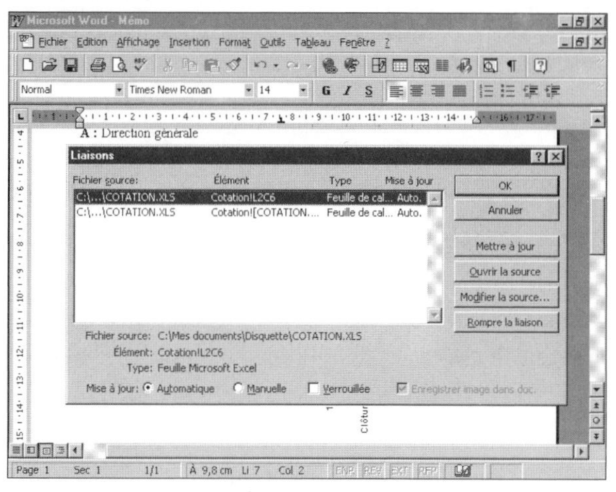

Figure 12.6 : Configuration des options de liaisons.

- L'option *Verrouiller* permet d'interdire la mise à jour.
- Le bouton *Modifier source* sert à modifier la référence pour la faire correspondre à un autre fichier. Cela est particulièrement utile si le fichier source a été déplacé.
- Vous pouvez également rompre la liaison (la copie avec liaison est alors transformée en copie normale) ou ouvrir le document source.

Quelle méthode choisir ?

Il n'est pas toujours évident de choisir une méthode d'échange de données. Le premier critère consiste à décider si l'échange doit être dynamique ou non ; le second à déterminer si l'échange doit être fait entre deux utilisateurs, ou entre deux applications fonctionnant sur un même PC. Pour un échange statique entre deux applications d'un même utilisateur, la méthode traditionnelle utilisant le presse-papiers est tout à fait satisfaisante.

L'échange de données statique entre deux utilisateurs possédant les mêmes applications est tout aussi simple. Il suffit de donner à l'autre utilisateur une copie du fichier d'origine. Il pourra l'ouvrir et effectuer une copie des éléments à l'aide du presse-papiers.

L'échange de données par copie avec liaison est particulièrement intéressant lorsque vous voulez avoir un accès total au document source produit par un autre utilisateur. En revanche, vous devez impérativement posséder l'application source pour copier les éléments du document.

L'enchâssement d'objets concerne une utilisation complètement différente. Grâce à cette méthode, vous pouvez utiliser plusieurs applications comme s'il s'agissait d'un seul et même programme. Word a d'ailleurs recours à cette technique pour les graphiques et pour les équations. Elle est parfaite si vous disposez de suffisamment de mémoire. En effet, les deux applications doivent se trouver en même temps en mémoire. Si votre machine est sous-équipée, vous pourrez tout de même utiliser cette méthode (avec une dégradation de la vitesse de passage d'une application à l'autre) en vous servant de la mémoire virtuelle, à condition d'avoir assez d'espace sur votre disque dur.

INDEX

B

C

D

E

F

J

L

U

V

W